KB160642

고려시대 사람들의 의복식衣服飾 생활

박용운

평북 선천군에서 출생
서울대학교 사범대학, 고려대학교 대학원 석사·박사 과정을 마치고
동 대학원에서 문학박사학위 취득
성신여자대학교 조교수를 거쳐 고려대학교 문과대학 한국사학과 교수로 정년 퇴임
현재 고려대학교 명예교수
著述 : 『高麗時代 臺諫制度 硏究』, 『高麗時代史』 上·下, 『高麗時代 蔭敍制와 科擧制 硏究』, 『고려시대 開京 연구』, 『高麗時代 官階·官職 硏究』, 『高麗時代史硏究의 成果와 課題』, 『고려시대 中書門下省宰臣 연구』, 『高麗時代 尙書省 硏究』, 『高麗時代 中樞院 硏究』, 『高麗社會의 여러 歷史像』, 『高麗社會와 門閥貴族家門』, 『고려의 고구려계승에 대한 종합적 검토』, 『수정·증보판 고려시대사』, 『고려사 백관지 역주』, 『고려시기 역사의 몇 가지 문제』, 『高麗史 選擧志 譯註』, 『高麗史 여복지 역주』 등

고려시대 사람들의 의복식衣服飾 생활

초판 1쇄 발행 | 2016년 11월 30일
초판 3쇄 발행 | 2022년 12월 27일

저 자 | 박용운
발행인 | 한정희
발행처 | 경인문화사
주 소 | 경기도 파주시 회동길 445-1 경인빌딩
전화 | 031)955-9300, 팩스 | 031)955-9310
이메일 | kyunginp@chol.com
홈페이지 | http://kyungin.mkstudy.com
출판번호 | 제406-1973-000003호

ISBN 978-89-499-4221-6 93910
정가 27,000원

고려시대 사람들의 의복식衣服飾 생활

박용운 지음

景仁文化社

머리말

공부를 시작하면서 내가 처음 주제로 잡은 것은 고려시기의 대간제도臺諫制度였다. 지금은 이 주제의 실체가 그런대로 밝혀져 있지만 1960년대 후반기까지만 하여도 연구가 미미한 상황이어서 어느 수준의 해명에만도 10여년의 시간이 소요되었다. 그런데다가 다들 알고 있듯이 대간제도는 정치의 핵심이 되는 조직의 하나였고, 따라서 왕권과 재추宰樞·상서6부 등 국가를 운영해가는 중요 기구·인원들과 긴밀히 연결되게 마련이었다. 그러니 자연스레 이들에 대한 이해에 적지 않은 노력을 기우려야 했고, 그 과정에서 정치권력의 특성과 고려사회 자체의 성격론 문제가 대두되면서 이들 주제의 논의에도 참여하였다.

그러다보니 주변에서는 나를 고려시대의 정치사 내지 정치제도사를 공부하는 사람으로 치부하였고 그게 사실이었다. 하지만 특히 학생들 앞에서 강의를 해가는 동안 당시의 정치상황 뿐 아니라 당대인들이 무엇을 어떻게 먹고, 어떤 옷을 입었으며, 또 어떤 집에 살았는가 등등의 실제 생활상에 대해 제대로 이야기를 해주지 못하는게 늘상 마음속 한 구석에 자리잡고 있었다. 그럼에도 바쁘다는 핑계를 구실 삼아 이 짐을 덜기 위한 준비작업은 정년을 앞둔 얼마전에야 시작하였다. 한데 정작 퇴직을 하고나서도 그동안 마무리를 짓지 못한 『고려시대사』의 증보 작업과 『고려사』 백관지와 선거지의 역주를 마치는데 또 몇 년간의 시간을 보내야 했다.

그리고 나서야 기초 작업을 겸해 우선 『고려사』 여복지의 역주에 착수하였는데, 결과는 기대했던 것에 훨씬 미치지 못하였다. 그럼에도 용기만은 잃지 않고 결과물의 제목을 『고려시대 사람들의 의·식·주衣食住 생활』이라 정해 놓고 모아온 자료들을 그에 맞추어 분류·정리하고 먼저 의생활衣生活에 대해 붓을 들었다. 그렇지만 얼마 못가서 나는 곧 좌절에 빠지고 말았다. 내용이 짐작했던 것보다 방대한 데다가 나처럼 이 방면에 아무런 소양이 없는 처지에서 접근이 매우 어렵다는 것을 절실하게 느꼈기 때문이다. 그렇다고 중간에 포기할 수도 없어서 억지로 조금씩 추진해 갔는데 그러니 힘은 힘대로 들고 제대로 진척은 되지 않았다.

이에 즈음하여 나는 애초의 계획이 너무 무모했다는 것을 새삼 깨닫게 되었다. 그리하여 고심 끝에 내린 방안이 식음食飮 생활과 주거住居 생활에 대한 것은 후일로 미루고 의복식衣服飾 생활에 관한 것이나마 마무리지어 보자는 것이었다. 그 결과로 내놓는 것이 이 책이지마는, 그나마 의복식 자체의 제작이나 기술적인 문제 등은 거의 다루지 못하였고 다만 그것들을 통한 생활사의 이해에 도움을 얻어보자는 수준의 책자임을 이해하여 주시기 바란다. 아울러 그 과정에서 왕실이나 신료들과의 관련성보다는 민인民人들과 얽힌 내용에 좀더 유의하고자 했으나 그 취지에 얼마나 부합되게 이루어졌는지 자신이 가지 않는데, 이점 역시 양해하여 주셨으면 한다. 부가해서 한 가지 더 양해를 구할 것은 복두幞頭 역시 중요한 관모冠帽의 한 종류이고, 상의국尙衣局·도염서都染署·잡직서雜織署도 의복식과 관련이 깊은 기구들로서 재삼 검토가 필요한 부분이기는 하나 얼마 전에 정리하여 논문으로 발표한 일이 있어 이 자리에서는 먼저번 그대로의 글을 '부록'이라는 이름으로 덧붙여 두었으므로 참고로 이용하여 주시기 바란다.

시장성이 별로 없어 보이는 이 책자를 기꺼이 맡아 출판해준 경인문화사의 담당자들에게 이 자리를 빌어 감사의 뜻을 표하여 둔다. 아울러 관련 자료들을 찾고 수집하는 과정에서 여러 모로 노력을 아끼지 않은 고려대학교 대학원의 고려시대사 전공자들에게도 고맙다는 인사를 전하고자 한다.

2016년 8월

저자 박용운 씀

목 차

1

서언序言

의복衣服·복식服飾이 우리 인류가 생활을 처음 시작하면서 먼저 마련하지 않으면 안되는 물품의 하나가 되리라는 것은 누구나가 쉽사리 생각할 수 있는 일이다. 이 부분과 관련하여서 우선 우리의 인체가 직면하는 추위를 막거나 더위에 대비하는 등의 생리적 목적과 침투해오는 주변 동식물들로부터 보호해줄 수 있는 제2의 피부와 같은 존재가 필요했다는 측면에서 접근하는 이해가 있다. 그리고 인지의 발달에 따라 부끄러운 부위를 가리거나 체면을 중하게 여기는 관념이 향상되고 또 인간의 미화 본능이 발현되면서 복식 역시 변화하고 세련되어 가는 한편으로 신분관념이 발생하면서는 자신의 계급·지위·직업 등을 나타내는 표시적 기능까지도 지니게 되었다고 보는 등 다양한 논의가 있었음이 지적되어 있는데,[1] 적절한 설명이라고 생각된다.

의복·복식이 가지는 이같은 목적·가치는 우리 선조들의 경우에도 시기에 따라 차이가 나게 마련이었겠지마는, 형식과 내용 면에서 어느 정도의 제모습을 갖춘 의복식에 대해 살피려 할 때 초기의 국가 모습을 띠어가던 후기의 고조선과 그리고 부여 및 삼한 등으로까지 거슬러올라갈 수가 있다. 그러므로 복식사를 연구하는 논자들은 이들에 대한 언급으로부터 출발하고 있지만 당대에 관한 연구자료를 찾아보기가 매우 힘든 상황이어서 이 부분에 대해서는 대체적으로 간략한 설명에 그치고,[2] 그 뒤를 이은 고구려와 백제·신라 등 삼국시대부터를 본격적인

1) 李如星, 「상대 복식의 복식문화사적 지위」『朝鮮服飾考』, 白楊堂, 1947; 범우사, 1998, 208~224쪽.
2) 李如星, 「상대 사회와 복식」『朝鮮服飾考』, 白楊堂, 1947; 범우사, 1998, 51~54쪽.

검토의 대상으로 삼고 있다.[3] 이 시기가 되어야 비로소 문헌 자료와 함께 벽화·실물 등을 접할 수 있어 비교적 정확한 의복식의 내용을 파악할 수 있기 때문이다.

다들 알고 있듯이 우리나라의 역사는 저들 삼국이 신라로 통합된 후 잠시 후삼국의 시기를 거쳐 고려왕조와 조선시대로 이어져가게 된다. 한데 복식사의 측면에서 보면 연구가 삼국과 조선시대에 크게 치우쳐 있는데, 그 가운데서도 후자가 절대적 우위를 점하고 있다. 이는 한국의 복식사를 종합적으로 다룬 연구로 선구적 위치에 있다고 할 김동욱·유희경의 저술을[4] 비롯해 그 뒤의 상황을 살피더라도 대략 비슷한 경향을 띠고 있거니와,[5] 그것은 상대적으로 풍부한 연구자료가 전하고 또 현재의 우리와 가까운 시기의 역사라는 점에서 어떻게 보면 당연한 결과라고 할 수 있다.

그럼에도 고려는 삼국·통일신라와 조선을 잇는 다리로서 475년간이나 존속한 국가였음을 염두에 둘 때 당대의 복식사에 대한 지금의 우리들 연구가 지나치게 미흡했다는 생각이 많이 든다. 그 주된 원인은 역시 실체를 밝히는데 필요한 자료가 다른 시기에 비해 가장 적게 전해진다는데 있는 듯싶지만, 그점을 감안하더라도 너무 소홀히 대하여 왔다는 느낌이 없지 않은 것이다. 물론 위에서 소개한 4)·5)의 저술들도 부

金東旭, 「上古服飾의 祖型과 그 沿革·展開」『李朝前期 服飾構造』, 韓國硏究院, 1963; 『韓國服飾史硏究』, 亞細亞文化社, 1973, 6~9쪽.

유희경, 「服飾의 變遷」『한국복식사 연구』, 이화여대출판부, 1975, 40~48쪽.

3) 위의 이여성·김동욱·유희경 세 저서.
박선희, 『한국 고대 복식』, 지식산업사, 2002.

4) 위의 주 2) 저서.

5) 李京子, 『韓國服飾史論』, 一志社, 1983.
趙孝順, 『韓國服飾風俗史硏究』, 一志社, 1988.
임영미, 『한국의 복식문화』, (Ⅰ)(Ⅱ), 경춘사, 1996.

족한대로 고려시대의 복식을 다루고 있고, 또 어려운 여건을 무릅쓰고 저들에 관한 해명을 주제로 삼은 눈여겨볼만한 개별 논문과[6] 저술도[7] 몇몇 찾아지고는 있다. 하지만 이들도 그 내용을 살펴 보면 대부분이 왕실이나 관료들과 연결을 가지는 것들이고 민인民人과 관련된 것은 극히 일부분에 지나지 않는다는 한계성을 지닌다.

이처럼 고려시대의 복식에 대한 연구는 그를 전후한 시기의 해명에 비해서 전반적으로 뒤지고 있다는 점과 또 미흡한대로의 연구나마 왕실이나 관료들과 관련된 것에 치우쳐 있다는 문제점을 안고 있다. 그것은 앞서 지적했듯이 전해오는 자료가 많지 않은데 원인이 있다고 하였

---

6) 金東旭, 「高麗初의 民庶平服에 對하여」 『아세아연구』 8권 2호, 1965.
金東旭, 「高麗圖經의 服飾史的 硏究－高麗圖經의 風俗史的 硏究－」 『延世論叢』 7, 1970.
柳喜卿, 「高麗·朝鮮朝 國王 冕冠制」 『考古美術』 136·137, 1978.
白英子, 「高麗의 鹵簿儀衛」 『우리나라 鹵簿儀衛에 관한 연구』, 이화여대 박사학위논문, 1985.
權兌遠, 「高麗史 輿服志의 分析的 檢討」 『國史館論叢』 13, 1990.
박용운, 「고려시기의 幞頭와 幞頭店」 『韓國史學報』 제19호, 2005; 『고려시기 역사의 몇 가지 문제』, 일지사, 2010; 本書 所收.
金洛珍, 「高麗時代 禁軍의 組織과 性格－高麗史 輿服志 儀衛條의 分析을 중심으로－」 『國史館論叢』 106, 2005.
박용운, 「고려시기의 服飾 관련 기구들에 대한 검토－尙衣局·都染署·雜織署를 중심으로－」 『한국중세사연구』 제38호, 2014; 本書 所收.

7) 趙孝淑, 『韓國 絹織物 硏究－高麗時代를 中心으로－』, 세종대 박사학위논문, 1993.
이승해, 『고려시대 官服 연구』, 이화여대 박사학위논문, 2011.
박용운, 『고려사 여복지 역주』, 景仁文化社, 2013.
아래의 두 저술은 元干涉期라는 특정 시기에 있어서 고려와 원나라 복식의 관련성과 그에 따른 변천 상황을 추구한 것으로 주목된다.
김문숙, 『고려시대 원간섭기 일반복식의 변천』, 서울대 박사학위논문, 2000.
최해율, 『유목민의 꽃 몽골 여자복식의 흐름』, 민속원, 2008.

거니와 그나마 『고려사』 여복지輿服志를 비롯한 현존하는 기록들의 큰 비중이 상급 지배층에 관한 것으로 채워져 있다는 사실과 관련이 깊다고 생각된다. 그렇다면 결국 조금이라도 문제를 완화시키기 위해서는 자료에 대해 좀더 깊이 천착해 들어가는 것이 올바른 길일 것 같다. 그 하나로 특히 종래에는 다루는데 좀 소홀하였던 듯싶은 많은 수의 문집들을 세밀히 살펴볼 필요가 있다고 본다. 그 외에 『동문선東文選』이나 고문서古文書·묘지명墓誌銘 등도 마찬가지이지만 다행히 근자에 상당량의 새로운 자료들이 보완된 만큼 이들도 널리 이용하여야 한다. 『고려사』 여복지와 『고려도경高麗圖經』 등도 기본이 되는 중요 자료이므로 이들과 더불어 위에 든 문서들을 함께 이용함으러써 고려시대의 복식－특히 그간 관심권에서 좀 밀려나 있었던 민인民人들의 그것－에 대해 좀더 진전된 내용을 파악할 수 있지 않을까 하는 것이다.

이 글은 그와 같은 목적과 관점에서 출발하는 것이다. 그리하여 처음에는 의복식 생활의 변천에 대해 간략하게 살피고자 하는데, 그 시발점을 삼국시대로 잡았다. 이 시기에는 우리 민족의 기본적인 복식형이 분명하게 드러나 있고, 신라 중기에 들어와 거기에 중국 수·당의 복식 문화가 왕실을 비롯한 상급 지배층에게 영향을 미치면서 고유복식과 외래(중국)복식의 2중구조가 형성되며, 그것이 고려왕조에도 그대로 연결되기 때문이다. 이후 고려시기 사람들은 그들 나름의 복식 생활을 이어가지마는 후기에 몽고의 침입을 받아 100년 가까운 기간 동안 그에 복속함에 따라 자연히 복식도 영향을 받는데 그 부분 역시 검토해 볼 필요가 있다고 생각된다.

다음으로는 우선 의복의 재료에 대해 검토하고자 한다. 고려시기의 의료로서는 마포麻布(삼베)와 갈포褐布(葛布)·저포紵布(모시)·명주明紬(무명·면포)를 비롯하여 능綾·라羅·견絹·금錦과 계罽 등등을 들 수 있는데, 이들에 대한 세부 구분이나 생산의 실태, 이용 상황 등 특히 우리들의 실생활과 연관된 점에 유의하면서 살펴보고자 하는 것이다.

이어서 의복식의 여러 형태에 대하여 살피려 한다. 저고리(유襦)와 바지(고袴)·치마(상裳), 두루마기(포袍)와 띠(대帶), 두의頭衣인 관모冠帽, 족의足衣라할 신(리履)과 버선(말襪) 등이 그들인데, 종래에 가장 많은 관심과 더불어 다수의 연구가 이루어진 부분이다. 그리하여 그 수준도 매우 높을뿐 아니라 기술적으로 세세한 문제까지 다양한 검토의 성과가 알려져 있는 것이다. 따라서 이 자리에서는 그같은 세세하면서도 기술적인 부분에 관한 것이 아니라 그들이 우리의 실제 생활에서 이용되고 있는 상황과 그 의미 등을 재정리하는 수준에 한정하여 알아보고자 한다. 아울러 당대 복식의 2중구조상에서 왕실과 상급 지배층의 그것들에 대해서 언급은 하겠으나 이 역시 대부분은 지금까지의 연구 결과에 맡기고 여기서는 주로 민인民人들과 연결된 것에 초점을 맞추어 언급하기로 하겠다.

끝으로 복색服色과 문양(무늬)의 문제를 대략적이긴 하겠지만 살피려는 생각을 가지고 있다. 그것은 직위 등과는 말할 나위 없고 당대에 중시하던 풍수지리설과도 밀접히 연결되어 있는 주제이기 때문이다.

의복·복식의 문제는 중요하면서도 광범하고 난해한 분야 가운데 하나이다. 그같은 사실을 염두에 두지 않은 것은 아니지만 단지 이 부분을 좀더 알아보고 싶다는 의욕만을 앞세워 뛰어들었는데 정작 부딪혀보니 아무런 소양과 지식이 없는 나로서는 접근이 거의 불가능하다는 것을 그제서야 새삼 깨닫게 되었다. 하지만 이미 엎질러진 물이라 선학과 동료들께서 이미 이루어놓은 성과에 의지하면서 그동안 모아온 자료들을 재검토하는 작업을 통해 고려시대의 의복식사에 한걸음이라도 더 다가갔으면 하는 바람에서 붓을 든다.

2

의복식衣服飾 생활의 변천

(1) 삼국시대 사람들의 의복식 생활과 그 변천

우리나라의 고조선과 부여 시기 의복식은 아시아의 여러 북방민족들과 마찬가지로 이른바 호복胡服 계통으로서 좁은 소매(착수窄袖)에 좁은 바지(세고細袴)·왼쪽 여밈새(좌임左衽) 등의 형태를 띄운 것으로 짐작되고 있다. 여기에 한군현漢郡縣의 설치(B.C. 108·109)와 같은 사태의 발생을 비롯해 여러 방면으로 교류가 이루어짐에 따라 넓은 소매(광수廣袖)·너그러운 바지(관고寬袴)·오른쪽 여밈(우임右衽) 등의 형태를 띄는 중국계의 풍습이 섞여들게 되는 한편으로 이들에게도 다소 북방계의 영향이 미치는 양상을 보였다고 파악하고 있다.[1] 이후의 벽화 등을 보면 후자의 형태가 더 흔하게 찾아지고 있지마는 그것은 상급층 인원들의 복식에 많이 나타나고 전자는 하급층이 많이 착용하는 경향을 띄고 있음을 알 수 있다.[2] 이것은 요컨대 우리의 저고리와 바지·치마·두루마기 등을 기본으로 하는 복식의 전통이 이어져가는 가운데 부분적으로 좀더 다양성도 추구해간 결과라 할 수 있을 것 같다. 그러나 어떻든 이들 풍습이 오랜 세월을 경유하면서 점차 토착화하여 우리의 고유한 복식으로 자리를 잡아간게 아닌가 생각된다. 이점은 『고려사』 여복지

1) 李如星, 「상대 복식의 기본형」 『朝鮮服飾考』, 白楊堂, 1947; 범우사, 1998, 70~75쪽.
金東旭, 「우리 服飾의 基本構造」 『李朝前期 服飾構造』, 韓國硏究院, 1963, 163쪽.
유희경, 「上代服飾의 基本型」 『한국복식사 연구』, 이화여대출판부, 1975, 23쪽.

2) 李如星, 위의 글 77·78·81쪽.

의 첫머리에,

> ㉮ - ① 우리나라는 삼한으로부터 의례儀禮·법도法度와 복식服飾에서 고유 풍습(토풍土風)을 그대로 이어왔다.[3)]

고 하면서, 거기에 잇대어 그것은 신라의 태종무렬왕 - 왕위에 즉위하기 이전의 김춘추金春秋 - 가 당나라에서 관·복冠服의 제도를 받아오기까지 지속되었다는 설명을 덧붙이고 있다. 고구려·백제·신라가 제자리를 잡기 이전인 삼한 때부터의 고유한 복식 풍습(토풍土風)이 그대로 남아 오랫동안 이어져 왔음을 전해주고 있는데, 이는 아래의 『삼국사기』 잡지雜志 색복조色服條에서도 거듭 확인된다. 즉,

> ㉮ - ② 23대 법흥왕에 이르러 비로소 6부 사람 복색服色의 존비尊卑 제도를 정하였지만 아직도 오랑케 풍속(이속夷俗) 그대로였다.[4)]

고 보이는 것이다. 법흥왕(514~539)이 재임중인 어느 해에 경주의 6부 사람들 - 아마 신료臣僚들 - 의 옷 색깔에 따라 높고 낮음을 표시하는 제도를 정한 모양인데 그 역시 우리의 고유 풍속(이속夷俗)에 의거했다는 것이다. 6세기~7세기 중반까지만 하여도 토풍土風 또는 이속夷俗으로 표현된 우리의 초기 복식이 그대로 준수되고 있음을 알 수 있다고 하겠다.

위에서 김춘추 - 뒤에 즉위하는 태종무렬왕 - 이 당나라에서 관·복冠服의 제도를 받아오면서 우리의 전통적인 복식에 큰 변화가 초래되었

---

3) 「東國自三韓 儀章服飾 循習土風」(『高麗史』 권72, 志 권26, 輿服 序文).

4) 「至第二十三葉法興王 始定六部人服色尊卑之制 猶是夷俗」(『三國史記』 권33, 雜志 제2, 色服).

다고 하였는데, 그것은 바로 진덕왕眞德王 2년(648)으로서 그 내용이 역시 『삼국사기』 권33의 잡지雜志 제2, 색복조色服條와 같은 책 권5, 신라본기新羅本紀 제5, 진덕왕 2년 겨울조에 좀더 자세하게 전한다. 즉, 당시 백제의 잦은 공략으로 위기에 처한 신라가 이 해에 김춘추를 당나라에 보내 동맹을 요청토록 하여 응락을 받아내는 가운데 우리의 복식을 당나라 제도로 바꿀 것을 아울러 청하자 그에 역시 동의하면서 진귀한 의복을 내려주었다는 것이다. 그리하여 신라에서 중국식 복제服制가 시행에 옮겨지는 것은 그 이듬해인 진덕왕 3년(649)인데, 역시 『삼국사기』에,

> ㉮-③ (진덕왕) 3년(649) 춘3월에 비로소 중국의 의관衣冠을 입도록 하였다.[5)]

고 보여 확인도 되며, 이어서

> ㉮-④ (문무왕 4년〔664〕 춘정월에) 교서를 내려 부인들도 역시 중국의 의상衣裳을 입도록 하였다.[6)]

고 전하여 중국의 복식이 점차 확산되어 갔음을 알 수 있다. 한데 여기에서 주목되는 것은 보다시피 중국 복식의 신라 전파가 공식적인 외교 교섭의 과정 속에서 양국의 왕실 상호간에 이루어지고 있다는 것이다. 그러므로 전파 범위도 처음에는 왕실을 포함하여 관료층에 한정되었을 것으로 생각된다. 시간이 경과하면서 그 범위는 좀더 확대되어 문무왕 4년에는 왕명王命으로 부인婦人들까지 중국의 의상을 입도록 조처하고

---

5) 「(眞德王) 三年春三月 始服中朝衣冠」(『삼국사기』 권5, 新羅本紀 제5).
6) 「(文武王四年春正月) 下敎 婦人亦服中朝衣裳」(『삼국사기』 권6, 新羅本紀 제6).

있지마는, 그 부인들도 아마 내·외명부內外命婦에 올라있는 여인들을 지칭한 것으로 보는게 옳을 듯싶다. 이처럼 진덕왕~문무왕 초기에 수용되는 중국 복식은 비록 왕실을 비롯한 고위 신분층에 한정되고, 그나마 주로 공식적인 의례나 업무 때 착용하는데 그치는 것이었다는 한계성을 지니지만 그것이 신라 복식의 상층구조를 형성하는 단초가 된다는 점에서 주목할 필요가 있다.7)

이 시기를 전후하여 나·당연합군에 의해 백제(660년)와 고구려(668년)가 멸망함에 따라 신라는 삼국을 통합하고 잠시 당나라와 분쟁을 겪기도 하지만 오래지 않아 긴밀한 관계로 이어지면서 신라측에서 당나라에 조하주朝霞紬·어아주魚牙紬 등의 고급 옷감을 공물로 보내는가 하면 저들은 신라 왕실과 신료들에게 여러 종류의 복식을 자주 내리고 있다. 이러한 분위기 속에서 양국간에 교류가 더욱 빈번해지고 그에 따라 중국의 문물은 신라 왕실과 골품귀족들을 중심으로 하는 상급 지배층에 더욱 영향력을 넓혀 갔으며, 그 결과는 급기야 이들이 외래의 사치풍조에 젖어드는 경향마저 띠게 되었다. 이같은 당시의 상황은 흥덕왕興德王 9년(834)에 교서敎書로 내려진 다음의 복식금제服飾禁制에 잘 드러나 있다.

> ㉮-⑤ 홍덕왕이 즉위한지 9년째인 태화太和 8년에 교서를 내려 말하기를, "사람에게는 위 아래가 있고 관위官位에는 높고 낮음이 있어서 명호가 같지 않고 의복 역시 다른 것이다. (한데) 풍속이 점

7) 金東旭, 「신라통일기 이후의 복식-興德王 服飾禁制와 관련하여-」『李朝前期 服飾 硏究』, 한국연구원, 1963.
金東旭, 「興德王 服飾禁制의 硏究-新羅末期 服飾 再構를 中心으로-」『增補 韓國服飾史 硏究』, 아세아문화사, 1979.
박용운, 『고려사 여복지 역주』, 景仁文化社, 2013, 21~23쪽.

차 경박해지고 사람마다 다투어 사치하고 호사하여 단지 외국의 진기한 물품만을 숭상하고 토산품土産品은 비루하고 거칠다 하여 꺼리고 배격함에, 예법은 멋대로 참람해져 분수를 잃었고 풍속은 퇴락되기에 이르렀으므로 이에 감히 옛 규정에 따라 엄명(명명明命)을 내리노라. 만약에 짐짓 범한다면 결단코 일정한 형벌이 있으리라" 하였다.[8)]

사회의 질서가 문란해지면서 외국의 진기한 물품만을 선호하고 자국의 토산품은 비루하다고 해서 오히려 꺼리고 배격하는 상황이 전개되었으며, 그에 따라 예법禮法이 무너지고 풍속은 퇴락하는 사태가 벌어지기에 이르렀다는 것이다. 이에 국왕이 옛 규정에 의거하여 예법에 어긋나거나 풍속을 해치는 복식에 대해서 엄벌에 처하겠다는 명령을 내리고 있는데, 그 내용을 보면 진골眞骨 대등大等의 경우 복두幞頭는 임의로 하되 표의表衣(겉옷)와 반비半臂(삼衫 위에 걸치는 옷)·고袴(바지)는 모두 계罽·수금繡錦·라羅 같은 고급 옷감을 금하고……진골 여성(진골녀眞骨女)도 표의에 계·수금·라의 사용을 금한다는 등의 언급에 이어서 6두품六頭品·6두품녀－5두품·5두품녀－4두품·4두품녀의 경우에 대하여 각각 설명하고, 끝으로 평인平人의 경우 복두에는 단지 견絹·포布만을 쓰고……평인 여성(평인녀平人女)의 경우도 표의에는 단지 면주綿紬·포布만을 쓰고……비녀는 유석鍮石(황동) 이하만을 쓰며, 포布는 15승升 이하를 쓰고, 색色(빛깔)은 4두품녀와 같게 한다고 정하고 있다. 골품체제하의 가장 상급 신분인 진골로부터 그 아래의 6두품·5두품·4두품, 그리고 다시 그 아래 신분층을 이루는 평인平人(굳이 비교한다면 3두품·2두품·1두품에 해당하는 왕경인王京人)까지 차례에 따라 등차를

8) 『삼국사기』 권33, 雜志 제2, 色服.

두어 복식에서 금제禁制할 것과 사용할 수 있는 한계에 대해 조목조목 규정하고 있는 것이다. 여기에서 우리는 흥덕왕 9년의 금제가 골품제에 편입되어 있는 상급 신분층을 대상으로 하는 것이었다는 점과, 금제하도록 지목된 많은 물품이 외래의 호사스런 제품들이었다는 것에 주목할 필요가 있다. 신라의 삼국통일기는 국운이 크게 번성한 시기여서 상급 지배층인 골품귀족들은 그 혜택을 누리며 복식에서도 호사스런 생활을 즐길 수 있었다. 복식상으로 말하면 이른바 상층구조가 확고하게 자리를 잡은 때라고 할 수 있겠는데 그 한편에서는 문제가 발생되고도 있었던 것이다.

그러면 이같이 외래의 복식 문화에 많은 영향을 받고 있는 왕실을 포함한 상급신분층의 생활에 비해 농農·공工·상인商人을 비롯한 그 이하 민인民人들의 복식 생활은 어떠 하였을까. 이 부분은 깊이 따져보지 않더라도 전후의 상황과 함께 살펴볼 때 본래의 고유 양식에서 별로 벗어나지 않았음이 확인된다. 요컨대 신라의 삼국통일을 전후한 시기를 기준으로 하여 그 이전은 고유복식기였던데 비하여 그 이후부터는 고유복식과 외래(중국)복식이 동시에 존재하는 2중구조(2중조직)의 시기였다고 할 수 있으며, 고려와 조선도 이중 후자에 해당하는 시기에 속하게 된다.9)

9) 金東旭, 「신라통일기 이후의 복식－興德王 服飾禁制와 관련하여－」『李朝前期 服飾 硏究』, 한국연구원, 1963.
金東旭, 「興德王 服飾禁制의 硏究－新羅末期 服飾 再構를 中心으로－」『增補 韓國服飾史 硏究』, 아세아문화사, 1979.

(2) 고려시대 사람들 의복식 생활의 변천

『고려사』 권72의 여복지輿服志 서문에 의하면 「고려 태조가 나라를 열면서는 초창기라 일이 많으므로 신라의 구제舊制를 그대로 썼다」고 전하고 있다.[10] 이는 『삼국사기』 권33, 잡지雜志 제2, 색복조色服條의 「우리(고려) 태조가 천명을 받고서 무릇 국가의 법도는 신라의 옛 제도를 많이 따랐다」고 한 부분을[11] 빌어온 듯싶거니와, 고려 태조 왕건이 처음 나라를 연(918년) 후 18년간이나 후삼국 통일전쟁을 치룬 것을 감안할 때 이점은 충분히 납득된다. 그후 4대 임금인 광종光宗 7년(956)에는 고려와 가장 친밀한 관계를 맺고 있던 5대[12]의 한 나라인 후주에서 사신을 보내 국왕을 책봉冊封하였고, 그에 잇따라서 「백관百官들의 의관衣冠을 중국 제도(화제華制)를 좇도록 하는」[13] 조처가 있었다. 광종은 후삼국의 통일을 전후한 시기부터 각지에서 커다란 세력을 지니고 있던 지방 호족豪族들을 억누르며 왕권의 강화에 진력한 국왕이거니와, 그 하나의 조처로 사절의 일원으로 왔다가 귀화한 쌍기雙冀의 건의를 받아들여 과거제科擧制를 채택하지마는(958년) 그에 앞서 백관百官들의 의관衣冠도 저들의 제도를 따르도록 하고 있는 것이다. 고려 관료들의 복식은 그로부터 4년이 지난 왕 11년(960)에 관계官階·관직官職의 높고 낮음에 따라 자삼紫衫·단삼丹衫·비삼緋衫·녹삼綠衫으로 구분한 4색공복제四色公服制의 마련으로 제도화된다. 한데 사실 이와 같은 후주의 제

10) 「高麗太祖開國 事多草創 因用羅舊」.
11) 「我太祖受命 凡國家法制 多因羅舊」.
12) 五代는 당나라가 멸망한(907년) 이후 송나라가 건국되기까지(960년)의 사이에 중국의 북방에서 흥망을 거듭한 後梁·後唐·後晋·後漢·後周의 5왕조를 말한다.
13) 『고려사』 권2, 世家 光宗 7년.

도는 당나라 제도의 연장선상에서 이해해야 하므로 결국 처음에 고려는 신라와 당의 것을 이끌어다가 이용했다고 할 수 있겠다.

고려의 여러 제도·문물은 6대 임금인 성종조成宗朝(982~997)에 이르러서야 대략 일단락된다. 하지만 성종 원년에 최승로崔承老가 올린 시무책時務策 제9항에 의하면,

> ㉮-⑥ 신라 때에 공경公卿·백료百僚와 서인의 의복·신발(혜鞋)·버선은 각기 품색品色이 있어서, 공경·백료가 조회朝會할 적엔 공란公襴을 입고 가죽신 홀笏(천홀穿笏)을 갖추도록 했다가 조회에서 물러나면 편리한대로 옷을 입도록 하고, 서인·백성이 문채文彩있는 옷을 입지 못하도록 한 것은 귀·천을 구별하고 존·비를 분별코자 한 때문이었습니다. 이런 연유로 공란은 비록 토산土產이 아닐지라도 백료들은 스스로 넉넉히 쓸 수 있었습니다. 우리 조정에서는 태조 이래로 귀·천을 논하지 아니하고 임의로 입어서 벼슬이 비교적 높더라도 집이 가난하면 공란을 갖추지 못했으나 비록 직위가 없더라도 집이 부유한즉 능·라·금수 같은 비단을 사용했습니다. 우리나라의 토산은 좋은 물건이 적고 거친 물건이 많아서, 문채나는 물품은 토산이 아닌데도 사람들마다 입게 되면 다른 나라 사신을 영접할 때에 백관의 예복이 법과 같지 않아 수치를 당할까 염려됩니다. 바라옵건대 백료들로 하여금 조회에는 하나같이 중국과 신라의 제도에 의지하여 공란과 가죽신·홀을 갖추도록 하고, 일을 아뢸 때에도 버선과·화靴·사혜絲鞋·혁리革履(가죽 신)를 신도록 하고, 서인은 문채나는 사紗·곡縠 같은 비단은 입지 못하고 단지 주紬·견絹만 사용하게 하소서.[14]

14) 「新羅之時 公卿百僚庶人衣服鞋襪 各有品色 公卿百僚朝會 則著公襴 具穿執退朝 則逐便服之 庶人百姓不得服文彩 所以別貴賤辨尊卑也 由是 公襴雖非土產 百僚自足用之 我朝 自太祖以來 勿論貴賤 任意服著 官雖高而家貧 則不能備公襴 雖無職而家富 則用綾羅錦繡 我國土宜 好物少而麤物多 文彩之物皆非土產 而人人得服 則恐於他國使臣迎接之時 百官禮服 不得如法 以取

라고 하여 이때까지만 하여도 공경·백료와 서인·백성과 같은 직위·신분에 따른 복식상의 차별적 법도가 제대로 이행되지 못하고 있음을 볼 수 있다. 그러므로 신라와 중국의 제도에 의거하여 상층의 관인官人들 공란에 한해서 외래의 문채나는 옷을 입도록 하고, 민인民人들의 복식에는 토산土產의 주紬·견絹 등을 사용토록 하자는 재래의 2중체계를 주장하고 있는 것이다. 아울러 관인들의 공란은 조회 등의 공식 행사·업무 때에 착용토록 하고 거기에서 물러나면 편리한대로 옷을 입도록 하자는 이야기도 주목을 끌거니와, 이후 복식을 비롯한 제도·문물은 빠른 속도로 정비를 이루어가게 된다.

고려가 각종 문물·제도를 정비해가는데 있어서 큰 영향을 미친 나라는 당唐과 후주를 대신하여 중원中原의 통일왕조로 대두한(960년) 송宋이었다. 송나라가 건국되자 고려는 그 다음 다음해인 광종 13년(962, 송 태조 3년)에 먼저 사신을 파견하여 국교를 열고 사대관계事大關係를 맺었다. 송에 대해 친선외교를 폄으로써 중간에 끼어 있는 거란과 여진을 견제하려는 의도가 없지 않았으나 그보다도 저들의 선진문화를 받아드릴 필요가 있기 때문이었다. 이에 비해 송나라로서도 동북방에 위치한 거란과 여진의 군사적인 위협을 받고 있는 상황이어서 고려를 통해 저들의 압력을 배후에서 견제하고자 하는 필요성이 있기 때문에 고려와의 국교에 적극적이었다. 문종文宗 32년에 송나라 황실에서 고려 왕실에 사여품賜與品으로 보낸 화려하면서도 값진 각종 복식의 사례[15] 하나

恥焉 乞令百僚朝會 一依中國新羅之制 具公襴穿執 奏事之時 着袜靴絲鞋革履 庶人不得着文彩紗縠 但用紬絹」(『고려사절요』 권2, 成宗 元年 6월). 동일한 내용이 『고려사』 권85, 刑法志 2, 禁令 성종 원년 6월조와 같은 책 권93, 列傳 崔承老傳에도 실려 있다.

15) 『고려사』 권9, 世家, 文宗 32년 6월·『고려사』 권72, 여복지, 冠服條 王冠服 문종 32년 6월.

만 보더라도 두 나라 사이의 친밀한 관계를 능히 짐작하고 남음이 있을 정도인 것이다.

고려의 관원들이 복식면에서 송나라의 제도를 직접 본받고 있었다는 사실은 주로 예종·인종조에 활동하면서 『삼국사기』를 편찬하기도 했던 김부식金富軾의 다음 기록을 통해 보다 잘 살필 수 있다. 즉,

> ㉮-⑦ 신(김부식)이 세 번 사신으로 상국上國(송)에 갔었는데, 일행의 의관衣冠이 송나라 사람들과 다름이 없었다. 일찍이 입조入朝하였으나 아직 일러서 자진전 문 앞에 서 있는데 한 합문원閤門員이 와서 묻기를 "누가 고려 사신이요?" 하므로 대답하기를, "나요"라고 하니 웃고 갔었다.[16)]

고 했듯이 사신으로 송나라에 간 고려 관원들의 복식만 보고는 본국인들조차 고려인과 송나라 사람을 구분하지 못할 정도였다는 것이다. 또 인종 원년(1123)에 사절의 한 사람으로 왔다가 견문록인 『고려도경高麗圖經』을 남긴 서긍徐兢이 그의 기록에서,

> ㉮-⑧ 우리 중조中朝(송)에 이르러서 해마다 사신을 보내므로 자주 일상복(습의襲衣)을 사여한즉 점차 중국풍(화풍華風)에 젓게되면서 총애를 입어 옛 풍습을 버리고 합치시켜 한결같이 우리 송의 제도를 따르게 되었으니, 다만 변발을 풀고 (좌)임左衽을 던 것 뿐만이 아니니다. 그러나 관직명이 일정하지 않고, 조정에서 입는 옷과 집에서 입는 옷이 (송과) 다른게 있으므로 이를 열거하여 관복도冠服圖를 그린다.[17)]

---

16) 『삼국사기』 권33, 雜志 제2, 色服.
17) 『고려도경』 권7, 冠服.

라고 적고도 있다. 당시의 고려 복식이 당나라에 이어서 송의 제도를 크게 본받고 있음과 동시에 그것들이 주로 왕실을 비롯한 상급층의 공적 의례에 한정되었다는 사실도 엿볼 수 있는데, 다음의 기록 역시 유사한 내용을 담고 있다.

㉮ - ⑨ 고려 왕은 상복常服으로 오사 고모烏紗高帽(검은색 비단의 높은 모자)에 소매가 좁은 담황색 도포를 입고, 자주색 비단의 띠를 두르는데 중간에 금빛과 푸른빛으로 수를 놓았다. 국관國官과 사민士民을 만날 때인즉 복두를 쓰고 대帶(띠)를 띤다.…… 혹 듣기로 평상시의 쉴 때는 조건早巾(검은 두건)에 백저포白紵袍(흰 모시 도포)를 입고 있어 민서民庶(일반 백성)와 다를게 없었다고 한다.[18]

요컨대 고려의 왕실과 관인층의 복식은 신라와 당唐 그리고 송宋의 제도를 거의 그대로 따르고 있었음을 여러 자료를 통해 이해할 수 있다. 그러나 민인民人들의 경우는 이와 달리 종래의 고유 복식을 그대로 이어갔으며, 아울러 전자들도 공적인 업무에서 물러났을 때는 이들 민서民庶와 크게 다를 바가 없었음도 어느 정도 확인이 되는 셈이다. 이러한 양상은 고려후기의 상당한 기간까지 계속되거니와, 그 내용을 비록 상층조직에 치중된 것이긴 하지만 전반적으로 정리한 예서禮書인 『상정고금례詳定古今禮』가 만들어지는 것은 의종조毅宗朝에 이르러서였다. 그에 대해서는

---

18) 「高麗王常服 烏紗高帽 窄袖緗袍 紫羅勒巾 間繡金碧 其會國官士民 則加幞頭束帶 或聞 平居燕息之時 則早巾白紵袍 與民庶無別也」(『고려도경』 권7, 冠服 王服).

㉮ - ⑩ 의종조에 평장사 최윤의가 조종祖宗의 헌장憲章을 모으고 당의 제도를 여러 모로 가려서 고금례古今禮를 상정詳定(상정고금례)하니, 위로는 왕의 면복冕服과 여로輿輅 및 의위儀衛·노부鹵簿로부터 아래로는 백관의 관·복까지 갖추어 싣지 않음이 없어서 일대의 제도가 완비되었다.[19]

라고 한 것으로 미루어 알 수 있다. 이 책이 편찬된 시기에 대해서는 인종조仁宗朝인듯한 기록도 없지 않으나,[20] 대체적으로는 이곳의 설명처럼 의종조, 좀더 정확히는 의종 15년경으로 보고 있다.[21] 그후 이 책은 역사상 처음으로 금속활자를 써서 인간印刊된 것으로도 유명한데, 하지만 그 완질은 오늘날 전해오지 않는다. 그러므로 내용은 잘 파악할 수 없지마는, 그런 가운데서도 특히 국왕의 관복冠服 등 왕실의 복식이나 백관百官의 조복朝服과 공복公服 등등은 이곳 여복지에 실린 기록 및 예지禮志 등 각 지志 들을 통해서 대략적이나마 찾아볼 수가 있는 것이다.

위에서 고려의 복식과 신라와 당, 그리고 송과의 관계에 대하여 주로 살펴 왔는데, 사실 그간에 영향을 미친 나라로는 거란족의 요遼와 여진족의 금金나라가 더 있었다. 고려는 동아시아 국제정세의 삼각관계에서 일방적으로 친송정책을 썼으므로 우선 요나라와 세 차례 이상의 전쟁을 치러야만 했다. 그 첫 번째가 성종成宗 12년(993; 거란 성종聖宗 11년)에 있었는데, 이때에는 국제정세를 잘 간파한 서희徐熙가 담판談判으

19) 「毅宗朝 平章事崔允儀 裒集祖宗憲章 雜采唐制 詳定古今禮 上而王之冕服輿輅 以及儀衛鹵簿 下而百官冠服 莫不具載 一代之制備矣」(『고려사』 권72, 여복지, 서문).

20) 李奎報, 『東國李相國集』 後集 권11, 「新序詳定禮文跋尾 代晉陽公行」.

21) 金塘澤, 「詳定古今禮文의 편찬 시기와 그 의도」 『湖南文化硏究』 21, 1992; 『고려 양반국가의 성립과 전개』, 전남대출판부, 2010.
金澈雄, 「詳定古今禮의 편찬시기와 내용」 『동양학』 33, 2003.

로 적을 물러나게 하고 오히려 강동6주江東六州를 확보한 사실은 잘 알려진 이야기이다. 그 대신에 고려는 거란에 대하여 형식적이나마 사대事大의 예를 행하게 되지만, 이후 몇 차례 더 군사적인 충돌에도 불구하고 화의가 성립된 뒤에는 사대외교가 계속되었다. 그에 따라 고려에서는 자주 거란에 사절을 파견하였고 그들이 돌아올 때 저들은 의례상으로 있게 마련인 관복冠服과 의대衣帶 등을 사여하였으며(정종靖宗 9년, 1043~예종睿宗 3년, 1108), 고려 조종에서는 그것을 사용하였던 것이다.[22]

유사한 양상은 여진과도 마찬가지였다. 군사력을 키운 저들은 자주 고려의 국경 근처에까지 출몰하여 끝내 양국은 전쟁까지 치르지만, 화의의 성립 이후 인종조仁宗朝에는 고려쪽에서 금나라에도 사대의 관계를 맺게 되며, 그에 따라 저들로부터도 관복冠服·의대衣帶의 사여(인종 20년, 1142~강종康宗 1년, 1212)가 있었고, 고려 조정은 역시 그것을 사용하였던 것이다.[23]

일찍이 태조 왕건王建은 후대 왕들이 잘 준수해 가야할 사항들을 적은 「훈요10조訓要十條」를 남기고 있는데, 그 제4조에서 「거란契丹은 금수禽獸의 나라로, 풍속이 같지 않고 언어 또한 다르니 의관衣冠·제도制度를 삼가 본받지 말라」고 당부해놓고 있다.[24] 그럼에도 군사적 우위에 있는 상황을 감안하여 고려는 부득이 처음에는 거란, 뒤이어 여진과 사대관계를 맺었고, 그에 따라 위에서 설명했듯 저들이 사여賜與하는 의관衣冠 등을 수용하였던 것이다. 하지만 사실 그 내막을 따져보면 그것은 거란·여진의 복식이 아니었다. 저들 왕실과 관인층도 당·송의 제도

22) 『고려사』 권72, 여복지, 冠服.

23) 위와 같음.

24) 『고려사』 권2, 世家, 太祖 26년 夏4月·『고려사절요』 권1, 太祖 26년 夏4月.

를 그대로 따르고 있었으며, 그것을 다시 고려에 넘겨준데 불과하기 때문이다. 결론적으로 말하면 고려의 상급층 복식은 앞에서 언급했듯이 당·송의 제도를 따랐던 셈이며, 민서층民庶層은 종래의 전통적인 고유 복식을 그대로 이어갔다고 할 것이다.[25)]

(3) 원 간섭기와 그 이후 고려시기 사람들 의복식 생활의 변천

문신文臣을 중심으로 하는 고려전기의 귀족정권은 인종대仁宗代(1123~1146)에 들어와 동요를 거듭하더니 그 다음 왕인 의종毅宗 24년(1170)에는 문신과 무신간의 대립·갈등을 비롯한 정치적·사회적 여러 모순이 원인으로 작용하여 마침내 무인란武人亂이 폭발하였다. 이 무인란이 성공을 거둠으로써 고려는 그후 100년간 무신정권시대가 이어지게 되지마는, 그의 집정執政 가운데 한 사람인 최우崔瑀(최이崔怡)가 집권하고 있던 고종高宗 18년(1231)에는 몽고평원에서 일어나 커다란 세력을 형성하고 중국 각지를 석권하고 있던 몽고족이 고려에도 침략을 개시하였다. 이에 무신정권 치하治下의 고려는 1차의 침입을 겪은 후 수도를 개경開京에서 강화도(강도江都)로 옮기고 항전을 지속하다가 고종 46년(1259)에 저들의 요구대로 태자가 몽고에 입조入朝함으로써 양

25) 이상에서 설명한 내용이 다음의 글에도 부분적으로 설명이 되어 있다
金東旭, 「新羅 高麗의 服飾 變遷」『李朝前期 服飾 硏究』, 한국연구원, 1963.
유희경, 「五代·宋(遼·金) 服飾의 影響期」『한국복식사 연구』, 이화여대출판부, 1975, 136~140쪽.
박용운, 『고려사 여복지 역주』, 序文 및 冠服條, 경인문화사, 2013, 23~39쪽.

국간에 강화가 성립될 수 있는 분위기가 조성되었다. 바로 그때에 고려에서는 고종이 세상을 떠나자 태자가 급히 귀국해 이듬해(1260년) 3월에 즉위하였고(원종元宗), 그에 조금 앞서 몽고에서도 태자가 찾아갔던 홀필렬忽必烈(쿠빌라이)이 붕어한 황제를 이어서 세조世祖로서 즉위하였는데, 그의 즉위를 축하하기 위해 들어간 우리 사절의 귀국편에 고려에서 요청한 여섯 가지 사항들을 모두 용인하는 조서도 보내주었다. 그 내용인즉 「고경古京(개경)에의 환도는 사세에 따라서 지속遲速이 있어도 좋다」고한 것 이외에 특히 「의관衣冠은 본국의 풍속에 좇아 상하 모두가 개역改易치 아니해도 좋다」는[26] 등 매우 우호적인 것이었다.

이와 같은 상황에서 고려 왕실과 원나라 황실은 점차 가까워져 갔으며, 그것이 한 배경으로 작용하는 가운데 우여곡절을 겪기는 했지만 무신정권이 붕괴되고 왕정복고王政復古가 이루어지면서 원종 11년(1270)에는 마침내 개경으로의 환도가 단행되었다. 이러한 개경으로의 환도는 명분상 양국간의 강화에 따른 결과였지만 실제적으로는 이후 고려가 정치를 비롯한 모든 분야에서 원나라의 간섭을 받게되는 시기에 접어들었음을 의미한다. 이같은 분위기에 휩싸여 위에서 지적한 바와 같은 원 세조의 약속에도 불구하고 고려 조정내에서는 복식·풍습을 원나라 방식으로 바꾸자고 하는 주장들이 대두하였고 그에 반대하는 의견도 많아 혼선이 빚어졌다. 장군의 직위에 있던 인공수印公秀 같은 이가 원종에게 원나라 풍속을 본받아 외형外形을 고치고 복장도 바꾸자고 권한데 대해 원종이, 「나는 차마 하루 아침에 갑자기 조종祖宗의 가풍家風을 변경할 수 없으니 내가 죽은 뒤에 경 등은 마음대로 하라」고 말하고 있는 데서[27] 그러한 상황을 짐작할 수 있다.

---

26) 『고려사』 권25, 世家, 원종 원년 8月·『원고려기사』 세조 중통 원년 6월.

하지만 원도元都에 머물면서 세조의 딸(뒤의 제국대장공주齊國大長公主)과 혼인한 세자 심諶이 귀국해 곧이어 충렬왕忠烈王으로 즉위하면서 상황은 달라졌다. 그는 이미 귀국할 때에 몽고식으로 변발辮髮을 하고 호복胡服을 입고 있어 나라 사람들이 탄식하고 심지어는 우는 사람까지 있었다고 전하거니와,28) 즉위 후 우리나라로 들어오는 공주를 맞으러 서북면에 행차할 때 종행從行한 지주사知奏事 이분희李汾禧 등이 개체開剃하지 않은 것을 질책하고도 있는 것이다. 이에 대해「신 등이 개체를 싫어하는 것이 아니라 다만 여러 사람들의 예를 기다릴 뿐입니다」라고 대답하고 있지마는,29) 국왕이 직접 나서서 몽고식의 풍습으로 바꿀 것을 독려하고 있는 것이다. 그로 말미암은 듯 이해 12월에는 재추宰樞들이 그 문제를 논의하여,「김金 시중侍中(종1품)(김방경金方慶)이 만약에 돌아오면 반드시 곧 개체할 것인즉 개체하기는 한가지인데 어찌 먼저 하지 않으리오」하면서 이에 (당시 종2품 지추밀원사인) 송송례宋松禮와 정자여鄭子璵가 개체를 하고 조회하니 다른 사람들이 모두 본받았다」고도 보인다.30) 조정 대신들 사이에 몽고풍이 확산되어 갔음을 알 수 있다.

그런 끝에 마침내 왕 4년 2월에 이르러,

> ㉮ – ⑪ 4년 2월에 국내에 명령하여 모두 상국(원나라)의 의衣·관冠을 착용하고 개체開剃토록 하였다. 몽고 풍속에 정수리에서 이마까지를 깎아 그 네모꼴 모양에 가운데의 머리카락을 남기는 것을 일컬어 개체라 하였는데, 당시 재상으로부터 하급 신료에 이르기

---

27)『고려사』권28, 世家, 忠烈王 즉위년 12月.
28)『고려사』권27, 世家, 元宗 13년 2月.
29)『고려사』권28, 世家, 忠烈王 즉위년 冬10月.
30)『고려사』권28, 世家, 忠烈王 즉위년 12月.

까지 개체하지 않음이 없었으나 오직 금내禁內(궐내)의 학관學館(官?)들만은 개체하지 않자 좌승지 박항이 집사관을 불러 설유하니 이에 학생들도 모두 개체하였다.[31]

고 했듯이 전국에 왕명으로 원나라식의 의관衣冠을 착용하고 저들 특유의 머리 형식인 개체도 하도록 지시하였고, 그에 잘 복종하지 않고 있는 궁궐내 학관學館의 학생들에게는 승지를 보내 설유하여 종내는 따르도록 하고 있다. 한데 같은 해 7월에 왕이 원나라 황제를 알현함에 즈음하여 왕을 종행從行한 강수형康守衡에게 황제가, "고려의 복색服色은 어떠한가" 라고 묻자 대답하기를, "달단(몽고)의 의모衣帽를 착용하고, 조서를 맞거나 절일節日을 하례하는 등의 때에는 고려복으로써 일을 거행합니다" 하였다. 이에 다시 "사람들은 짐이 고려복을 금한다고들 한다는데 어찌 그러하리오. 그대 나라의 예禮를 어찌 갑자기 폐하리오" 라고 말하고 있는 것을[32] 보면 몽고측의 강요가 그리 심하지는 않았던 듯 짐작되는 면도 없지 않다. 그렇지만 왕실과 신료들을 중심으로 몽고 풍습이 널리 유행하여 간 것 또한 현실이었던 듯 생각된다.[33]

---

31) 「(忠烈王)四年二月 令境內 皆服上國衣冠開剃 蒙古俗 剃頂至額 方其形 留髮其中 謂之開剃 時自宰相 至下僚 無不開剃 唯禁內學館不剃 左承旨朴恒 呼執事官諭之 於是學生皆剃」(『고려사』 권72, 여복지, 冠服 冠服通制).

앞 부분은 『고려사』 권28, 世家, 忠烈王 4년 2월조와 『고려사절요』 권20, 충렬왕 4년 2월조에도 실려 있다.

32) 『고려사』 권28, 世家, 忠烈王 4년 秋7月·『고려사절요』 권20, 충렬왕 4년 秋7月.

33) 金東旭, 「원대 高麗의 服飾」 『李朝前期 服飾 研究』, 한국연구원, 1963.

유희경, 「蒙古 服飾 影響期」 『한국복식사 연구』, 이화여대출판부, 1975, 146~148쪽.

김문숙, 「원 간섭기 일반복식에 나타난 원대元代 복식의 영향」 『고려시대 원간섭기 일반복식의 변천』, 서울대 박사학위논문, 2000, 132~135쪽.

박용운, 『고려사 여복지 역주』, 冠服, 冠服通制, 경인문화사, 2013, 82~85쪽.

『고려사』 등에 의하면 이때를 전후한 시기에 원에서 고려의 왕과 왕비 및 신료들에게 각종 복식을 사여한 사실이 눈에 띤다. 뿐 아니라 고려는 부마국駙馬國이 되어 대대로 원나라 공주를 왕비로 맞게 됨에 따라 많은 인원의 내왕이 있게 마련인데다가 사절의 교환, 관리의 파견, 심지어는 공녀貢女 등으로 인적·물적 교류가 빈번하게 이루어졌다. 그리하여 고려에는 '몽고풍蒙古風'이, 원나라에는 '고려양高麗樣'이라는 말이 생겨나게될 정도였다고 알려져 있는 것이다. 이런 가운데에서 몽고 특유의 머리 양식인 개체·변발과 함께 복식으로는 질손質孫[34] 등이 알려진 이외에 세세한 영향은 여러 방면에 미치고 있었던 사실이 확인되고 있다.[35] 『고려사』 권72의 여복지 서문에 「원나라를 섬긴 이래로 개체·변발하고 호복胡服을 이어받기를 거의 백년이나 하였다」고한 서술은 이런 정황을 뭉뚱구려 표현한게 아닐까 짐작된다.

연구자에 따라서는 그와 같은 상황에다가 특히 위에 소개한바 충렬왕 4년에 국왕이 직접 경내境內(국내)의 모든 사람들에게 상국(원나라)의 의관衣冠을 착용하고 개체토록 명령을 내린 사실에 주목하여,

> ㉮-⑫ 일부 관리층의 호복 착용이 있은 후 본격적으로 고려인이 호복을 착용하기 시작한 것은 세자 신분으로 원에 볼모로 갔다가 원 공주와 결혼한 후 개체 변발의 차림으로 입국한 충렬왕이 즉위한지 4년만에 모든 백성들에게 호복으로 바꿔 입으라는 조서

---

34) 金東旭, 위의 글.
유희경, 위의 글 149·150쪽.
김문숙, 「원 간섭기의 일반복식」 『고려시대 원간섭기 일반복식의 변천』, 서울대 박사학위논문, 2000. 56~58쪽.
최해율, 「몽골·원 울르스기의 여인복식」 『유목민의 꽃 몽골 여자복식의 흐름』, 민속원, 2008, 87·88쪽.

35) 김문숙, 「원간섭기 일반복식에 나타난 원대복식의 영향」 『위의 책』, 132~179쪽.

를 내리면서이다. 따라서 충렬왕 때에는 상하가 모두 개체하고 호복으로 바꿔 입었다.36)

고 말하고 있으며, 또

㉮-⑬ ……생략……충렬왕 4년에는 학관들까지 모두 개체하게 되었다. 그러나 이들 호복 착용 기록은 대부분 상류층의 호복 착용에 대한 것으로서 당시까지만 하여도 일반인들의 호복 착용은 드물었을 것이라고 생각된다. 그러나 충렬왕 4년에 왕이 모두 호복으로 바꿔 입으라는 교서를 내려 당시 일반인들이 호복을 착용하게 되는 큰 계기가 되었다고 할 수 있다.37)

라고 파악하고 있기도 하다. 하지만 이 부분에 대해서 선학들은, 그것은 하나의 영슈으로 강제성을 띤게 아니어서 특히 일반 민인民人들까지 그에 따라 호복을 입고 개체했다고 보기는 어렵다는 의견을 내고 있다.38) 사실 기록에도 나타나듯이 왕명을 따른 것은 신료층에 한정되었고, 심지어는 궁궐내의 학관들까지도 잠시 동안에 그쳤지만 그에 반발하고 나섰던 것이다. 호복·개체는 이전에도 그러했듯이 왕실과 관료 등 상급층에 한정되고 일반 민인들의 절대 다수는 종래 고려의 풍습 그대로였다고 이해하는게 옳을 듯싶은 것이다.39)

유례없는 대제국을 건설했던 원나라가 14세기 중반을 전후하여 동요를 거듭하던 때에 원 공주의 소생이 아닌 왕자로 민망民望이 높던 공민

36) 김문숙, 「원간섭기 일반복식에 나타난 원대복식의 영향」 『위의 책』, 132쪽.
37) 김문숙, 「원간섭기 일반복식의 변천요인」 『위의 책』, 192쪽.
38) 金東旭, 주 33)의 글.
유희경, 주 33)의 글 148쪽.
39) 박용운, 주 33)의 글 84쪽.

왕이 즉위하여(1351년) 개혁에 착수하면서 고려는 새로운 국면을 맞게 된다. 그는 곧바로 감찰대부 이연종李衍宗의 건의를 받아들여 왕 자신이 몽고식의 변발辮髮·호복胡服을 풀고 있거니와,[40] 5년에는 부원세력附元勢力을 제거하고 서북면과 동북면 지역의 실지失地 회복에 힘쓰는 등 적극적인 반원정책反元政策을 시행하였던 것이다. 그는 이후에 계속되는 원나라의 반발과 홍건적·왜구 등의 침구, 국내정세의 불안 등으로 어려움을 겪으면서 개혁작업에 많은 노력을 기울이지마는, 그같은 가운데서도 중국에서 새로이 명明나라가 서자 그와 외교관계를 수립하는데 많은 관심을 쏟았다. 그리하여 왕 19년(1370)에 이르러 마침내 양국간에 정식으로 국교가 체결되는데, 그와 동시에 명은 고려의 왕실과 신료들에게 각종 복식을 내려주는 조처를 취하고 있다. 이 부분에 대해 『고려사』 여복지에는,

> ㉮ - ⑭ 대명(명나라)에 이르러 태조 고황제가 공민왕에게 면복을 내리고 왕비와 여러 신하들에게도 역시 모두 사여가 있자 이로부터 의관衣冠 문물이 환하게 새로워져서 옛 것이 갖추어지게 되었다.[41]

라고 기술되어 있다. 그의 구체적인 내용은 이어지는 관복조冠服條의 제복祭服·시조복視朝服·왕비 관복王妃冠服·백관 제복百官祭服 등 각 항에 실려 있거니와, 이것은 그간 원나라의 지배하에서 많은 변모를 겪었던 고려 상급 지배층들의 복식이 전통적인 당·송의 옛 제도로 되돌려졌음을 뜻하는 것으로 생각된다.

---

40) 『고려사절요』 권26, 恭愍王 元年 春正月.

41) 「及大明太祖高皇帝 賜恭愍王冕服 王妃群臣亦皆有賜 自是 衣冠文物煥然復新 彬彬乎古矣」(『고려사』 권72, 여복지 序文).

그와 함께 「이로부터 의관衣冠 문물이 환하게 새로워졌다」는 평가를 내리고도 있는데, 이 부분만은 좀더 설명이 필요할 것 같다. 명나라 제도에 따른 복식의 정비는 이후에도 여러 차례의 우여곡절을 겪으면서 이루어지기 때문이다. 예컨대 우왕禑王 12년(1386) 2월에 정당문학(종2품)이던 정몽주鄭夢周를 경사京師에 보내 왕의 편복便服과 군신群臣의 조복朝服 및 편복을 청하고,[42] 8월에도 밀직부사(정3품) 이전李竱을 파견하여 거듭 「의관衣冠을 청하는 표表」를 올리고 있으며,[43] 그리하여 「(우왕 13년) 6월에 대명大明의 제도에 의거하여 백관百官의 관복冠服을 정하였다. 백관들은 그 옷을 입었으나……왕과 환자宦者 및 행신幸臣들은 입지 않았다」고도[44] 보이는 것이다.[45] 그런가 하면 대외정책을 둘러싸고 의견이 엇갈리면서 우왕 14년 4월 「을축乙丑에 홍무洪武 연호年號를 정지시키고 국인國人들로(나라 사람들로) 하여금 호복胡服으로 되돌아가도록 하였다」가[46] 그 2달후인 6월 「병오丙午에 다시 홍무 연호를 쓰도록 하면서 대명大明의 의관衣冠을 이어가도록 하고 호복을 금하는」 등[47] 혼선을 거듭하고 있다. 여말의 정치적·사회경제적 혼란이 복식면에도 그대로 드러나고 있었던 것이라 하겠다. 상위 지배층들도 비

---

42) 『고려사』 권136, 列傳 辛禑(禑王) 12년 2월.

43) 『고려사』 권136, 列傳 辛禑(禑王) 12년 8월.

44) 『고려사』 권136, 列傳 辛禑(禑王) 13년 6월. 『고려사』 권72, 여복지, 冠服 冠服通制 辛禑(禑王) 13년 6월조에는 「始革胡服 依大明制」라고 간략하게 설명한 후 그 내용을 소개해 놓고 있다.

45) 金東旭, 「高麗末 鮮初의 請冠服과 冠服 整理」 『李朝前期 服飾 硏究』, 한국연구원, 1963.
유희경, 「明 服飾 影響期」 『한국복식사 연구』, 이화여대출판부, 1975, 154~159쪽.
박용운, 『고려사 여복지 역주』, 冠服, 景仁文化社, 2013, 63~100쪽.

46) 『고려사』 권137, 列傳 辛禑(禑王) 14년 4월.

47) 『고려사』 권137, 列傳 辛禑(禑王) 14년 6월.

슷하였겠지만 민인民人들의 생활은 더욱 어려운 처지였음을 능히 짐작할 수 있다.

3

고려시대 사람들의 의료衣料

의복식衣服飾을 위해서는 더 말할 필요도 없이 먼저 의료衣料가 마련되어야 했는데, 어느 시기도 마찬가지이지만 고려 역시 이 부분에 대해 국가적인 관심을 베풀었다. 그점은, 「농사와 (양잠養蠶을 위해) 뽕나무(상桑)를 (심고 키우는게) 의식衣食의 근본으로 왕정王政에서 우선으로 해야할 바다」라고한 『고려사』 식화지食貨志 농상조農桑條의 첫머리 언급에 잘 드러나 있거니와, 그리하여 태조 왕건王建이 즉위한 처음에 우선 온 나라에 조서詔書를 내려 3년 동안의 전조田租를 면제하여 줌과 동시에 농상農桑을 권장함으로써 민인民人들과 더불어 휴식하였다고 전하고 있다.1) 그런데 사실 이처럼 「농상은 의식지본農桑衣食之本」이요 「왕정 소선王政所先」이라고 하는 생각은 중국을 비롯한 우리 주변 국가들에 오래전부터 깊게 자리잡아온 사상으로 고려에서도 태조 이후 역대 왕들이 교서敎書 등을 통해 계속 강조하고 있다.2)

한데 농사짓는 일도 그러하지만 양잠을 위해 뽕나무를 심고 키우는 일 역시 주로 지방에서 이루어지게 마련이다. 그리하여 국왕은 판문判文을 통해 「여러 도道의 주州·현縣에서 매년 뽕나무 묘목(상묘桑苗)을 정호丁戶는 20근根, 백정白丁은 15근씩을 밭두둑에 심어서 양잠하는 일에 이바지하라」고 했듯이3) 일정한 법으로 제정하여 정호와 백정 층에

1) 『고려사』 권79, 志33 食貨 2 農桑 첫머리.

2) 『고려사』 권79, 志33 食貨2 農桑 德宗 3년 3월(『고려사』 권5 世家)·文宗 10년 4월·仁宗 6년 3월·忠烈王 34년 忠宣王 復位 11월·忠肅王 12년 10월·恭愍王 20년 12월 등.

3) 『고려사』 권79, 志33 食貨 2 農桑 顯宗 19년 正月. 이곳의 정호는 향리·군인 등 국가에 일정한 직역職役을 담당하는 사람들을 일컬으며, 백정은 그같은 직역을

게 뽕나무 묘목 심기를 권장하고, 또 지방관들에게는 그에 대한 관리·감독을 철저히 하도록 독려하면서 혹은 그것에 의해 당사자의 근무 성적을 매기기도 하였다.4) 그런가 하면 수분의 공급에 지장이 없도록 절기에 맞추어서 상묘桑苗를 심을 것을 지시하기도 하고,5) 수양도감輸養都監 같은 기구에서는 땅의 성분이 뽕나무에 적합한지의 여부를 살펴 심게할 것을 주청하는6) 등 상하 모두가 양잠에 많은 주의를 기우리고 있음을 어렵지 않게 볼 수 있다.

뽕나무 재배를 통해 얻을 수 있는 의료는 다들 아는대로 명주明紬와 면포綿布, 그리고 견絹·사紗·라羅·금錦·기綺·능綾·환紈 등 주로 고급 직물들이다. 그러니까 국가에서는 이와 같은 고급 직물의 생산에 더욱 많은 관심을 베풀었다는 이야기이겠다. 하지만 실제로 인구의 대다수를 차지하는 민서民庶들이 애용한 가장 비중이 큰 의료는 마포麻布(삼베)였다. 그러므로 국가는 이 부분에 대해서도 관심을 가지지 않을 수 없었는데, 다음의 기사에서 그같은 면모를 엿볼 수 있다.

㉯-① (문종 10년) 9월 갑신에……왕이 말하기를, "짐이 생각건대 선대先代에는 자주 사신 使臣을 보내 백성들의 고통되는 점을 청취한 때문에 여러 도道의 백성을 다스리는 자들이 모두 청렴하기에 힘써 민서民庶들이 편안하였다. (한데) 근래에 기강이 해이·문란해졌는데 징계까지 하지 않아 공무는 게을리하면서 단지 사사로운 이익만을 도모하여 세력있는 토호들과 결탁해 지방(리항里巷)을 자기 주머니 채우는 곳으로 많이 (이용하고) 밭과 언덕(전원田原)에 상마桑麻(뽕나무와 삼)의 재배를 권장하는 일은 드물다.

지고 있지 않는 일반 농민들을 말한다.

4) 『고려사』 권79, 志33 食貨2 農桑 恭愍王 20년 2월 등.

5) 『고려사』 권79, 志33 食貨2 農桑 明宗 18년 3월.

6) 『고려사』 권79, 志33 食貨2 農桑 仁宗 23년 5월.

운운云云."[7]

㉯-② 공민왕 5년 6월에 교교敎하여 이르기를, "의갈衣褐(입을 거리)이 없으면 어떻게 한 해를 나겠는가. 마땅히 온 나라의 인가人家에 영을 내려 뽕나무(상桑)와 삼(마麻)을 심도록 하는데, 각기 식구 숫자의 비율에 따르게 하라" 하였다.[8]

고급 직물의 생산에 필요한 뽕나무(상桑)와 함께 질은 낮지만 많은 사람들이 이용하는 삼(마麻)의 재배에 대해서도 국가가 유의하고 있음을 알 수 있는데, 다만 얼핏 보더라도 그 정도에 있어서 전자에 대해 더욱 관심을 기우리고 있지 않나 싶은 생각은 든다. 그것은 아마 뽕나무를 통해서 얻는 견직물이 왕실과 신료들의 공복公服 및 송·원 등에 대한 공물貢物과 교역 같은 데에 주로 쓰인데 비해 삼베는 민서층에 많이 이용된 물품이었다는 사실과 관련이 있지 않을까 싶다. 고려는 왕조국가로서 좀 다른 견해가 있긴 해도 대략 문벌귀족사회門閥貴族社會의 성격이 농후했다는게 중론인 것이다.

그러면 실제로 당대인當代人들은 의복식 생활에 있어서 의료衣料 관계의 실상이 어떠하고, 또 어떠해야 한다고 인식하고 있었을까. 이 부분에 대한 초기의 상황은 앞서 제시한바(㉮-⑥, 18쪽) 성종 원년(982)에 올린 최승로의 시무책 가운데에서 찾아볼 수 있다. 즉 그는 능綾·라羅·금수錦繡 같은 문채나는 직물로 제작한 공란公襴을 입어야할 공경公卿·백료百僚와 그러한 직물의 옷을 입어서는 안되는 서인·백성 사이에 귀·천의 구별과 존·비의 분별을 위해서 질서가 지켜져야 하는데 지금은 그렇지 못하다고 지적하면서, 「서인은 문채나는 사紗·곡穀 같은 비

7) 『고려사』 권7, 世家 文宗 10년 9월. 같은 내용이 『고려사절요』 권4, 文宗 10년 9월조에도 실려 있다.
8) 『고려사』 권79, 志33, 食貨2 農桑.

단은 입지 못하고 단지 주紬·견絹만 사용하게 하소서」라고 건의하고 있는 것이다. 뒤에 다시 살펴볼 기회가 있겠지만 사·곡과 주·견은 모두 견직물의 일종인데 전자가 후자보다 좀더 질이 좋은 물품이었다. 그런 관계로 이같은 건의가 있게된 듯싶지만, 사실 주·견만 하더라도 서인들에게 있어서는 그렇게 쉽사리 이용할 수 있는 물품이 아니었다. 그런 점에서 이 건의는 당시의 실정에 비추어 볼 때 일정한 한계가 있다고 하겠는데, 최승로는 고위 관료의 한 사람으로서 여유가 있는 서인들에게는 그 정도의 직물을 이용하게 해도 좋겠다는 정도의 의견이었지 않았나 싶다.

이와 관련된 다음의 기록은 시기가 훨씬 지난 인종仁宗 원년인 1123년에 송나라 사절 가운데 한 사람으로 왔다가 견문록으로 남긴 『고려도경』이다. 비록 외국인이고 단기간의 견문에 의한 것이기는 하지만 고려의 풍물에 대해 비교적 많은 사실을 전하여 주목을 받고 있는데, 의료에 대해서는 다음과 같은 기사를 남기고 있다.

> ㉯-③ 고려에서는 모시(저紵)와 삼(마麻)을 스스로 심어 많은 사람들이 베(포布)로 된 옷을 입는다. 제일 좋은 물품을 시絁라 하는데, 옥과 같이 깨끗하나 변두리는 궁색하다. 왕과 귀신貴臣들은 모두 이것을 입는다. 잠상蠶桑은 서툴러 실과 옷감은 모두 상인을 통하여 산동山東이나 민절閩浙에서 사들인다. 꽃무늬 비단(문라화릉文羅花綾)이나 질긴 실(긴사緊絲)로 짠 비단(금錦)·모직물(계罽)은 아주 잘 만드는데, 근래에 북쪽 오랑캐 포로 중에 장인(공기工技)이 많으므로 더 기교를 부리게 되었고 염색 또한 예전보다 나아졌다.[9]

---

9) 『高麗圖經』 권23, 雜俗 2, 土產.

고려시기의 많은 사람들－민서民庶의 주된 의료는 스스로 재배한 저마紵麻에서 얻는 저포紵布·마포麻布였다는 언급이 특히 눈길을 끄는 대목이다. 그 가운데 품질이 좋은 시絁, 즉 모시는 국왕과 귀신貴臣들이 입었다고도 말하고 있지마는 이는 그들이 공무에서 물러나 한거閑居할 때의 생활을 지적한 것이겠다. 어떻든 의료로서 마포와 저포가 지니는 비중이 거의 절대적이었음을 짐작케 하거니와, 거기에 비하면 잠상蠶桑은 서툴러서 그것을 통해 얻을 수 있는 실과 옷감은 대부분 중국으로부터 수입하는 형편이었다고 설명하고 있다. 그러면서 얼마간 찾아지는 능綾·금錦·계罽 등의 고급 비단과 모직물도 포로로 잡혀온 북쪽 오랑캐 출신의 장인匠人들에 의한 것인 듯 기술하고 있지마는, 외국인으로서 고려의 위상을 여러 측면에서 낮추 평가하려고 했던 저자의 태도가 이 같은 기술로 나타난 것 같은데 이는 물론 실상과는 좀 다른 것이었다. 그럼에도 이 기록을 통해 마麻·저紵가 고려 사람들의 대표적인 의료이고 잠상에 의한 견직물은 그에 훨씬 미치지 못했다는 것은 대략 알 수 있을 것 같다.

유사한 상황은 비록 여말麗末의 것이긴 하지만 다음의 기사들에서 거듭 확인된다.

> ㉯－④ (공양왕) 3년 3월에 중랑장 방사량房士良이 상소하기를, "서경書經에 이르기를, '이역異域의 물품을 귀하게 여기거나 일상 쓰는 물품을 천하게 여기지 말아야 백성들이 풍족해진다' 하였습니다. 우리나라에서는 다만 토산물(토의土宜)인 세저포細紵布(가는 모시)와 세마포細麻布(가는 삼베)만의 사용을 오랜 세월 동안 해와서 상하가 (모두) 풍요로웠습니다. (그런데) 지금은 귀천할 것 없이 다투어 다른 지역의 물품을 사 와서 길에는 제복帝服을 입은 종들이 많고 거리에도 후비后妃와 같은 장식을 한 여종들이 널렸

습니다. 원컨대 지금부터는 사서士庶·공상工商·천예賤隷들이 사紗·라羅·능綾·단段으로 만든 옷을 입거나 금·은·주옥珠玉으로 장식하는 것을 일체 금하여서 사치하는 풍조를 막고, 귀천의 구분을 엄격하게 하옵소서" 하였다.10)

㉯-⑤ 고려의 풍속이 졸拙하고 어질다.……자기 몸을 위하는 것을 극히 절약하여 귀천貴賤과 노유老幼를 물을 것 없이 채소·건어乾魚·포脯 따위 뿐이며, 미곡을 중히 여기고 기장이나 피(직稷)는 가볍게 여기며, 삼(마麻)과 모시(시枲)는 많고 사서絲絮(면사綿絲)는 적다.11)

㉯-④는 고려 말기의 의복식 생활에 있어 제대로 지켜지지 않고 있는 사회질서를 바로 잡아야 하겠다는 상소인데 그 가운데에서 우리나라는 오랜동안 토산물인 저포와 마포를 사용하여 왔음이 강조되고 있다. 그 저·마포가 세포細布였다는 표현은 그들 중에도 상급품이었음을 뜻하는 것이다. 그리고 ⑤기사는 『농상집요』라는 책에 대하여 이색李穡이 쓴 후서後序로서 여기서도 고려에는 삼(마麻)과 모시가 많았던데 비해 뽕나무 재배로 얻을 수 있는 면사는 적었다고 기술하고 있다.

요컨대 고려에서는 의료衣料의 획득을 위해 국가적인 시책으로 상마桑麻의 재배를 권장하여 왔음이 확인되었다고 하겠는데, 그중에서도 명주明紬와 견絹·사紗·능綾·라羅·금錦·기綺·환紈 등의 견직물을 얻을 수 있는 잠상蠶桑에 보다 많은 관심을 베풀었다. 하지만 민인民人들이 가장 많이 이용한 것은 삼(마麻)이었으며, 또하나 저紵(모시)가 있었다. 그 외에 앞서 ㉯-② 기사(37쪽)에도 언급된 갈褐 역시 민서民庶들에게는

10) 『고려사』 권85, 志39, 刑法 2 禁令. 『고려사절요』 권35, 공양왕 3년 3월조에도 같은 기사가 실려 있는데, 여기에는 이곳 「細紵麻布」의 「細」자가 명주를 의미하는 「紬」자로 되어 있다.

11) 『牧隱文藁』 권9, 序·『東文選』 권87, 序 「農桑輯要後序」.

흔하게 사용되는 의료였고, 계罽 또한 무시할 수 없는 물품의 하나였다. 그러면 이어서 이들 의료 각각에 대해 좀더 구체적으로 살펴보도록 하자.

(1) 마포麻布(삼베)

마포麻布가 고려 사람들이 가장 많이 이용하는 의료衣料의 하나라 함은 앞서 언급한 바와 같거니와, 그것을 제공하는 마麻(대마大麻, 삼)는 1년생 식물로서 씨를 뿌려 자란 그 삼나무의 껍질을 가공하여 얻는 것이다.[12] 그것의 중요성은 국가에서도 잘 인식하고 있어 정책적으로 권장했다는 사실 역시 앞서 설명한 일이 있지마는, 삼 재배의 실제 모습을 여기 저기서 찾아볼 수 있다. 이는 비록 실제 여부가 분명치 않은 일이긴 하지만 고려 태조 왕건의 집안과 얽힌 이야기 중에 당시의 최고 풍수가였던 도선道詵이 세조世祖(왕건의 아버지)가 새로 지은 집을 보고 '기장을 심어야할[종제種穄] 땅에 어찌하여 삼을 심어을꼬[종마야種麻耶]'라고 했다는[13] 일화를 통해 당시의 삼 재배에 대한 분위기를 살필 수 있다. 아마 삼의 재배에는 이처럼 조그마한 터가 이용되는 경우도 있었던 것 같은데, 그러나 대체적으로는 일정한 면적의 밭이 따로 마련되어 사용된 듯하다. 마전麻田(삼밭)의 존재에서 그점을 짐작할 수 있다. 후·말기의 사실이긴 하지만 우왕 3년에 적(왜구)이 안성安城에 침입해서 마전에 복병하였다는게 그 한 예이며,[14] 충렬왕 21년 4월 을유일乙酉日과 22년 3월 무자일戊子日 기사로 각각 4일과 3일간 서리가 내

12) 趙孝順, 「길쌈 풍속」『韓國服飾風俗史硏究』, 일지사, 1988, 12~20쪽.
13) 『고려사』 첫머리 高麗世系.
14) 『고려사절요』 권30, 禑王 3년 5월.

려 삼(마麻)과 보리(맥麥)를 죽였다고 한 것과[15] 우왕 11년의 과거科擧에서 시관試官이던 염국보廉國寶와 정몽주鄭夢周가 권세에 밀려 부정과 불법을 알고서도 급제시킨 사실을 두고 최영崔瑩이 희롱하여 "전 달의 감시監試에서는 학사學士 윤취尹就가 한사寒士(힘없는 선비)를 버리고 혼동昏童(혼미스런 아동)을 뽑아 하늘의 큰 우박을 불러서 우리 삼(마麻)을 모두 죽이더니 이번의 동당東堂(과거) 학사는 다시 어떤 등급의 천변天變을 부르려 하는가"라고[16] 한 것 역시 마전에 심어놓은 삼에 관한 일로 생각된다.

다음의 자료들도 삼 재배의 면면을 전하는 기사들이다. 원종조와 충렬왕대에 걸쳐 충신으로서 요직을 두루 거친 김구金坵가 경자년更子年(충렬왕 26년, 1300)에 몽고에 조회하고 서경을 지나면서 지은 시에,

> ㉯-⑥ ……
> 가엽어라 성궐城闕에는 푸른 풀만 속절없구나
> 호미와 보습은 반이나 영웅의 집을 갈았고
> 삼(마麻)과 보리(맥麥)는 조정朝庭과 저자길에 두루 났구나
> 붉은 치마(천군蒨裙) 입고 뽕따는(채상採桑) 뉘 집 계집아이가
> 부르는 슬픈 노래에 애가 끊겨 늙을 듯하다.[17]

고 하여 번성했던 서경(평양)이 몽고와의 오랜 전쟁을 겪고 저들 간섭하에 들어간 이후 피폐해져 옛 조정과 저자가 있던 자리에 삼과 보리가 두루두루 난 것을 보고는 슬픈 감회를 읊고 있다. 그리고 그보다 얼마

15) 『고려사』 권53, 志7, 五行1 水 충렬왕 21년·22년.
16) 『고려사절요』 권32, 禑王 11년 夏4月.
17) 『止浦集』 권1, 詩 七言古詩 「過西京」·『東文選』 권6, 七言古詩 「庚子歲朝蒙古過西京」.

앞선 무신집권기의 대신이요 문필가로서 많은 시문을 남긴 이규보李奎報도 수도인 개경開京 주변의 앵계鶯溪에 거처를 정한 뒤에 초당草堂의 한적한 풍경을 대하고는

> ㉯-⑦ 앵계에 와 거처하니
> ……
> 푸른 소나무는 조그만 담장에 덮였네
> 상마桑麻는 들 밭두둑에 풍성하고
> 울타리는 산마을을 실감케 하네[18]

라고 하여 자기 집 근처의 들 밭두둑(야농野壟)에 심겨있는 뽕나무와 삼(마麻)이 풍성한 모습을 읊고 있으며, 또 「성황조聖皇朝가 태묘大廟에 향사享祀한 데 대한 송頌에서는」,

> ㉯-⑧ ……
> 내 농사 내가 지어
> 기장도 있고 찰벼도 있네
> 누에 쳐서 고치를 켜고
> 삼을 심어 물에 불린다
> 추우면 이것으로 옷해 입고
> 주리거던 이것으로 밥해 먹으리[19]

라고 하여 누에를 쳐서 고치를 켜는 작업과 더불어 삼을 심어 얻은 껍질을 가공해가는 과정을 그리고 있는 것이다. 삼 농사가 어디서든 광범하게 이루어지고 있음을 알 수 있다.

---

18) 『東國李相國全集』 권5, 古律詩 「卜居鶯溪 偶書草堂閑適」.
19) 『동국이상국전집』 권19, 雜著 「聖皇朝 享大廟頌」.

국가는 이들 삼 농사에 대하여 일정한 세금을 부과하였다. 이와 관련된 기사로는 선종 5년(1088)에 잡세雜稅의 명목으로 거둔 사실이 전한다. 즉,

> ㉯-⑨ 선종 5년 7월에 잡세를 정하였다. 율(밤)과 백(잣)은 대목에 3승(되), 중목은 2승, 소목은 1승이고, 칠목(옻나무)은 1승이며, 마전麻田은 1결結에 생마生麻가 11냥(양) 8도刀, 백마白麻가 5냥 2목 4도이다.[20]

라고 하여 밤나무·잣나무·옻나무와 함께 삼밭에서도 세를 거두고 있는데, 마전의 단위인 1결은 1악=1파把(한줌), 10파=1속束(한단), 10속=1부負(한짐), 100부=1결의 수확 겸 면적을 의미하는 결이고, 생마는 마의 가공 정도, 백마는 마의 색깔에 따른 구분인 듯싶으나 분량을 나타낸 양·목·도의 내용은 분명치 않다. 어떻든 이처럼 선종 5년에 정해진 잡세가 그 전은 어떠하였고, 또 그후에 어떻게 바뀌었는지는 잘 알 수 없으나 이 이외에도 마포는 토산물이나 수공업제품을 바치도록한 세 항목인 공부貢賦(공물)에 의거하여 적지 않은 물품이 국가에 납부되었을 것으로 생각된다. 이점은 북로北路와 동로東路, 즉 양계兩界 지역의 여러 주진州鎭에게 1년간의 공포貢布로 부과한 50,209필 대신에 양곡 14,049곡斛으로 환산하여 납부케하여 오던 것을 이제부터는 면제하여 주자고 문하성門下省에서 청하자 왕이 그에 따랐다고 한 것과[21] 숙종 5년에 주州·부府·군·현·부곡·잡소雜所의 금년 세포稅布 절반을 면제하여 주고 있다는 것,[22] 그리고 충렬왕 22년에 중찬中贊(수상)인 홍자번洪

---

20) 「宣宗五年七月 定雜稅 栗栢 大木三升 中木二升 小木一升 漆木一升 麻田一結 生麻十一兩八刀 白麻五兩二目四刀(『고려사』 권78, 志32 食貨1, 田制 貢賦).

21) 『고려사』 권78, 志32 食貨1, 田制 租稅·『고려사절요』 권4, 靖宗 7년 4월.

子藩이 상소하는 가운데 그 제2항에서 "공부貢賦는 이미 정해진 액수가 있는데, 여러 도道에서 가호家戶마다 세마포細麻布를 거두는 것은 실제로 횡렴하는 것인즉 마땅히 금지하여 근절시키십시오"라고[23] 건의하고 있는 것으로 미루어 알 수 있다.

개경 황성皇城의 동문인 광화문廣化門에 설치된 포고布庫는[24] 그렇게 납부된 마포를 보관하는 창고였을 것이며, 건명고乾明庫에 비치해 두었던 평포平布 1천여필과[25] 전목사典牧司에 보관중인 포布(베) 6,000필 및 장작감將作監에 보관중인 포 3만필도[26] 그 일부였을 것으로 짐작된다. 정부의 다른 기구들도 대부분은 이와 유사한 상황이었을 것으로 생각되지마는, 특히 왕실이 그것들에 대한 수요가 컸다. 그것은 왕실 내에서 소요되는 것도 적지 않았지만 국왕이 신료들이나 각급 공로자와 일반백성 및 외국인 등에게 사여품으로 포를 내리는 일이 많았기 때문이다. 그 사례는 이 자리에 일일이 다 열거할 수 없을 정도이지마는 그중 큰 것 몇 개만 들더라도, 성종 5년 7월에 개경으로 뽑혀와서 학업을 닦던 지방 학생들이 고향으로 돌아가기를 원하자 그들 207명에게 포布 1,400필을 사여하고 있으며,[27] 왕 6년 3월에 내사령內史令 최지몽崔知夢이, 8년 5월에 守侍中 최승로崔承老가 세상을 떠나자 각각에게 포 1,000필씩을 내리고 있는 것은[28] 초기의 기록들이다. 그후 문종 25년에는 송나라에 사신으로 가는 김제金悌 편에 생중포生中布와 생평포生平布를

22) 『고려사』 권80, 志34 食貨3 賑恤 恩免之制 肅宗 5년 2월.
23) 『고려사』 권78, 志32 食貨1, 田制 貢賦 충렬왕 22년 6월.
24) 『고려사』 권83, 志37 兵3 看守軍.
25) 『고려사』 권81, 志35 兵1 五軍·『고려사절요』 권6, 宣宗 元年 11월.
26) 『고려사』 권80, 志34 食貨3 祿俸 諸衙門工匠別賜.
27) 『고려사』 권74, 志28 選擧2 學校·『고려사절요』 권2, 성종 5년 7월.
28) 『고려사』 권64, 志18 禮6 凶禮 諸臣喪 해당 연월.

각각 2,000필씩 예물로 보내기도 하고[29] 좀 특수한 예이기는 하지만 충혜왕 후3년에는 왕이 의성창義成倉·덕천창德泉倉·보흥고寶興庫의 포 48,000필을 내어 시장에 점포를 열도록[30] 조처하고 있다. 그 뒤에도 공민왕 18년에 신돈辛旽이 연복사演福寺에서 문수회文殊會를 열자 왕이 가서 관람하고는 스님들에게 포 5,500필을 사여하고 있는 기록이 보이며,[31] 우왕대에 접어들어서는 왕 6년에 문하찬성사(정2품)인 권중화權仲和를 명나라에 사절로 파견하면서 공물貢物의 하나로 포 4,500필을 보내고,[32] 또 8년에는 궁녀들에게 이장포理裝布 5,000여필을 사여하고 있는가 하면,[33] 공양왕 3년 2월 임술일壬戌日에는 자신의 탄신일이라 하여 회암사檜巖寺에서 반승飯僧을 하면서 포 1,200필을 시여施與하고 있는 기사도[34] 찾아진다. 포의 생산자인 민인民人들은 나라에서 소요로 하는 마포를 세역稅役으로 일정한 양을 납부하고 나머지를 가지고 자신들의 소비에 충당했을 것이다.

지금 삼의 재배와 그에 따르는 세역에 대해 간략하게 살펴 왔지마는, 그 과정에서 마포麻布와 포布를 동일한 의미로 썼다. 관례상으로 그러하였다고 이해한 때문이다. 이점은 이미 선행 연구자들이 지적한바 있거니와,[35] 사서史書를 통해서도 거듭 확인할 수 있다. 즉,

㉯-⑩ 공민왕 5년 9월에 도당에서 여러 관청으로 하여금 화폐에 대

29) 『고려사』 권9, 世家 文宗 25년 3월 및 26년 6월.
30) 『고려사』 권36, 世家 忠惠王 後3年 2월.
31) 『고려사』 권41, 世家·『고려사절요』 권28, 恭愍王 18년 夏4月.
32) 『고려사』 권134, 열전47·『고려사절요』 권31, 禑王 6년 12월.
33) 『고려사』 권134, 열전47 禑王 8년 9월.
34) 『고려사절요』 권35, 恭讓王 3년 2월.
35) 金東旭, 「신라의 服飾禁制」 『增補 韓國服飾史研究』, 아세아문화사, 1979, 29쪽. 박선희, 「고대 한국의 마직물」 『한국 고대 복식』, 지식산업사, 2002, 105쪽.

> 해 논의토록 하자 간관들이 의논해 올려 말하기를, "우리나라는 근고近古로부터 쇄은碎銀을 은병銀甁의 무게에 표준하여 화폐로 삼고 5승포五升布를 보조화폐로 사용하여 왔습니다. (그런데) 오래됨에 미쳐 폐단이 없지 않아 은병은 날로 변하여 구리가 되기에 이르렀고, 마麻(삼)의 올(루縷)은 날로 성글어져서(추麤) 포布라고 할 수 없게 되었습니다."[36)]

라고 보이듯이 화폐로 사용되던 은병의 은銀이 구리와 같이 변질되었듯 5승升(새)의 포, 즉 마麻의 올이 성글어져서 포의 구실을 할 수 없게 되었다는 데서 포가 곧 마포였다는 것을 알 수 있는 것이다. 이밖에 명종조의 청백한 신료인 함유일咸有一에 대해 그의 전기傳記나 졸기卒記에서는 평생 동안 마포를 썼다(의용마포衣用麻布)고 한 것을 묘지명墓誌銘에서는 그 마포 대신에 포의布衣를 입었다고 기술하고 있으며,[37)] 우왕 10년의 일로 명나라에 세공歲貢으로 포布 50,000필을 내기로 했다가 미쳐 납부하지 못한 것을 지금 보내는데 그것이 백저포白苧布 4,300필, 흑마포黑麻布 24,400필, 백마관포白麻官布 21,300필이었다고 한데서도[38)] 같은 사실을 볼 수 있다. 포는 넓은 의미에서 보면 마포는 말할 것 없고 저포 등도 포괄하는 용어였음이 분명한 듯싶은 것이다. 사실 사서史書의 기록들을 살펴가노라면 마포나 저포라고 구분하여 기술한 사례보다는 그냥 포布라고만 기술한 사례를 훨씬 많이 대하게 된다. 생각건대

---

36) 「恭愍王五年九月 都堂令百司 議幣 諫官獻議曰 本國近古 以碎銀權銀甁之重爲幣 而以五升布翼以行之 及其久也 不能無弊 銀甁日變而至于銅 麻縷日麤而不成布」(『고려사』 권79, 志33, 食貨2 貨幣·『고려사절요』 권26, 恭愍王 5년 9월).

37) 『고려사』 권99, 열전12 咸有一傳·『고려사절요』 권13, 明宗 15년 11월·『高麗墓誌銘集成』 251쪽, 咸有一墓誌銘.

38) 『고려사』 권135, 열전48·『고려사절요』 권22, 禑王 10년 閏10月.

그 포라고만 기술한 가운데에서 다수는 마포를 그처럼 간략하게 표기한 것이고, 또 얼마는 저포 등을 의미했다고 이해된다.

한편 포布 가운데에는 평포平布라고 칭한 기록도 몇곳 찾아진다. 즉,

> ㉯-⑪ 문종 20년 6월에 판判하여, 여러 주州·현縣에서 매년 상공常貢으로 납부하는 소 가죽·소힘줄·소뿔을 평포平布로 가격을 환산해 대신 내도록 하였다.[39]
>
> ㉯-⑫ (예종) 9년 10월에 판하여, 공납貢納하는 중포中布 1필은 평포 1필 15척尺으로 환산하여 납부하고, 공납하는 저포紵布 1필은 평포 2필로 환산하여 납부하며, 공납하는 면주緜紬 1필도 평포 2필로 환산하여 납부토록 하였다.[40]

라고 보이듯이 납부하기 어려운 공물을 평포로 절가折價(환산)하여 내도록 정하고 있거니와, 이는 평포가 가장 일반적이면서도 흔한 물품이었음을 뜻한다. 그리하여 혹자는 그것은 민인民人들에게 널리 쓰이고 또 화폐로도 기능했던 마포를 그처럼 부른 것이라고 말하고 있거니와[41] 일리있는 해석이라고 생각된다. 이 기록에는 평포와 함께 중포中布도 언급되고 있는데 이것 1필이 평포 1필 15척에 비견되고 있는 것으로 보아 그것은 좀더 질이 좋은 포였던 것 같다. 이들 평포와 중포에 대한 기록은 이미 앞에서 소개한바 건명고에 비치해 두었던 평포 1천여필(주 25), 45쪽) 및 목종穆宗 7년 6월에 시중侍中(종1품, 수상)을 지낸 한언공韓彦恭이 세상을 떠나자 부의로 평포 800필과 중포 400필을 보낸

39) 『고려사』 권78, 志32 食貨1, 田制 貢賦 문종 20년 6월·『고려사절요』 권5, 문종 21년 6월. 전자의 '判'이 후자에는 '制'로, 전자의 州縣이 후자에는 州郡으로 표기되는 등 양자간에 약간의 차이가 있다.

40) 『고려사』 권78, 志32 食貨1, 田制 貢賦 예종 9년 10월.

41) 『국역 고려사』 16, 경인문화사, 2011, 474쪽.

사례와[42] 역시 앞에서 소개했듯이 문종 25년에 송나라에 예물로 바친 생중포 2,000필과 생평포 2,000필의 예(주 29), 46쪽) 등이 찾아진다.

이들 이외에 또 광평포廣平布와 소평포小平布라는 칭호도 눈에 띈다. 그 하나는 희종 4년(1208)에 국왕이 노인들을 위해 잔치를 베푸는 의례(노인사설의老人賜設儀)의 항목 가운데에 4품 참상원叅上員의 경우 광평포 10필 등을, 참외叅外는 유직자有職者와 무직자 모두에게 소평포 5필씩을 주며, 효자로써 유직자인 경우는 광평포와 소평포 각 10필씩을, 무직자에게는 소평포만 10필을 주도록 하고 있는 것이다.[43] 이어서 고종 7년에는 군공軍功을 세운 우가하亐哥下에게 광평포 500필을 내리고 있는 기사가 보이며,[44] 예종 10년에 녹봉의 절계법折計法을 개정하면서 소평포 1필은 미米(쌀) 1두斗(말) 2승升(되) 5합合(홉)으로 환산토록한 기사[45] 등도 그같은 사례들이다. 이곳의 광평포와 소평포는 그 칭호로 미루어 혹 폭이 넓은 평포니, 또는 폭이 좁은 평포니 하는 추정은 할 수 있을 듯싶으나 그 내용은 잘 모르겠다.

이와는 별도로 또 대포大布라는 존재도 보인다. 공민왕 8년에 홍두적紅頭賊의 침구로 인해 민심이 흉흉해지면서 곡식을 천하게 여기는 대신 재화는 중히 여겨서(곡천화중穀賤貨重) 이전에는 대포大布 1필에 미米(쌀) 2두斗(말)씩 하던 값이 5·6두에 이르게 되었다는 기사와[46] 이듬해에는 반대로 경성京城에 기근이 들어 대포 1필 값이 겨우 쌀 5승升(되)으로 떨어지자 창고를 풀어 백성들에게 대포 1필을 내고 쌀 1두斗(말)

---

42) 『고려사』 권64, 志18 禮6 凶禮 諸臣喪.

43) 『고려사』 권68, 志22 禮10 嘉禮 老人賜設儀 희종 4년 10월.

44) 『고려사』 권22, 世家·『고려사절요』 권15, 高宗 7년 3월.

45) 『고려사』 권80, 志34 食貨3, 祿俸 諸衙門工匠別賜 후미 睿宗 10년.

46) 『고려사절요』 권27, 恭愍王 8년 12월. 『고려사』 권39, 世家 恭愍王 8년 12월조에도 유사한 기사가 실려 있는데 여기에는 「곡천화귀穀賤貨貴」라 표기되어 있다.

씩을 받아가도록[47] 조처하고 있는 것 등이 그같은 기록들이다. 여기서는 모두 대포의 값이 문제의 중심이 되고 있어 주목되거니와, 중국의 왕망조王莽朝에서는 대포大布·중포中布·소포小布 등이 화폐로 기능했다고 알려져 있는데 혹 고려말에도 그러하였는지, 또는 그의 형체가 어떠하였는지 등은 여전히 잘 알 수가 없다.

하여튼 마포는 포·평포 이외에 형태에 따라 광평포·소평포·대포 등 여러 명칭으로 불리었다는 이야기이거니와, 그중 넓은 의미로 쓰인바 포 다음으로 사서에 자주 등장하는 칭호는 뜻하는 바가 분명한 마포이다. 앞서 주 37)(47쪽)에 든 마포가 그 하나이지마는 특히 고려 말기로 접어들면서 「저마포苧麻布」라 하여 저포와 함께 마포가 자주 언급되고 있는 것은[48] 주목할 필요가 있을 듯하다.

그러나 사실 고려시기에 있어서 마포의 내용, 즉 그의 베날기를 할 때에 삼(마麻) 몇 올을 가지고 어느 정도의 굵기로 얼마나 촘촘하게 짰느냐를 나타내는 새(승升·종綜)에 따라 붙인 명칭이 보다 분명하면서도 일반적이었다. 앞서 제시한바 ㉯-⑩ 사료(47쪽)에 나오는 5승포五升布가 그 하나이다. 연구자는 보통 노동복일 경우에는 5새, 평상복일 경우에는 6새~7새 정도로 하였다고 논하고 있다.[49] 실제로 『고려사』와 『고려사절요』에만도 그 몇 사례가 찾아지는데,

---

47) 『고려사』 권80, 志34 食貨3, 賑恤 水旱疫癘賑貸之制·『고려사절요』 권27, 恭愍王 9년 6월.

48) 『고려사』 권38, 世家 恭愍王 2년 추7월·同 권40 세가 공민왕 12년 추7월·同 권134, 열전47 우왕 5년 6월·同 우왕 8년 2월(『고려사절요』 권31)·『고려사절요』 권32 우왕 10년 춘정월·『고려사』 권135, 열전48 우왕 11년 10월(『고려사절요』 권32)·同 권136, 열전49 우왕 13년 4월·同 권46, 세가 공양왕 3년 5월. 뒤에 설명하듯이 麻布에 대한 언급은 더 많은 사례를 대할 수 있다.

49) 趙孝順, 「옷 짓는 풍속」 『韓國服飾風俗史硏究』, 일지사, 1988, 17쪽.

㉯－⑬ 충숙왕이 채홍철蔡洪哲과 안규安珪에게 과거시험을 관장토록 하여 결과가 나오자 홍철에게는 저포苧布 50필, 규에게는 옥대玉帶와 5종포五綜布 600필을 사여하고 있는 것.[50)]

㉯－⑭ 충혜왕이 새 궁궐의 건조가 늦어지자 감독관을 질책하였고, 이에 그가 엄명을 내려 백관百官으로부터 서리에 이르기까지 두 사람마다에 5종포 1필씩 주고 놋쇠와 구리 2근씩을 징수하니 모두 고통스러워 하였다는 것.[51)]

㉯－⑮ 충혜왕이 내탕內帑의 5종포 100필을 내고 근시近侍 좌우번左右番들에게서 거둔 것을 덧붙여 새 궁궐 누각에서 중추절의 연회를 했다는 것.[52)]

㉯－⑯ 우왕이 5년 3월에 반전색盤纏色을 설치하고 제군諸君과 양부兩府 재상들로부터 9품에 이르는 시관時官과 산관散官을 논할 것 없이 각각 5승포를 내도록 하였는데 품계에 따라 차이가 있었다는 것.[53)]

㉯－⑰ 우왕이 호곶壺串에 머물면서 잡희雜戱를 관람하고 잡희인雜戱人들에게 5종포 500필을 사여하고 있는 것.[54)]

등이 그것들이다. 이어서 충렬왕 5년에는

㉯－⑱ 원나라 황제가 조빙朝聘하는 길목에 이리간伊里干(교통의 요지에 설치하는 고려의 촌락)의 설치를 분부함에 따라 도평의사사都評議使司에서 그 지역으로 이주시킨 사람들에게 백저포白苧布 등과 함께 6종포와 7종포를 5필 내지 50필씩 지급하자고 건의하자 그에 좇고 있는[55)]

---

50) 『고려사』 권108, 열전21 蔡洪哲傳.
51) 『고려사절요』 권25, 忠惠王 後4年 5월·『고려사』 권124, 열전37, 폐행2, 盧英瑞 附 宋明理傳.
52) 『고려사』 권36, 世家 忠惠王 後4年 8월.
53) 『고려사』 권79, 志33 食貨2, 科斂 우왕 5년 3월.
54) 『고려사』 권136, 열전49 우왕 13년 7월.

기사 등도 대하게 된다. 위에 든 논자의 설명처럼 5승(종)포와 6·7승포가 고려의 민인民人들이 주로 이용하는 마포였던 것이라 하겠다.

하지만 그와 같은 한편으로 국가가 필요로 하거나 왕실과 신료, 그리고 민인들 가운데서도 경제적으로 여유가 있는 사람들은 좀더 질이 좋고 세밀하게 직조한 마포를 이용하기도 하였다. 좀 특수한 사례이긴 하지마는,

> ㉯-⑲ (충렬왕 19년) 11월 갑인일에 경상도 안렴사인 유원개가 20승 마포 30필을 바쳤다.[56]

고 한데서 그같은 상황을 짐작하기 어렵지 않다. 그런데 기록들을 살펴보면 이처럼 승升·종綜의 수를 명시하지 않고 그냥 세마포細麻布라고 칭한 경우가 더 많이 눈에 띈다. 이미 인용한바 홍자번洪子藩이 상소하여 여러 도道에서 가호家戶마다 세마포를 거두는 것은 실제로 횡렴하는 것인만큼 금지시켜야 한다고 건의하고 있는(주23), 45쪽) 것과 또 공양왕 3년에 방사량이 올린 상소중에, 우리나라에서는 토산물인 세마포를 오랜 세월 동안 사용하여 왔다고한 언급이(㉯-④, 39쪽) 그같은 예들이거니와, 고려초인 혜종 2년(945)조에 우리나라에서 후진後晋에 두 차례에 걸쳐 합계 500필에 이르는 세중마포細中麻布를 보낸 사실도 실려있다. 그리고 명나라의 비난에 김구용金九容을 행례사行禮使로 삼아 세저포와 함께 세마포 50필을 가지고 가도록 하는가[57] 하면 다음의 기사에

---

55) 『고려사』 권82, 志36 兵2, 站驛 충렬왕 5년 6월.

56) 「(忠烈王十九年) 十一月甲寅 慶尙道按簾使柳元開 獻二十升麻布三十匹」(『고려사』 권30, 世家).

57) 『고려사』 권104, 열전17 金方慶 附 金九容傳.

서는 세마포가 관리들의 침탈 대상이 되고도 있는 실상을 엿볼 수 있다.

㉯ - ⑳ (충렬왕) 28년에 첨의시랑찬성사(정2품)로 치사致仕(퇴임)하였다. (채)모는 일찍이 경상도의 권농사勸農使가 되어서는 다량의 세마포를 거두어서 (왕에게) 바치고, 또 좌우의 권귀權貴들에게 뇌물로 바쳐 사사로운 혜택을 받았다(샀다). 이덕손李德孫이 채모를 대신하여서는 그 수를 좀더 늘렸으며, 뒤에 설인영薛仁永도 또 그 척수尺數를 늘려 포의 세밀함을 극도로 하니 백성들이 심히 고통스러워 하였다. 왕이 그 사정을 듣고 세포의 헌납을 금하였다.[58]

세마포가 왕에게 바쳐지거나 권세가와 귀인들에게 뇌물로 주어졌던 것을 보면 상당히 귀한 물품으로 대우를 받았음을 알 수 있다. 그러기에 무리를 해서라도 그 승·종의 수가 높은 포의 생산을 독려하였고, 그리하여 「포극세밀布極細密」이라고 일컬을 정도에 이르렀던 것 같다. 포는 10새 이상은 되어야 상급에 속하게 되었다 하거니와,[59] 이곳에 언급된 세마포는 그보다 훨씬 더 높은 새(승·종)로 직조된 물품이 아니었을까 생각된다. 한데 이곳에서는 그들 세마포를 그냥 「세포細布」라고 표기하고도 있어 눈길이 가는데, 아마 세마포나 세저포를 가리지 않고 간략하게 부를 때는 그처럼 쓰기도 했던 것 같다. 사서에서 세포를 칭한 사례는 이곳 이외에서도 여럿이 찾아진다.[60] 그리고 백세포白細布와 흑

---

58) 『고려사』 권123, 열전36 嬖幸1 權宜 附 蔡謨. 이와 거의 같은 기사가 『고려사절요』 권21, 충렬왕 14년 3월조에도 실려 있다.

59) 趙孝順, 「옷 짓는 풍속」 『韓國服飾風俗史硏究』, 일지사, 1988, 24쪽.

60) 『고려사』 권1, 世家(『고려사절요』 권1) 太祖 원년 8월·『고려사』 권30, 世家 충렬왕 15년 夏4月 丁卯·『고려사』 권84, 志38 刑法 職制 충렬왕 22년 5월·『고려사절요』 권27, 恭愍王 8年 12월·『고려사』 권42, 世家 공민왕 19년 2월·『고려사』 권137, 열전50 우왕 14년 5월.

세포黑細布라는 명칭도 보이는데[61] 이는 색깔의 구분에 따른 세포일 것이다.

색깔에 따른 또 다른 포布의 호칭으로 흑마포黑麻布와 황마포黃麻布가 찾아지는 것도 주목할만하다. 전자의 예로는 앞서 언급한바(주 38), 47쪽) 명나라에 대한 세공물歲貢物로 보낸 흑마포 24,400필 이외에 북원北元에 사절로 가는 이자송李子松 편에 저들 조정의 태보太保·태위太尉 등 최고위직에 있는 인물들에게 백저포와 함께 흑마포를 예물로 보내고 있는 것[62] 및 명나라 사절로 왔던 한용韓龍 등이 돌아갈 때에 역시 백저포와 함께 흑마포를 선물로 증여하고 있는 것[63] 등의 기사가 전해지고 있다. 그리고 후자의 예로는 최씨무신정권의 제3대 집정執政이 된 최항崔沆이 별공別貢으로 바치던 각 지역의 특산물 가운데 안동의 견사繭絲 등과 함께 경산京山(경북 성주)의 황마포黃麻布를 면제시켜 주고 있는 기사와[64] 더불어 주인원朱印遠이 관련된 다음의 기록이 전해지는데 그 내용은 다음과 같다.

> ㉯-㉑ 주인원은 (주)열의 아들로 충렬왕 때에 급제한 후 여러번 옮겨 경상도 안렴사按廉使가 되었다. …… 인원이 세황마포細黃麻布 두 상자를 바치자 왕이 봉한 것을 뜯고 좌우에게 쟁취토록 하고는 그로써 재미를 삼았다. …… 재상들이 아뢰기를, "…… 지금 또한 여러 도道에 20승황마포를 바치도록 하였는데, 베짜는 것은 여자들의 일 가운데 가장 어려운 일인즉 농촌의 부녀가 어찌 능히 섬세한 베를 짤 수 있겠습니까. …… 청컨대 빨리 중지시키십시오" 하니 왕이 받아드렸으나 조금 있다가 (김)초를 충청도 안렴

61) 『고려사』 권134, 열전47 우왕 5년 10월.
62) 『고려사』 권133, 열전46 우왕 3년 3월.
63) 『고려사』 권46, 世家 공양왕 3년 6월.
64) 『고려사』 권129, 열전42, 叛逆3 崔忠獻 附 崔沆.

사로 삼고 (주)인원은 끝내 파면시키지 않았으며 세포도 예전과 같이 바치게 하였다.65)

흑마포와 황마포 역시 이처럼 외국에 예물로 보내거나 국왕에게 바쳐지기도 할 정도로 매우 귀중한 직물의 하나였음이 확인된다. 아울러 지방에다 20승이나 되는 섬세한 황마포를 바치도록 했다는 사실이 주목되며, 그들이 다같이 세포細布로 일컬어지고 있다는 점 또한 눈여겨 볼 대목이다.

이들 세포와 대치되는 게 추포麤布였다. 추포라는 글자 자체는 앞에서 인용한바(주 36), 47쪽) 「마麻(삼)의 올(루縷)이 날로 성글어져서」라고 한, 그 성글성글하게 된다는게 추麤이고, 그래서 결국은 포布로서의 제구실을 할 수 없을 정도로 된다는 설명이었다. 그러면서 그같은 위치에 있는 포布가 화폐로 삼고 있는 5승포였음도 언급하고 있거니와, 말하자면 5승포는 마포麻布로서는 최하급의 포로써 곧바로 추포가 될 수도 있는 포였다고 이해하면 어떨까 싶다. 역시 앞서 들었듯이(주 49), 50쪽) 연구자는 5승포가 보통 농사나 막노동 같은 일을 할 때 입는 노동복의 의료였다고 지적하고 있다.

이같은 관련성 때문인지 추포는 여전히 화폐 문제와 함께 자주 언급되고 있다. 목종 5년에 교서를 내리면서 시중侍中(수상)인 한언공韓彦恭의 상소를 인용하고 있는데,

㉯-㉒ 지금 선조先朝를 이어 돈(전錢·전폐錢幣)을 사용하고 추포의 사용은 금하여 풍속을 놀라게 하고 나라의 이익도 되지 못하면서 단지 백성들의 원망만을 일으키고 있습니다. 운운.66)

---

65) 『고려사』 권123, 열전36, 嬖幸1 朱印遠.

했다는게 그 하나이다. 여기서의 전폐는 성종 15년 이래로 사용토록한 철전鐵錢을 말하며 추포는 5승포를 그처럼 표기한 것으로 짐작된다. 그리고,

> ㉯－㉓ 현종 5년 6월에 삼사에서 아뢰기를, "물가가 크게 올라 추포 1필의 값이 쌀(미米) 8두斗(말)나 되니 비록 풍년 때문이라지만 이에 곡식이 천해지는 것은 어찌 합니까. 청컨대 그 경중을 헤아려 그 값을 높이거나 낮추십시오" 하니 좇았다.[67]

고한 추포도 동일한 의미로 쓴 사례라고 생각된다. 이밖에 직접 화폐나 물가에 견준 것은 아니지만 「사사로이 추포를 몰래 관포官布 30필과 바꾸었다」거나[68] 또 침입하여온 몽고의 적장들을 달래기 위해 당고唐古 등에게 은·저포 등과 함께 추포 2,000필을 보내고 있는 사실[69] 등에서 추포의 사례를 더 찾을 수 있다.

어떻든 이상에서 마포 가운데 5승포나 추포가 물품화폐의 구실을 담당하여온 사실을 살펴본 셈인데, 그것을 아예 폐포幣布라고 부르는가 하면[70] 포화布貨라 지칭하고 있는 사례도 여럿 대할 수 있다. 후자는 주로 국왕이 아래 사람에게 사여하는 등의 경우에 쓰이고 있지만,[71] 요컨대 이미 알려진 사실이긴 하지마는 마포의 기능 중에 중요한 하나가

---

66) 『고려사절요』 권2. 거의 같은 기사가 『고려사』 권93, 열전6, 韓彦恭傳과 『고려사』 권79, 志33 食貨2, 貨幣 穆宗 5년 7월조에도 실려 있다.

67) 『고려사』 권79, 志33 食貨2, 貨幣 市估·『고려사절요』 권3 顯宗 5년 6월.

68) 『고려사』 권17, 세가 毅宗 5년 夏4月.

69) 『고려사절요』 권16, 高宗 18년 12월.

70) 『고려사』 권136, 열전49 우왕 13년 11월.

71) 『고려사』 권5, 세가 顯宗 20년 9월·『고려사절요』 권5, 文宗 12년 夏4月(『고려사』 권95, 열전8 崔冲傳)·『高麗史』 권79, 志33 食貨2, 科斂 元宗 12년 2월·『高麗墓誌銘集成』 186쪽 王偦墓誌銘.

화폐의 역할이었음을 여러 면에서 찾아볼 수 있다고 하겠다.

지금 마포의 중요한 기능중 하나로 화폐로서의 역할을 들었지만 이는 더 말할 필요도 없이 부차적인 것이고 제1의 기능은 의료衣料로서였다. 더구나 그것은 세마포 또는 황마포처럼 높은 등급에 해당하는 의료도 얼마간 있었으나 대체적으로는 국가 구성원의 대부분을 이루는 민서民庶들이 주로 이용하는 의료였다는 점에서 그만큼 주목할 필요가 있는데, 당시인들 의생활의 한 모습을 이와 관련된 몇몇 사례들을 통해 엿볼 수가 있다. 즉,

㉯－㉔ ……
천천히 걸어 맑은 들 바라보니
개울물 터졌는데 비는 보실거리네
농사집 아낙네(전부田婦) 흰 갈포치마(백갈군白葛裙) 입고
사내 농부(전부田夫)는 푸른 삼옷(녹마의綠麻衣) 입었네
서로 이끌어 밭두둑에서 노래 부르고
호미 메고 구름처럼 모여 있네[72)]

㉯－㉕ 쇠코 삼베잠방이(마곤麻褌)에 흰 갈포옷(백갈의白葛衣) 입고
가죽 채찍 대 피리 풀밭에 놓아 두고
수소는 암소 쫓아 달려가는데
취하여 산기슭에 누워 세상 모르네[73)]

라고 한데 보이듯이 각기 마의麻衣와 갈군葛裙(갈포 치마)을 입은 부부와 동료 농사꾼들이 보슬비 내리는 밭두둑에서 일하는 모습과 마곤麻褌(삼베 잠방이)에 갈의葛衣를 받쳐 입은 나무꾼이 술에 취해 누워있는

72) 『東國李相國集』 권2, 古律詩 「遊家君別業西郊草堂」(家君의 별장인 서교의 초당에서 놀다).

73) 『동국이상국집』 권16, 古律詩 「醉樵人」(술 취한 나무꾼).

광경이 드러나 있다. 이처럼 농사꾼이나 나무꾼들 같은 하층민들은 일상적으로 갈포와 함께 마포를 의료로 사용하고 있었던 것이다. 그러므로 어느 정도의 지위가 있는 사람들에게는 그것이 수치스럽게 여기는 대상이었다. 강직하면서도 청렴하게 관직생활을 보내던 최루백崔婁伯이 국왕을 상대로 간쟁諫諍을 할 수 있는 정언正言의 지위에 오르자 그의 처가 얼굴에 기쁜 빛을 띠면서 "이제는 우리도 가난에서 좀 벗어날 수 있을 것 같다"고 하였고, 이에 남편은 "간관諫官이 녹봉이나 지키는 자리가 아니요"라고 답하고 있다. 그러자 현숙하면서도 검소했던 그의 처 염경애廉瓊愛는 다시 "어느 날 그대가 궁전의 섬돌에 서서 천자와 옳고 그른 것을 쟁론하게 된다면 비록 가시나무 비녀에 베 치마(포군布裙)를 입고 삼태기를 이면서 살아가더라도 또한 달갑게 여길 것입니다"라고[74] 답하고 있는 것에서 당시인들의 포군에 대한 인식을 짐작하기 어렵지 않다. 아울러 이규보의 시 가운데에서는 「베 치마(포군布裙) 나무 비녀를 부끄러워 하지 않고」라고한 대목도[75] 눈에 띈다.

마포의麻布衣에 대한 이같은 인식은 벼슬을 가장 중시하던 고려사회에서 아직 관원官員의 반열에 진출하지 못했거나 관직에서 물러나 있는 사람을 포의布衣의 인사로 표기하고 있는 데서도 엿볼 수 있다. 예종조에 참지정사(종2품)까지 지낸 유록숭庾祿嵩이 「비록 귀현貴顯하게 되었으나 의복과 제택第宅(집)은 포의布衣 때와 같았다」고한[76] 것과, 박충좌朴忠佐가 「비록 경상卿相이 되었으나 거실과 의복은 포의 때와 같았다」고 한 것,[77] 그리고 고위직에서 물러나 여산사廬山寺로 돌아온 권

74)『高麗墓誌銘集成』94쪽 崔婁伯妻 廉瓊愛墓誌銘.
75)『東國李相國集』권3, 古律詩「一日不飮戱作」.
76)『고려사』권97, 열전10 林槩 附 庾祿嵩傳·『고려사절요』권8, 睿宗 9년 6월.
77)『고려사』권109, 열전22 朴忠佐傳.

한공權漢功이 「열 해 동안 글을 읽던 곳, 포의로 이제 다시 와 노네」라고 시를 읊고 있는 것,[78] 여말의 대학자 이색李穡이 「신이 포의로써 직위가 극품極品에 이르렀습니다」라고 말하고[79] 있는 것 등이 그러한 사례들이다. 그런 한편으로 과거科擧의 제술업製述業과 명경업明經業에 꾸준히 학업을 닦으면서 10번(대략 20년)에 걸쳐 응시하였으나 급제하지 못한 사람과 잡업雜業에 10년~20년간 응시하였으나 합격하지 못한 사람들에게 특별히 은례恩例를 베풀어 급제시켜 주는 것을 '탈마脫麻(마의를 벗게 한다)' 라고 한 것[80] 역시 동일한 의미를 지닌 표기이다. 이는 일반 민인民人들이 입는 마의(포의)를 벗고 이제는 공복을 입는 관리로 들어오게 한다는 뜻이기 때문이다.

마포의(포의)는 이들 이외에 순수하게 민인民人들처럼 검소하면서도 소박한 생활을 의미하는 경우로도 쓰였다. 고위직에 있으면서도 청검한 생활을 영위한 함유일咸有一을 「평생 동안 옷은 마포를 사용하였다」고 평가하고 있는 사례와[81] 벼슬을 버리고 청평산淸平山 문수원文殊院에 거하면서 「소식疏食 포의布衣로」지냈다는 이자현李資玄의 경우가[82] 그에 해당한다.

마麻(대마大麻)는 이상에서 살펴 보았듯이 기본적으로는 포布로 가공되어 의료衣料로 사용되었다. 그러나 직물의 하나로써 좀더 다양하게 쓰이기도 하였는데, 마승麻繩(삼 노끈)이나[83] 포피布被(베 이불)[84] 등의

78) 『東文選』 권10, 五言律詩 「廬山寺枕碧樓」.
79) 『고려사』 권115, 열전28 李穡傳.
80) 脫麻의 사례는 『高麗史』 권74, 志28 選擧2 凡恩例 穆宗 卽位年·同 목종 2년 10월(『고려사절요』 권2)·『고려사절요』 권5 문종 12년 5월·앞의 선거지 凡恩例 肅宗·同 고종 40년 6월·同 충선왕 卽位年條 등에 보인다.
81) 『고려사』 권99, 열전12 咸有一傳·『고려사절요』 권13, 明宗 15년 11월.
82) 『고려사』 권95, 열전8 李子淵 附 李資玄傳·『고려사절요』 권8, 睿宗 12년 9월.

사례가 그점을 말해준다. 요컨대 마포麻布(포布)는 20승마포와 같은 세포細布나 흑마포·황마포 같은 고급 품질도 일부 생산되어 왕실이나 상급 신분층에서 사용되기도 하였으나 대체적으로는 그렇게 세밀하지 못한 5~7승升(종綜·새) 전후의 직물로 생산되어 농민을 비롯한 일반 민서民庶들의 의료를 비롯해 일상생활에 광범위하게 쓰이는 물품아었다고 하겠다.

(2) 갈褐·葛(갈포褐布·葛布)

갈褐·葛은 칡(만초蔓草), 갈포는 그 칡 섬유로 짠 베로서, 마포麻布처럼 민서民庶들이 주로 사용하는 의료의 하나였다. 그러나 이것은 대체적으로 품등이 떨어지는 좋지 못한 거친 의료인 데다가[85] 중요성도 마포에 미치지 못하여 국가적인 차원에서 크게 관심을 베푼 직물인 것 같지는 않지만 그럼에도 민서들에게는 소중한 의료로써 널리 이용되었던 것이다.

갈포는 이같은 위상에 놓여 있었기 때문인 듯『고려사』나『고려사절요』등 관찬 사서史書에서 그의 존재를 자주 대하기는 어렵다. 그런 가운데서도 여말의 문란한 기강을 바로 잡으려고 노력했던 조준趙浚의 시무책時務策에,

---

83)『고려사』권113, 열전26 尹可觀傳.

84)『高麗墓誌銘集成』251쪽 咸有一墓誌銘·同 578쪽 尹澤墓誌銘.

85) 김문숙,「저고리류」·「직물류」『고려시대 원간섭기 일반복식의 변천』, 서울대 박사학위 논문, 2000, 76쪽·107~108쪽.

㉰-① 조성도감造成都監은 처음에는 궁궐을 짓기 위해 설치했던 것인데,……나무 하나를 끄는데 소 열 마리를 죽이기에 이르고, 한 용광로의 (쇠를) 제련하는데 열 집이 농사를 못 짓게 되기에 이르렀으며, 한 묶음의 삼(일속지마一束之麻)과 한 줌의 갈(일파지갈一把之葛)을 위해 열 필의 베(포布)를 소비토록 하고 있습니다. 백성들에게서 그것을 수취할 때에는……운운.86)

하여 궁궐을 짓는 공사를 위해 백성들의 얼마 되지 않는 마포와 갈포까지도 거두어들이고 있다고 한데서 그 일단을 엿볼 수 있다. 그리고 앞서 이미 언급한바(㉯-②, 37쪽) 공민왕 5년에 왕이 교서를 통해 「의갈이 없으면(무의무갈無衣無褐) 어떻게 한 해를 나겠는가」라고 말하고 있는 것과, 같은 왕 5년 11월에 서북면도원수西北面都元帥인 염제신廉悌臣이 글을 올려 「국경을 수비하는 방책은 때에 맞춰 (병력을) 교대시키는 것입니다. 지금의 군사들은 한여름에 북으로 와 오래 머물러서 겨울철이 되었는데도 의갈이 없으니(무의무갈無衣無褐) 무엇으로 추위를 막겠습니까」라고 말하고 있는 것87) 등이 그같은 언급들이다. 여기서의 '의'는 마의麻衣 내지 포의布衣를 뜻하는 것 같고 '갈褐'은 더 말할 필요도 없이 갈의를 뜻했겠는데 일반 백성들과 군사들이 그것을 제대로 갖추지 못해 어떻게 지낼 수 있겠는가를 국왕과 장수가 각각 걱정하고 있는 기사들로 생각된다.

갈포의에 관한 기록은 문집류 등에서 좀더 많이 찾아볼 수 있다. 무신정권기의 문인文人으로 고위직을 지낸 이규보李奎報가 「초당의 작은 동산을 손질한 데 대한 기」에서 「내가 스스로 아래쪽에 있는 작은 동산을 손질하였다.……그래서 갈포 옷과 사모를 착용하고(어시갈의사모

86) 『고려사』 권118, 열전31 趙浚傳.
87) 『고려사』 권111, 열전14 廉悌臣傳.

於是葛衣紗帽) 그 위를 거닐며……」라고 기술하고 있는가 하면[88)]「귀법사의 시냇가에서 느낌이 있어」라는 시詩에서 「여기는 내 젊었을 때 자주 와 공부하던 곳……지금 흐르는 물이 어찌 옛 물이겠는가. 흰 갈옷 펄렁이고 흩어진 머리카락 날리니(백갈파사白葛婆娑) 여기는 바로 깊은 숲이 둘려진 물 가 이다」라고 읊고 있는 것과[89)] 여말의 정치가요 대학자인 이제현李齊賢이 「자하동으로 중을 찾아가다」라는 글에서 「풀 이슬이 짚신 적시고 송화가루가 갈포 옷에 점을 찍었다(송화점갈의松花點葛衣)」라 쓰고 있는게[90)] 그 몇 사례들이다. 여가에 가벼운 옷 차림으로 자기 집의 작은 동산을 손질할 때 또는 오래 전에 머물렀거나 지인이 있는 절을 찾아가면서 갈포의를 입기도 했음을 알 수 있다.

한데 위의 기사 가운데에 「작은 동산을 손질하였다」던지 「흰 갈옷이 펄렁이었다」거나 또는 「풀 이슬이 짚신 적시고 송화 가루가 갈포 옷에 점을 찍었다」고한 표현들을 볼 때에 계절상으로 여름이나 그 가까운 시기의 일을 말한 것으로 짐작된다. 갈포가 거칠면서도 성글성글하게 짜인 직물이었던 만큼 그것으로 만든 옷도 여름철이나 그와 가까운 때에 주로 입었을 터이므로 이러한 묘사가 나오게 되었다고 생각되거니와, 갈포 옷의 그같은 용도를 직접 언급한 자료들도 몇몇 전해지고 있다.

> ㉰-② 여름은 덥고 겨울이 추운 것은 사시四時의 정상적인 이치이니, 만일 이와 반대가 된다면 괴이한 것이다. 옛 성인이, 추우면 구裘(갖옷)를 입고 더우면 갈褐을 입도록(한이구 서이갈寒而裘暑而褐) 마련하였으니, 그만한 준비가 있으면 족할 것인데, 다시 토실土室을 만들어 추위를 더위로 바꿔 놓는다면 이는 하늘의 명령

88) 『東國李相國集』 권23, 記「草堂理小園記」.
89) 『東國李相國集』 권14, 古律詩「歸法寺川上有感」.
90) 『益齊亂藁』 권10, 「紫洞尋僧」.

을 거역하는 것이다.[91]

㉰-③ 이해와 득실은 그 오는 것이 일정한 때가 없으므로 군자는 처處하기를 편안히 하나니, 마치 겨울이 추우면 구裘(갖옷)를 입고(동한이구冬寒而裘) 여름이 더우면 갈葛을 입듯이(하서이갈夏暑而褐) 오직 만나는대로 할 따름이요 일찍이 터럭만큼도 부자연스런 기색은 두지 않는다.[92]

㉰-④ 나는 추울 때면 구裘(갖옷) 한 벌(한일구寒一裘), 더울 때면 갈葛 한 벌로써(서일갈暑 一葛) 일찍 자고 늦게 일어나며, 기거 동작에 구애받지 않았고 음식도 뜻대로 하였다.[93]

②는 위에서 소개한 이규보의 글이고, ③과 ④는 여말의 정치가요 유학자인 이숭인李崇仁과 정도전鄭道傳의 글인데, 모두가 한결같이 유학자답게 자연의 이치에 따라 추운 겨울에는 따뜻한 구裘(갖옷)를 입고, 더운 여름에는 시원한 갈옷을 입으면 된다고 말하고 있다. 특히 이들중 후자는 작자인 정도전이 정쟁에 밀려 나주羅州 부근의 거평부곡居平部曲으로 유배되었을 때의 생활을 그린 것으로, 어려운 처지에도 한 벌의 갖옷과 갈옷을 차례로 입고 행동과 음식을 자유로이 하며 태연하게 살아가는 모습을 보여주고 있다는 점이 눈길을 끈다.

이상에서 소개한 몇몇 기록들은 비교적 상급층에 속하는 사람들의 생활이나 생각이 드러나 있는 갈포의에 대한 이야기라고 할 수 있겠는데, 이보다 형편이 좋지 않아 어렵게 지내야 하는 경우도 많았을 것 같다. 몽고의 침입과 종전終戰 후 저들의 간섭으로 국가 자체가 커다란 어려움을 겪는 시기에 살았던 이승휴李承休가 그 예의 하나이거니와, 뒤에 과거에 급제를 하고 벼슬길에 오른 이후에는 좀 나아지지만 여전

91) 『東國李相國全集』 권21, 說序 「壤土室說」.
92) 『東文選』 권88, 序 「送李侍史知南原序」.
93) 『三峰集』 권4, 記 「逍災洞記」.

히 생활에는 애로가 많았던 것이다. 그 일 모습이 자신이 지은『동안거사집動安居士集』에 실려 전하는데, 다음과 같다.

㉰-⑤ ………
그렇지 않으면 숲속에 은둔하여
충성과 신의를 지키며 채번(찬미)을 노래할 것이요
짧은 갈옷으로 추위와 더위를 막고(단갈어한서短葛禦寒暑)
거친 음식(채소와 궂은 밥)으로 아침과 저녁을 먹을 것이요.[94]

㉰-⑥ 달팽이집 같이 좁은 생애 처소에 따라 져버리고
파리 같이 작은 명리는 때와 함께 어둡다
싸늘한 여름 갈옷 그대로 섣달을 지내고(처량하갈잉경랍凄凉夏葛仍經臘)
적은 아침 밥 자주 저녁까지 미친다.[95]

전자는 병든 홀어머니를 시중들며 어렵게 지내면서도 그 여가에 지은「병과시病課詩」의 일절이고, 후자는 과거에 급제하여 입사入仕한 뒤 좀더 나은 지위를 얻고자 당시의 당로자로서 으뜸의 지위에 있던「경원이시중慶源李侍中(장용臧用)」에게 올린「구관시求官詩」의 일절인데, 보잘 것 없는 음식으로 아침·저녁을 때우고 여름에 입는 갈옷으로 겨울철까지 지내야 하는 딱한 사정을 읊고 있다. 비록 사인층士人層이라고 하지만 불우한 시기에는 계절을 가리지 않고 갈포를 이용하고 있다는 데서 의료로서의 그의 위치를 새삼 생각해보게 된다.

하지만 사실 갈포의는 저들보다 앞서 예시했던 흰 갈포치마(백갈군白葛裙)를 입고 있는 전부田婦(㉯-㉔, 57쪽)나 흰 갈포옷(백갈의白葛衣)

94)『動安居士集』行錄 권1, 病課詩.
95)『동안거사집』行錄 권1, 求官詩「慶源李侍中」.

을 입고 있는 술 취한 나무꾼(㉯-㉕, 57쪽)의 모습에서 그의 본래 성격을 좀더 잘 느낄 수 있을 것 같다. 갈의는 이처럼 하층민인 농민들이 주로 이용하는 의료였음을 보여주고 있기 때문이다. 유사한 모습은 외국인의 눈에도 띄었던 모양이다. 인종仁宗 원년(1123)에 송나라 사절의 한 사람으로 고려를 다녀간 서긍徐兢이 그의 견문록인 『선화봉사고려도경宣和奉使高麗圖經』에서 고려의 어부(주인舟人)들은 「짧은 갈옷(단갈短褐)으로 몸을 덮고 아래에는 바지(고유袴襦)를 입지 않는다」고[96] 기술해 놓고 있는 것이다.

갈포의는 이처럼 농어민을 비롯한 민서民庶와 벼슬길에 오르지 못했거나 아직 미천한 지위에 머물고 있는 사람들을 두고 일컫는 말로 쓰이기도 하였다. 이규보가 어느 스님에게 보내는 서간書簡에서,

> ㉰-⑦ 저도 또한 늙고 병들었으며 벼슬에서 물러날 마음이 있습니다. 만일 뜻과 같이 된다면 복건幅巾과 단갈短褐 차림으로 가서 장하를 모시고 우울한 회포를 토로하는 것이 마땅하나 신병이 이와 같으니 그렇게 될는지 알 수가 없습니다.[97]

라고 하여 자기가 말년에 벼슬에서 물러날 때를 생각하여 민서처럼 복건을 쓰고 단갈을 입은 소박한 차림을 그려보고 있다.

또 이색李穡은,

> ㉰-⑧ 소년 시절에 기이한 뜻을 품고
> ....
> 밖에는 비록 단갈을 입었으나(외수피단갈外雖被短褐)

96) 『고려도경』 권19, 民庶 舟人.
97) 『東國李相國後集』 권12, 「答敦裕首座手簡」.

안에는 밝은 구슬을 품었다.[98]

고 하여 소년 시절에 큰 뜻을 가지고 있는 가운데 비록 몸에는 보잘 것 없는 짧은 갈옷을 입고 있지만 마음 속에는 그 큰 뜻을 밝힐 명주明珠를 품고 있다는 포부에 대해 읊고 있다.

그런가 하면 문벌귀족의 자제로서 장원 급제하고 문호로도 이름이 높던『파한집破閑集』의 저자 이인로李仁老가 문장文章에 대해 논하는 글에서,

> ㉰-⑨ 세상사 중에 귀천과 빈부로서 고하高下를 정할 수 없는 것은 오직 문장文章 뿐이다.…… 그러므로 갈포葛布를 입은 선비(사士)로도 넉넉히 무지개처럼 찬란한 빛을 드리울 수 있으며…… 운운.[99]

하여, 귀하고 부유한 사람보다는 비록 빈천하여 포갈(갈포)을 입은 선비일지라도 문장에 뛰어난 사람이 뒤에 훌륭한 인물이 될 것이라 말하고 있다. 상황은 조금씩 다르지만 갈포는 이처럼 형편이 좋지 않거나 관로官路로 진출하지 못해 민서民庶와 유사한 위치에 처해 있는 사람들의 의료이기도 하였다는 사실을 여러 모로 밝혀주고 있다 하겠다.

앞 대목에서 과거에 오랜 동안(대략 20년) 꾸준히 응시하였으나 합격하지 못한 사람들에게 특별히 은례恩例를 베풀어 합격시켜 주는 '탈마脫麻'의 관례가 있다고 하였다(주 80), 59쪽). 이와 동일한 형식으로 '석갈釋褐' 즉 갈옷을 벗게하는 관례도 있었지마는,[100] 이와 좀 달리 과거

98)『東文選』권5, 五言古詩「答胥有儀」.
99)『破閑集』卷下,「天下之事」.
100)『고려사』권74, 志28 選擧2, 凡恩例, 顯宗 4년 8월·同 5년 4월.

에 급제한 인원들을 대상으로 과업科業을 숭장崇奬한다는 의미에서 급제후에 임용되기까지의 대기 기간 등에서 혜택을 베푸는 '석갈'도 있었다.[101] 이처럼 탈마와 석갈 사이에는 운영상에 다소의 차이가 있었지만 그 취지는 동일했던 것이며, 이를 통해서도 갈포의 의료상 위상이 마포와 유사했다는 점이 다시 확인 된다.

갈포는 주로 의료로 쓰였지만 그 외의 용도로도 물론 사용되었다. 그런 사례로 얼른 눈에 들어오는 것으로는 무신정권기에 문인文人으로 이름이 높던 임춘林椿이 「연화원 벽에 쓴다」라는 시에서 「갈건葛巾과 짚신(조리草履)으로 스님 따라 소식蔬食했고」라고한 구절의 갈건과,[102] 그보다 조금 뒤에 신료로서 고위직에까지 올랐던 전원균田元均이 「벼슬에서 물러난 뒤에는 기쁘게 뜻을 펴고 도성 서쪽의 별장에 머물렀다. 갈건葛巾에 야복野服으로 한가하게 지내면서……운운」한 구절의 갈건[103] 등이 있다. 역시 민서民庶처럼 검소하게 차린 복장에 갈건이 잘 어울리고 있음을 본다. 갈포는 민인民人들에게 여러 모로 쓰이던 직물의 하나였음에 틀림이 없는 것 같다.

(3) 저紵·저포紵布(모시)·저마紵麻(모시풀)

저紵·저포紵布(모시)는 다년생에 속하는 관목식물인 저마紵麻(모시풀)의 껍질을 가공하여 만든 마직물麻織物의 하나로서 대마大麻에서 얻는

---

101) 『고려사』 권74, 志28 選擧2, 科目2 凡崇奬之典, 光宗 15년·同 景宗 2년·동 睿宗 8년 3월 등등.
102) 『西河集』 권2, 古律詩 「書蓮花院壁」.
103) 『고려묘지명집성』 324쪽 田元均墓誌銘.

마포麻布와 함께 고려시대 사람들의 중요한 의료衣料였다.[104] 한데 양자는 이런 관계로 기록 자체만을 가지고는 혼란을 겪는 경우도 없지 않다. 예컨대 「재추가……저마포를 각각 9필씩 증여하였다」거나[105] 「문무관리들로 하여금 말 및 저마포를 차등을 두어 내도록 하였다」고 한[106] 경우는 문맥으로 보아 이곳의 「저마포」가 저포와 마포를 아울러 지칭한 것이 분명하다고 짐작되나,[107] 혜종 2년(945)에 후진後晋으로 보낸 공물에 대해 상대방에서, 「병장기는 튼튼하고 장식도 아름답고 고우며, 저마苧麻는 눈과 같고(눈처럼 희고)」라고 한 것과[108] 공민왕 12년에 귀환하는 사신들에게 「옷 2벌과 저마포 10필, 그리고 겸종들에게도 포를 나누어 주었다」고한 경우의 저마포는[109] 저포만을 지칭한 것으로 이해하는게 옳을 듯싶은 것이다. 유사한 기록들은 얼마 더 찾아지거니와, 저포와 마포는 동일한 마직물로서 이와 같이 마치 하나의 의료인 듯 합칭合稱되는 사례가 많다는 데서 이들의 성격과 위상도 대략 비슷하였으리라는 유추가 가능하다. 실제로 저포는 그 용도에 있어서 역시 마포와 함께 고려 사람들이 가장 널리 이용하는 의료였던 것이다.

저포(모시)의 이같은 위상과 용도는 이미 앞서 언급한바 외국인인 송나라 사절이 그의 견문록에서 「고려에서는 모시(저紵)와 삼(마麻)을 스스로 심어 많은 사람들이 베(포布)로된 옷을 입는다」고 기술하고 있는

---

104) 趙孝順, 「길쌈 풍속－모시」『韓國服飾風俗史硏究』, 一志社, 1988, 21~23쪽. 박선희, 「마직물의 종류와 특성」『한국고대복식』, 지식산업사, 2002, 105~106쪽.

105) 「宰樞贈……苧麻布各九匹」(『고려사』 권38, 세가 恭愍王 2년 秋7月).

106) 「文武官吏 出馬匹及苧麻布 有差」(『고려사』 권134, 열전47, 우왕 8년 2월·『고려사절요』 권31, 우왕 8년 2월).

107) 박선희, 주 104)의 글 107·108쪽.

108) 「戎器堅剛 織文靡麗 苧麻如雪」(『고려사』 권2, 세가 惠宗 2년).

109) 「衣二襲 苧麻布十匹 又以布分賜傔從」(『고려사』 권40, 세가 공민왕 12년 秋7月).

것과(㉯-③, 38쪽), 여말麗末에 중랑장인 방사량이 상소하여 「우리나라에서는 다만 토산물(토의土宜)인 세저포細紵布(가는 모시)와 세마포細麻布(가는 삼베)만의 사용을 오랜 세월 동안 해와서 상하가 (모두) 풍요로웠습니다」라고 언급하고 있는 것(㉯-④, 39쪽), 그리고 이색李穡이 『농상집요』에 대한 후서後序에서 「고려의 풍속이…… 미곡을 중히 여기고 기장이나 피(직稷)는 가볍게 여기며, 삼(마麻)과 모시(시枲)는 많고 사서絲絮(면사綿絲)는 적다」고 쓰고 있는 것(㉯-⑤, 40쪽) 등에 잘 드러나 있다. 이를 증명이나 하듯 『고려사』와 『고려사절요』를 비롯한 여러 사서史書에 각 방면으로 쓰이고 있는 저紵·저포紵布·세저포細紵布·백저포白紵布·문저포紋紵布 등등에 관한 기록이 다수 전해지고 있는 것이다.

이들 모시(저紵)도 삼(마麻)과 마찬가지로 모시 날기를 할 때에 몇 올을 가지고 어느 정도의 굵기로 얼마나 촘촘하게 짜느냐를 나타내는 새(승升)에 따라 품질이 표시되었다. 그리하여 저포는 마포보다 상급에 속하는 직물로서 대개 7~8새 정도는 되었으며, 국가에 바치는 진상품의 경우 9~12새, 그리고 자료에 세저포(가는 모시)로 언급된 것은 10새 이상으로써 그보다 훨씬 높은 숫자의 포에 이르기까지 다양하였다.[110] 고종 40년에 경상주도慶尙州道 안찰부사按察副使인 임주任柱가 거두어들였다는 20승백저포二十升白紵布는 그 대표적인 한 예일 것이다.[111]

모시는 원래 빳빳하고 초록색이 약간 도는 갈색을 띠고 있었다. 이것을 다시 증방蒸房에서 찌거나 잿물에 삶아 마전摩展을 함으로써 비로소 깨끗하고 보드라운 모시, 즉 백저포(흰 모시)가 된다.[112]

이제 그들의 쓰임새에 관한 몇몇 실례들을 보면, 인종조仁宗朝에 송

---

110) 趙孝順, 「길쌈 풍속-모시」 『韓國服飾風俗史硏究』, 一志社, 1988, 24쪽.
111) 『고려사』 권24, 세가·『고려사절요』 권17, 高宗 40년 12월.
112) 趙孝順, 「길쌈 풍속-모시」 『韓國服飾風俗史硏究』, 일지사, 1988, 25쪽.

나라 사절로 왔다가 남긴 서긍의 견문록에 「저의紵衣(모시 상의上衣)는 곧 속에 입는 홑옷이다.……왕으로부터 민서民庶(서민)에 이르기까지 남녀가 구분없이 모두 입는다」고 한 것과,[113] 저상紵裳(모시 치마)의 제도를 소개하고 있는 대목[114] 및 그보다 얼마 뒤인 무신정권기의 문인 이규보의 「저삼紵衫(모시 적삼)에 땀이 흘러」라는 구절이 든 시詩 등을[115] 대하게 된다. 여기에서 저紵(저포)가 의衣·상裳·삼衫의 의료가 되고 있는 일 면모를 확인하게 되거니와 특히 저의를 왕으로부터 서민에 이르는 모든 계층의 남녀 모두가 입었다는 대목은 주목할만하다. 서긍의 견문록 가운데는 이와 약간 방향을 달리하여 저포가 직물중에서는 거의 유일하게 화폐의 기능을 했다는 설명도 나온다.[116] 하지만 앞 부분에서 기술했듯이 직물로써 화폐 기능을 한 것은 마포였음을 감안할 때 저포가 이 부분에서만은 간혹 보조적인 역할을 한 것을 가지고 그처럼 잘못 이해했던게 아닌가 싶다.

훨씬 후대의 저포 이용에 관한 언급으로는 공민왕이 즉위 21년 11월에, 초라綃羅 조복朝服은 본국의 생산물에 의한 것이 아니니 이후부터 시신侍臣 이외의 동·서반 5품 이하는 주저紬紵(명주와 모시)로 만든 조복을 사용토록 하라고 내린 교서에서[117] 찾아볼 수 있다. 그리고 우왕禑王도 그의 즉위 원년에 역시 교서를 통해 사람들이 검약함을 인지하지 못하고 씀씀이를 사치스럽게 해 재물을 소비하고 있다. 지금 이후로 금수錦繡나 금옥기명金玉器皿 같은 물품들은 일체 금단禁斷할 것이며,

---

113) 『高麗圖經』 권29, 供張2 紵衣.
114) 『고려도경』 권29, 供張2 紵裳.
115) 『동국이상국집』 권15, 古律詩 「七月二十五日善法寺堂頭見邀乞詩」.
116) 『고려도경』 권3, 貿易.
117) 『고려사』 권72, 志26, 여복, 冠服一朝服, 恭愍王 21년 11월.

비록 혼인하는 집이라 하더라도 다만 주저紬紵만을 사용토록 함으로써 검약에 힘쓰는 것이 풍속을 이루게 하라고 지시하고도 있다.118) 이상의 고찰을 통해 우리들은 고려전기로부터 말기에 이르기까지 저포가 어떠한 위치에 있었는가를 부분적으로나마 엿볼 수 있지 않나 한다.

그런데 저포 가운데에서 많은 사람들이 선호한 것은 백저포였다. 여말麗末의 기록 중에 황저포黃紵布와 홍저포紅紵布를 언급한 예도 보이지만119) 이는 극히 드문 경우이고 대다수는 백저포로써 그의 높은 위상을 드러내고 있기도 한 것이다. 이제 그 몇 실례를 들면, 「용호중맹군龍虎中猛軍은 푸른 베(청포青布)로 만든 좁은 옷(착의窄衣)을 입고 백저白紵로 만든 궁고窮袴를 걸친다」고한 것과,120) 「재가화상在家和尙은 가사袈裟를 입지 않고 계율도 지니지 않는다. 백저로 된 좁은 옷을 입고 검은 비단(조백皁帛)으로 된 허리띠를 두른다」고한 것에서121) 군사들과 정식 스님은 아니지만 사원과 관계를 가지고 있는 화상들이 의료로 흰모시(백저)를 사용하고 있음을 보게 된다. 그리고 부인婦人들의 의복과 관련해서는 「옛 풍속에 여자들의 의복은 흰모시 (저고리)에 노랑치마(백저 황상白紵黃裳)로서 위로는 공족公族 귀가貴家로부터 아래로 민서民庶의 처첩妻妾에 이르기까지 한결같아서 구별할 수 없을 정도였다」고한 대목이122) 한층 주목을 끈다. 상·하층을 구분할 것 없이 모든 여인들이 백저를 애용하였다고 언급하고 있다는 점에서이다.

이와 더불어 백저는 포袍(두루마기)의 제작에 크게 쓰이고 있다는 사

118) 『고려사』 권85, 志39, 刑法2, 禁令, 辛禑 원년 2월.
119) 『고려사』 권133, 열전46 禑王 3년 3월.
120) 『고려도경』 권11, 仗衛1 龍虎中猛軍.
121) 『고려도경』 권18, 釋氏 在家和尙.
122) 『高麗圖經』 권20, 婦人.

실 역시 주목된다. 그 몇몇 사례를 들면,

> ㉰-⑩ 왕의 상복常服은 검은색 비단(오사烏紗)으로 된 높은 모자(고모高帽)에 소매가 좁은(착수窄袖) 담황색 포(상포緗袍)를 입었다.……혹 들은 바로는 평상시 편하게 쉴 때인즉 검은 건(조건皁巾)에 백저포白紵袍를 입고 있어 일반 백성(민서民庶)들과 다를게 없었다고 한다.123)
>
> ㉰-⑪ 부인들은 장식함에 있어서 꾸미는 것을 좋아하지 않는다.……백저白紵로 포袍를 만드는데 대략 남자 것과 같다.124)

고 보이듯이 국왕조차 공식적인 업무를 보는 때가 아닌 평상시에는 민서들과 마찬가지로 백저포白紵袍를 입었으며 귀부들 역시 남자들의 것과 대략 같은 백저포를 만들어 입었음을 알 수 있다. 뿐만 아니라 다음과 같이,

> ㉰-⑫ 농업과 상업을 하는 백성들은……복식에 있어 모두 백저로 포袍를 해입고 네 가닥 띠가 있는 검은색 두건을 쓰는데 다만 포布의 곱고 거친 것에서 차별이 날 뿐이다. 국관國官과 귀인貴人들도 퇴근하여 사가私家에서 생활할 때는 역시 (백저포를) 입는데 다만 두건의 띠가 두 가닥이어서 구별되었다.125)
>
> ㉰-⑬ 고려 장인匠人들의 기술은 지극히 정교하다. 그 뛰어난 재주를 가진 이는 모두 공공 기관에 소속하였는데, 복두소幞頭所·장작감將作監이 그곳들이다. 항상 백저포白紵袍를 입고 검은 두건을 쓴다.126)

123) 『고려도경』 권7, 冠服－王服.
124) 『고려도경』 권20, 婦人－貴婦.
125) 『고려도경』 권19, 民庶－農商.
126) 『고려도경』 권19, 民庶－工技.

고 했듯이 나라의 관원官員·귀인貴人들과 함께 농부·상인과 장인匠人들도 통상적으로 백저포白紵袍를 착용하였던 것이다. 다만 여기서 언급된 농부와 상인은 그들중 비교적 부유층일 것으로 짐작되며, 장인匠人 역시 기술이 뛰어나 국가로부터 일정한 대우를 받은 계층일 것이라 생각되거니와, 그러면서도 이들이 사용하는 백저는 관원·귀인들이 사용하는 그것에 비해 품질상 차이가 났으리라는 점도 짐작이 간다.

백저의 용도는 이들 이외에도「수놓은 베개(수침繡枕)의 모양은 백저로 자루를 만들어 그 속에 향초香草를 채웠다」고 한 것과[127]「잠옷(침의寢衣)의 제도는 겉은 홍황색이고 백저로 그 안을 댔다」고 한 데서도[128] 찾아볼 수 있다. 그리고 이들 백저포白紵布 특산지의 하나가 해양海陽(지금의 광주광역시)이었다는 사실도 기록을 통해 확인할 수 있다.[129]

백저가 이처럼 상하층을 가릴 것 없이 널리 사용되고 있는데 대해 당시 유행하던 풍수도참설에 의거하여 제동을 가하려는 의견이 제기되기도 하였다. 즉,「충렬왕 원년 6월에 태사국太史局에서 아뢰기를, "동방은 목木의 방위이므로 색깔은 청색을 숭상해야 마땅합니다. 그런데 백색은 금金의 색깔인데도, 나라 사람들이 융복戎服을 입은 이후로 많이들 백저의白紵衣를 입고 있는데 이는 목木이 금金에 제압당하는 형상인즉 청컨대 백색 의복의 착용을 금하옵소서" 하니 좇았다」고 하여[130] 충렬왕도 그에 동의하고는 있으나 실제로는 그대로 시행되지 아니하였다. 그것은 바로 그 이듬해에 충렬왕비와 얽힌 다음과 같은 이야기를

127)『고려도경』권29, 供張2 繡枕.
128)『高麗圖經』권29, 供張2 寢衣.
129)『고려사』권129, 열전42, 叛逆3 崔忠獻 附 崔沆.
130)『고려사』권85, 志39, 刑法2, 禁令·『고려사절요』권19.

보면 그 분위기가 어렵지 않게 이해된다.

> ㉰-⑭ (충렬왕 2년에) 어떤 비구니가 (충렬왕비 제국대장공주齊國大長公主에게) 백저포白苧布를 바쳤는데 가늘기(세細)가 매미 날개와 같고 꽃무늬(화문花紋)가 수놓아져 있었다. 공주가 (이것을) 시장 상인에게 보였지만 모두가 전에는 보지 못한 것이라고 하였다. (공주가) 비구니에게 이것을 어디서 얻게 되었느냐고 물으니 대답하기를, "나에게 여종 하나가 있는데 능히 그것을 짤 수 있습니다"고 하였다. 공주가 말하기를 "그 여종을 나에게 주는게 어떻겠느냐"고 하자 비구니가 깜짝 놀랐지만 어쩔 수 없이 바쳤다.[131]

좀 특수한 경우이긴 하지만 어느 절의 여승이 데리고 있는 여종이 저포를 짜는데 특출한 재주를 지녀 그가 짠 백저포가 매미 날개에 비견될 정도로 가늘면서도 촘촘한 세저포이자 거기에 꽃무늬까지 첨가한 (화)문저포(花)紋紵布로서 충렬왕비까지도 탐을 냈다는 것이다. 그런가 하면 왕 5년 6월에는 앞서 언급한 일도 있듯이(㉯-⑱, 51쪽) 원나라 황제의 분부에 따라 이리간伊里干을 설치하면서 그 지역으로 이주시킨 사람들에게 백저포를 지급해 주고 있으며, 또 17년 12월에는 역시 원나라 조정에 오가는데 드는 반전盤纏 비용의 충당을 위해 영송고迎送庫와 대부고大府庫에 보관중인 백저포 150필씩을 풀고도 있는 것이다.[132]

유사한 기사는 상당수가 더 눈에 띄지마는 뒤에 소개하기로 하고 먼저 위에서 든바 충렬왕비에게 올린 백저포가 실은 세저포細苧布요 문저포紋紵布이기도 했다는 점과 연결되는 이야기부터 잠시 살피기로 하자.

---

131) 『고려사』 권89, 열전2, 后妃2 忠烈王 齊國大長公主.
132) 『고려사』 권30, 세가 충렬왕 17년 12월 癸巳.

이중 세저포에 대해서는 이곳 항목의 첫머리에서 인용한 방사량의 상소에서 이미 언급되기도 했는데(69쪽), 사실 그에 관한 기록은 고려초인 혜종 2년(945)에 후진後晋으로 사신을 파견하면서 세저포細苧布 100필을 보냈다는 데서 벌써 찾아볼 수 있다.133) 그리고 이로부터 훨씬 지난 충렬왕 4년에 국왕이 원나라에 친조親朝하는데 소요되는 경비를 위해 제왕諸王으로부터 5·6품에 이르는 인원들에게 세저포를 차등을 두어 내도록 한 것과134) 같은 왕 22년에 중찬中贊(수상)인 홍자번洪子藩이 올린바 "지금 여러 도道에서 세저포細紵布를 거두어들이니 민民들이 실로 감당하기 어렵습니다. 마땅히 관비官婢로서 역役을 면제받은 자들로 하여금 방적紡績토록 해 민들의 노고를 덜게 하십시오" 라고한 상서를135) 비롯하여 이외에도 뒤에 더 설명하듯 여럿을 대할 수 있다.

다음으로 문저포에 대한 것으로는 충숙왕 9년 7월에 원 황제가 채하중蔡河中을 파견하여 심왕瀋王의 어머니인 안비安妃에게 술과 향을 하사하고 또 무늬를 넣어 짠 저포, 즉 문저포紋苧布를 요구하고 있는 기록을 들 수 있다.136) 이에 대해 고려는 2달후인 9월과 이듬해인 10년 10월에 연달아 채하중을 파견하여 그 요구에 따르고 있으며,137) 같은 왕 16년 5월에도 박지환朴之環을 보내 문저포를 바치고 있다.138) 원나라의 문저포에 대한 요구는 그후 충목왕 원년과139) 2년,140) 그리고 공민왕 3년까지141) 이어지고 있으며, 그에 응하여 공민왕 4년 5월에 밀직부사

133) 『고려사』 권2, 세가 惠宗 2년.
134) 『고려사』 권79, 志33 食貨2, 科斂 충렬왕 4년 12월.
135) 『고려사』 권78, 志32 食貨1, 田制-貢賦 충렬왕 22년 6월.
136) 『고려사』 권35, 세가·『고려사절요』 권25, 충숙왕 9년 秋7月.
137) 『고려사』 권35, 세가, 충숙왕 9년 9월·同 10년 冬10月.
138) 『고려사』 권35, 세가, 충숙왕 16년 5월.
139) 『고려사』 권37, 세가·『고려사절요』 권25, 충목왕 원년 5월.
140) 『고려사』 권37, 세가·『고려사절요』 권25, 충목왕 2년 夏4月.

인 최인원崔仁遠을 파견하여 문저포를 헌납하기도 하였다.[142] 아마 이 같은 상황의 전개에 대해 원나라로서도 생각하는 바가 있었던 듯 저들은 곧바로 문저포의 공납을 그만두도록 조처하고 있다.[143]

이상에서 저포의 위상과 종류 및 그의 쓰임새와 사용하는 신분층 등에 대하여 대략 살펴 왔는데, 직물의 이용과 관련된 기록은 특히 몽고와의 전쟁과 그 이후 간섭기에 걸쳐 위에서 언급한 몇몇 사례 이외에도 다수가 드러나 있다. 이제 그것들을 몇가지 유형별로 나누어 살펴 보면, 먼저 국왕이 사용한 것과 관련되어 있는 기사로서 충렬왕이 동녕부東寧府 예속하의 서경西京에 들렀을 때 은銀과 저紵(모시)를 내어 식량과 사료를 사서 종신從臣들에게 주었다고 한 것과[144] 역시 충렬왕이 정월 초하루에 군신群臣들의 신년 하례를 받고 그 행사에 든 경비를 내탕內帑의 은과 저(모시)를 하사하여 충당토록 하고 있는 것[145] 등을 들 수 있다. 그리고 충숙왕의 성격이 청결한 것을 좋아하여 한달간의 목욕에 향香 10여 분盆과 저포苧布 60필을 썼다고 한 것,[146] 충혜왕이 예법을 어기고 사통한 황씨黃氏에게 금은 그릇 등과 함께 저포 100필을 내리고 있는 것,[147] 우왕이 즉위 13년 4월에 도평의사사都評議使司에 명하여 저·마포 1,500필을 가져오게해 헌비憲妃 궁宮의 시녀와 엄인閹人(환관)들에게 나누어 주고,[148] 12월에는 선비善妃의 생일이라 하여 내관內官에게 명해 그의 집에서 잔치를 베풀게 하면서 말 2필과 함께 저포 4필

141) 『고려사』 권38, 세가·『고려사절요』 권26, 공민왕 3년 5월.
142) 『고려사』 권38, 세가, 공민왕 4년 5월.
143) 『고려사』 권38, 세가·『고려사절요』 권26, 공민왕 4년 秋7月.
144) 『고려사』 권28, 세가 충렬왕 즉위년 冬10月 丙寅.
145) 『고려사』 권28, 세가·『고려사절요』 권19, 충렬왕 2년 春正月.
146) 『고려사』 권35, 세가, 충숙왕 後8年 春3月.
147) 『고려사절요』 권25, 충혜왕 後卽位年 5월·『고려사』 권6, 열전19 洪奎 附 洪戎傳.
148) 『고려사』 권136, 열전49 禑王 13년 4월.

등을 내려주고 있는 것도[149] 그같은 사례들이다.

다음으로 저포는 국가의 소요에 따라 각급 신료臣僚들과 민인民人들로부터 거두는 일과 관련하여 자주 언급되고 있다. 그 대부분은 고려가 몽고의 간섭하에 놓이게 되면서 저들 조정에 오가는데 드는 반전盤纏 비용의 충당을 위한 것이었지마는, 원종 2년(1261)에 태자 심諶(뒤의 충렬왕)을 몽고에 파견하면서 재추宰樞로부터 4품까지는 은 1근씩을 내게 하고 5품은 1인당 백저포 2필, 6품은 1필, 7·8·9품은 2인이 합하여 1필을 내도록 한 것과,[150] 또 왕 12년(1271)에 친조親朝를 하게 되자 재추는 백은白銀 1근씩을 내고, 그 이하 관원들은 직급에 따라 저포를 각각 4필부터 1필까지 내고 있는 것은 원종조의 사례들이다.[151] 이어서 충렬왕 원년에는 반전색盤纏色을 설치하고 제왕諸王·재추로부터 이하 각급 관원들에게 차등을 두어 은銀을 내게하면서 개경 방·리坊里의 민인民人들에게도 2호戶가 합쳐 1냥을, 그리고 지방의 각 도道 역시 은과 저포를 내게 하고 있는데,[152] 원래 민인들은 생산하는 저포에 대하여 나라에 공물貢物로 일정한 액수를 바치도록 제도화되어 있었다.[153] 그러니까 이번의 수취는 그 이외에 추가적으로 거두는 과렴科斂이었다고 하겠다. 유사한 사례는 이후에도 이어지고 있거니와, 충렬왕 5년에 반전 비용을 위해 제왕諸王과 백료百僚들에게서 은銀과 저紵를 차등을 두어 취렴하고 있는 것과[154] 같은 왕 18년에 동일한 목적으로 백관百官들로

149) 『고려사』 권136, 열전49 禑王 13년 12월. 이들 이외에도 유사한 기사는 다수가 더 찾아진다.
150) 『고려사』 권79, 志33 食貨2, 科斂 원종 2년 4월.
151) 『고려사』 권79, 志33 食貨2, 科斂 원종 12년 2월.
152) 『고려사』 권79, 志33 食貨2, 科斂 충렬왕 元年 12월.
153) 『고려사』 권78, 志32 食貨1, 田制 貢賦 睿宗 9년 10월.
154) 『고려사』 권79, 志33 食貨2, 科斂 충렬왕 5년 10월.

부터 차등을 두어 은과 저포를 내도록 하고 있는 것,[155] 충숙왕 15년에 왕이 입조入朝하기 위해 반전도감을 설치하고 백관과 개경의 5부·방·리五部坊里 민인들에게 각기 백저포(저포)를 내도록 하고 있는 것,[156] 충정왕 원년에 노차반전색路次盤纏色을 설치하고 백관들에게 차등을 두어 저포를 거두고 있는 것,[157] 우왕 8년에 반전색을 설치하고 대소의 문무관리들에게 마필馬匹과 저포를 차등을 두어 내도록 하고 있는 것[158] 등이 그것들이다.

저포는 몽고인들도 좋아하는 물품이었던 것 같다. 그 때문인 듯 저포는 몽고의 장수와 사신들에게 자주 선물로 주어지고 있다. 그런 사례로는 우선 고종 18년(1231)에 금주기金酒器 등과 함께 저포를 3원수三元帥에게 보내고 있는 것과[159] 같은 왕 40년에 야굴也窟에게 역시 금은주기와 저포·수달피水獺皮 등을 보내고 있는 것을[160] 들 수 있다. 이들은 모두 고려를 침입한 적장들인데 이들의 환심을 살 필요가 있어서 그러했던 것 같다. 다음 사절의 경우로는 원종이 일본에 사절로 갔다가 되돌아온 조양필趙良弼에게 백은白銀 3근과 함께 저포 10필을 주고 있는 것과,[161] 충숙왕이 최안도崔安道를 보내 돌아가는 매려買驢 등에게 금은·능라綾羅와 함께 저포를 주고 있는 것,[162] 공민왕이 이가노李家奴 등에

155) 『고려사』 권79, 志33 食貨2, 科斂 충렬왕 18년 8월.

156) 『고려사』 권79, 志33 食貨2, 科斂 충숙왕 15년 12월. 『고려사』의 '백저포'가 『고려사절요』에는 '저포'로 기술되어 있다.

157) 『고려사』 권79, 志33 食貨2, 科斂 충정왕 元年 7월.

158) 『고려사』 권134, 열전47·『고려사절요』 권31, 우왕 8년 2월. 이들 이외에도 유사한 기사는 더 찾아진 다.

159) 『고려사』 권23, 세가·『고려사절요』 권16, 고종 18년 12월 乙卯.

160) 『고려사절요』 권17, 고종 40년 9월.

161) 『고려사』 권27, 세가 원종 14년 3월.

162) 『고려사』 권35, 세가, 충숙왕 15년 秋7月·『고려사』 권124, 열전37, 嬖幸2 崔安

게 금대金帶·안마鞍馬 등과 함께 저마포苧麻布 10필을 증여하고 있는 것,[163] 우왕이 돌아가는 장부張溥 등에게 저마포를 주고 있는 것[164] 등등의 사례가 찾아진다.

그런가 하면 이같은 개별적인 증여가 아니라 원(몽고)나라 조정을 상대로 저포를 헌납한 사례 역시 얼마가 눈에 띈다. 충렬왕 19년에 왕과 공주가 원나라 황태자비皇太子妃를 찾아뵈면서 수달피水獺皮 등과 함께 세저포 45필을 증정하고 있는 것과[165] 이듬해인 왕 20년에 황태자가 황제의 자리에 오르는 즉위식에 참여했을 때 표피豹皮·수달피 등과 더불어 역시 세저포 86필을 헌납하고 있는 것,[166] 그리고 왕 22년에도 원 황제를 알현하면서 금병金甁·은우銀盂·자라紫羅 등과 함께 백저포 100필을 방물方物로 바치고 있는 것이 그 몇 사례들이다.[167] 이어서 충숙왕 5년에는 대호군大護軍(정3품) 손기孫起를 보내 세저포를,[168] 같은 왕 15년에는 호군(정4품) 윤환尹桓을 파견하여 저포를 헌납하고 있으며,[169] 이어서 충목왕 3년에 참리叅理(종2품) 안자유安子由,[170] 이듬해에는 평리評理(종2품) 유탁柳濯[171] 그리고 공민왕 2년에도 좌장고제점左藏庫提點인 김광현金光鉉을 원에 파견하여 각각 저포를 바치고 있다.[172] 이들 이외에도 우왕 3년에는 북원北元에 이자송李子松을 파견하

道傳.

163) 『고려사』 권40, 세가 공민왕 12년 秋7月.

164) 『고려사』 권135, 열전48·『고려사절요』 권32, 우왕 11년 冬10月. 이들 이외에도 유사한 기사가 몇몇 더 눈에 띈다.

165) 『고려사』 권30, 세가 충렬왕 19년 12월.

166) 『고려사』 권31, 세가 충렬왕 20년 夏4月.

167) 『고려사』 권31, 세가 충렬왕 22년 11월 甲申.

168) 『고려사』 권34, 세가 충숙왕 5년 秋7月.

169) 『고려사』 권35, 세가 충숙왕 15년 秋7月.

170) 『고려사』 권37, 세가·『고려사절요』 권25, 충목왕 3년 6월 甲戌.

171) 『고려사』 권37, 세가·『고려사절요』 권25, 충목왕 4년 夏4月 丁亥.

여 책명冊命을 내려준데 대해 사례하면서 황제에게는 백금白金과 함께 저포 81필을, 황후에게는 백저포·황저포·홍저포 각 9필씩을, 제2황후에게는 백저포 9필·황저포 5필·홍저포 4필씩을, 그리고 그 아래의 대소 신료들에게도 백저포와 저포를 예물로 선사하고 있으며,[173] 왕 5년에는 납합출納哈出에게 저·마포를 각기 150필씩 보내고 있음이 확인된다.[174] 이후 명나라와의 관계에서도 역시 저들의 비난에 김구용金九容을 행례사行禮使로 삼아 파견하면서 세마포와 함께 세저포를 각각 50필씩 가져가도록 하고 있는가 하면,[175] 우왕 10년에는 약조는 했으나 미쳐 납부하지 못했던 세공歲貢을 이때에 이르러 흑마포黑麻布와 함께 백저포를 무려 4,300필이나 보내고 있는 사실도[176] 접할 수 있다.

고려 후기에는 전기에 비해 저포의 직조 기술 등이 좀 나아졌으리라는 것은 예상할 수 있는 일이다. 거기에다가 주변 여러 국가들과의 복잡한 관련 속에서 저포는 단순히 의료로써뿐 아니라 하나의 상품과도 같은 기능을 담당하지만 국초 이래로 마포와 함께 고려 사람들이 많이들 애용하는 의료로써의 위상이 줄어든 것은 아니었다고 짐작된다. 요컨대 마포와 저포는 동일한 마직물로서 고려시기 민인民人들에게 줄곧 의료로써 가장 큰 비중을 차지하는 직물이었다는 이야기인데, 다만 마포가 대부분을 민서民庶들이 이용하는 물품이었던데 비하여 저포는 마포보다 한 단계 위의 직물로서 민서와 더불어 상급 신분층들도 즐겨 사용하는 의료였다는 점에서 양자간에 얼마간의 차이가 있었다고 할 수

---

172) 『고려사』 권38, 세가 공민왕 2년 3월 癸巳.
173) 『고려사』 권133, 열전46 우왕 3년 3월.
174) 『고려사』 권134, 열전47 우왕 5년 6월.
175) 『고려사』 권104, 열전17 金方慶 附 金九容傳.
176) 『고려사』 권135, 열전48·『고려사절요』 권22, 우왕 10년 閏10月.

있을 것 같다.

(4) 주紬(명주明紬·면주綿紬)와 면포綿布

앞서 의료衣料에 대해 살펴보는 자리에서, 농사와 뽕나무(상桑)를 심고 키우는 일은 의식衣食의 근본으로, 왕정王政에서 우선으로 삼아야 한다고 인식하고 있어 국가적인 차원에서 그것을 장려했다고 하였다. 그리하여 후자의 경우 현종조顯宗朝에 들어와 국왕의 판문判文으로 뽕나무 묘목(상묘桑苗)을 정호丁戶와 백정白丁에게 각각 얼마 이상씩 심도록 권장하는가 하면(주 3), 35쪽) 공민왕 때에는 삼(마麻)과 함께 뽕나무(상桑)를 온나라 사람들이 식구 숫자 비율에 따라 심도록(㉯-②, 37쪽) 강요하는 등 여러 조처가 취해지기도 하였었다. 그에 따른 몇몇 현장으로, 「삼(마麻)과 보리(맥麥)는 조정朝庭과 저자길에 두루 났구나, 붉은 치마(천군蒨裙) 입고 뽕따는(채상採桑) 뉘 집 계집아이」(㉯-⑥, 42쪽)라는 구절이 든 김구金坵의 고시古詩와, 「상마桑麻는 들 밭두둑에 풍성하고」(㉯-⑦, 43쪽)와 「누에 쳐서 고치를 켜고, 삼을 심어 물에 불린다」(㉯-⑧, 43쪽)는 구절이 든 이규보李奎報의 두 글도 소개하였다.

이와 유사한 사례들은 더 찾아지거니와,

> ㉱-① (고종) 42년 7월에 강양군江陽郡에서 황충蝗蟲이 뽕잎(상엽桑葉)을 먹고 누에가 되었다.177)
>
> ㉱-② 산 배나무 잎 붉고, 들 뽕잎 누른데
> 바람 길에 벼 향기 물씬 풍기네178)

177) 『고려사』 권54, 志8, 五行2, 金-蝗災 고종 42년 7월.

㉣-③ 밭이 있으니 갈아서 식량을 마련하기에 가하고,
뽕나무가 있으니 누에를 쳐서 옷을 마련하기에 가하고,
샘이 있으니 물을 마시기에 가하고,
나무가 있으니 땔감을 마련하기에 가하다.
나의 뜻에 가可한 것이 네 가지가 있기에,
그 집을 '4가四可'라고 이름지은 것이다.[179]

라고 한 것에서 양잠養蠶의 면모들을 엿볼 수 있는 것이다.

이같은 뽕나무 재배와 누에치기를 통해 얻는 실(사絲)과 솜(면綿)을 가지고 만든 의료衣料가 다 아는 대로 견직물絹織物이거니와, 이 자리에서 다루고자 하는 주紬(명주·면주)와 면포綿布는 원료가 동일하지만 일반적으로 견직물이라 호칭되는 견絹·백帛과 사紗·곡縠·초綃 및 능綾·라羅·금錦·기綺·환紈 등등 보다는 질이 다소 떨어지는 누에고치 실이나 솜에다가, 모두 그러한 것은 아니나 좀 거칠게 제직된 견섬유로서[180] 따로이 그처럼 명칭이 붙은 것이다.

주(면주)의 이와 같은 위상이랄까, 값어치는 예종睿宗 9년(1114)에 판문判文으로 정해지는 공납물에 대한 환산법과 이듬해에 개정되는 녹봉에 대한 절계법折計法(환산법)에 무엇보다 잘 드러나 있다. 즉,

㉣-④ (예종) 9년 10월에 판判하여, 중포中布 1필匹은 평포平布 1필 15척尺으로 환산하고, 저포紵布 1필은 평포 2필로 환산하며, 면주緜紬 1필도 평포 2필로 환산하여 공납貢納토록 하였다.[181]

---

178) 『東國李相國全集』 권2, 古律詩「村家三首」.
179) 『동국이상국전집』 권23, 記「四可齋記」.
180) 趙孝淑, 『韓國 絹織物 硏究-高麗時代를 中心으로』, 세종대 박사학위논문, 1993, 110~111쪽.
박선희, 「고대 한국의 사직물」 『한국 고대 복식』, 지식산업사, 2002, 168~171쪽.

고 하여 평포를 환산(절계折計)하는 기준으로 삼아 중포는 1필에 대해서 1필 15척, 저포는 2필, 면주도 2필로 각각 정하고 있는 것이다. 값어치로 보아 저포와 면주는 동일하면서 가장 높고, 그 다음이 중포, 그 다음이 평포였음을 알 수 있다. 그리고 이어지는 예종 10년의 녹봉 절계법은,

> ㉣-⑤ 예종 10년에 삼사三司에서 녹절계법祿折計法을 개정改定하였는데, 대견大絹 1필은 미米(쌀) 1석石 7두斗(말)로, 사면絲緜과 소견小絹 각 1필은 7두씩으로, 소평포小平布 1필은 1두 2승升(되) 5합合(홉)으로, 대릉大綾 1필은 4석으로, 중견中絹 1필은 1석으로, 면주緜紬 1필은 6두로, 상평문라常平文羅 1필은 1석 7두 5승으로, 대문라大紋羅 1필은 2석 5두로 하였다.182)

고 하여 이번에는 미米(쌀)를 기준으로 삼아 각 직물에 대해 절계하는 양을 정하고 있는데 높은 값 순서로 보면 대릉－대문라－상평문라－대견－중견－사면－소견－면주－소평포의 서열이 된다. 이들 두 기록을 요약컨대 대략 능綾이 상급품이고 그 다음이 나羅이며, 그 다음이 견絹 종류, 그리고 저포와 면주가 그 아래이고, 마포麻布를 의미하는 것으로 생각되는 평포가 하급에 속하는 직물이었음을 확인할 수 있다고 하겠다.

좀 후대의 사례이긴 하지만 유사한 상황은 다음의 기사들에서도 찾아볼 수 있다. 즉,

> ㉣-⑥ 공민왕 21년 11월에 교敎하여, 상홀象笏(상아로 만든 홀)·홍

181)『고려사』권78, 志32 食貨1, 田制－貢賦 睿宗 9년 10월.
182)『고려사』권80, 志34 食貨3, 祿俸－諸衙門工匠別賜 睿宗 10년.

정紅鞓(붉은 띠)·조정皁鞓(검은 띠)과 초綃·라羅로 만든 조복朝服은 모두 본국의 산물이 아니므로 지금 이후로 시신侍臣 이외의 동·서반 5품 이하는 목홀木笏(나무로 만든 홀)·각대角帶(뿔 띠)와 주紬(명주)·저紵(모시)로 만든 조복을 쓰도록 하였다.[183]

고 했듯이 조복의 경우 4품 이상관과 왕을 모시는 시신侍臣들은 별도로 하고 그 이외의 5품 이하 신료들은 초·라 같은 비단 옷을 착용하지 말고 명주와 모시로 된 옷만을 입도록 차등을 두고 있다. 또 우왕 때에도,

㉣-⑦ 신우辛禑 원년 2월에 교하여 이르기를, "사람들이 검약을 인지하지 못하고 씀씀이를 사치스럽게 해 재물을 소비하고 있다. 지금 이후로 소주燒酒와 금수錦繡·단필段匹·금옥金玉으로 만든 기명器皿 같은 물품들은 일체 금단할 것이며, 비록 혼인하는 집이라 하더라도 다만 주紬(명주)·저紵(모시)만을 사용토록 함으로써 검약에 힘쓰는 것이 풍속을 이루게 하라"[184]

고 했듯이 금수錦繡 등과 같은 고급 비단을 사용하는 것을 일체 금단시키고, 비록 혼인하는 경우라 하더라도 명주와 모시만을 사용하도록 명하고 있는 것이다. 이미 몇 차례 언급한바(㉮-⑥, 18쪽 등) 일찍이 성종 원년(982)에 최승로가 시무책을 올린 가운데에서 「서인은 문채나는 사紗·곡縠 같은 비단은 입지 못하고 단지 주紬·견絹만 사용하게 하소서」 라고 말하고 있는 것도 내용은 비슷한 경우라 할 수 있을 것 같다. 요컨대 이용자의 신분에 차이가 날 때도 있고 또한 상황이 얼마씩 다를지라도 명주는 초綃·라羅와 금수 및 사紗·곡縠 등의 비단에 비해 단계가 떨

183) 『고려사』 권72, 志26, 여복, 冠服一朝服, 恭愍王 21년 11월.
184) 『고려사』 권85, 志39, 刑法2, 禁令 禑王 元年 2월.

어지는 의료로서 저·견과는 동일하거나 비등한 위치에 처해있는 직물이었음이 거듭 확인된다고 하겠다. 단 저포에 세저포가 있었듯이 주紬에도 세주細紬의 존재가 찾아지는 만큼[185] 어느 경우이든 그점은 염두에 두어야 할 것이다. 한 연구자에 의하면 명주는 가장 굵은 것이 10새였고, 보통이 12~13새였으며, 15새 정도가 되어야 상품上品에 속했다고 설명하고 있다.[186]

저紵·견絹과 자리를 가까이 하고 있던 주紬는 그 위치로 해서 쓰임새도 비교적 넓었다. 위에 들었듯이 중·하급 신료臣僚의 조복감으로 지정되거나 혼수로 중시되기도 하고 또 좀 여유있는 민인들의 의료로 꼽히고 있는 데서 벌써 그점이 드러나 있다고 하겠거니와, 포布로 환산하여 바치는 공납물의 대상중 하나가 되고, 나아가서는 미米로 절계하여 지급하는 녹봉의 대상 물품중 하나였다는 것을 통해서도 미루어 짐작할 수 있다.

이들과 연관이 있어 보이는 몇몇 기사들도 눈에 띄는데,

> ㉱-⑧ (공민왕) 5년 6월에 교敎하여 이르기를, "충성스럽고 신의있는 (신료에게) 녹봉을 후하게 주는 것은 관인들을 권면하고자 하는 것이다. 마땅히 맡은 관청(유사有司)은 헤아려 추가해 급여토록 하고, 또 계림(경주)·복주(안동)·경산부京山府(경북 상주)에서 공납貢納하는 능綾·라羅·주紬·포布는 덕천고德泉庫에 들이지 말고 광흥창廣興倉에 수납하여 백관百官의 녹봉을 보충토록 하라" 하였다.[187]
>
> ㉱-⑨ 신우辛禑 원년 2월에, 덕천고에 들이는 주紬·포布는 원래 광

185) 『고려사』 권22, 세가·『고려사절요』 권15, 고종 7년 3월 丙申·『高麗史』 권22, 세가, 고종 8년 8월.

186) 趙孝順, 「길쌈 풍속－명주」 『韓國服飾風俗史硏究』, 일지사, 1988, 34쪽.

187) 『고려사』 권80, 志34 食貨3, 祿俸－諸衙門工匠別賜 공민왕 5년 6월.

> 홍창에 들여야 할 것이었으니 일체 병신년의 선지宣旨(왕명)에 의거하여 광홍창에 환속還屬시켜(돌려주어) 백관百官들의 봉록을 넉넉히 하도록 하였다.[188)]

고 보이듯이 여러 지역으로부터 국가가 필요로 하는 주紬 등의 물품을 거두어들인 상황을 엿볼 수 있는 것이다. 유사한 모습은 특수한 지방행정단위의 하나로서 특정 물품을 생산하여 바치도록한 소所 가운데 주소紬所가 설정되어 있는 데서[189)] 살필 수 있거니와, 충렬왕 때에 여러 도道의 안렴사按廉使와 별감들이 상공上供을 핑계삼아 주紬·저紵 등을 거두고 있는 것은,[190)] 불법적인 수취의 한 사례이다.

주紬가 구체적으로 의료에 쓰인 사례는 그렇게 많은 수가 전해지지 않는다. 그런 가운데서도 몇몇 찾아보면 진사進士와 민장民長이 입는 구裘(갖옷)를 검은색 명주(조주皁紬)로 만들었다는 기사를 우선 대할 수 있다.[191)] 이어서 군왕의 순행巡幸에 위장衛仗을 담당한 골타자대骨朶子隊의 군사軍士와[192)] 노부鹵簿를 맡은 냉리군冷里軍 등이 자주소수의紫紬小袖衣(자주색 명주로 만든 소매가 좁은 옷)를 착용했다는 것[193)] 및 원종 때에 종실과 백관들에게 주紬·견絹을 내도록 해서 군의軍衣를 만드는데 공급했다는 기사[194)] 등도 눈에 띈다. 그리고 인종은 성품이 검약해서 침석寢席에 황주黃紬의 선(연緣)이 없었다고 한 것과[195)] 편경編磬

---

188) 『고려사』 권80, 志34 食貨3, 祿俸-諸衙門工匠別賜 禑王 元年 2월.
189) 『新增東國輿地勝覽』 권7, 驪州牧 古蹟 登神莊.
190) 『고려사』 권29, 세가 충렬왕 6년 3월·同 권105, 열전18 鄭可臣傳.
191) 『高麗圖經』 권19, 民庶 進士·民長.
192) 『고려사』 권72, 志26, 輿服, 儀衛 西南京巡幸衛仗.
193) 『고려사』 권72, 志26, 輿服, 鹵簿 西南京巡幸還闕奉迎鹵簿.
194) 『고려사』 권79, 志33 食貨2, 科斂 원종 11년 11월.
195) 『고려사절요』 권10, 仁宗 24년 2월.

의 각 가架에 자주도紫紬絛(자주빛 명주로 땋은 줄)가 2조條씩이었다고 한 것은[196] 명주가 의료 이외의 용도로 쓰인 사례이다.

하지만 이들에 비해 명주가 비교적 대규모로 자주 사용된 사례는 다른 의료의 경우와 유사하게 국왕과 무인 집정執政의 하사 또는 몽고와 관련된 사안들에서 찾아진다. 그 전자의 예로는 비록 여진女眞 출신들이긴 하지만 귀주龜州에서 적을 사로잡는 공을 세운 사람들에게 현종이 상으로 주紬와 견絹·포布를 합하여 500필을 사여하고 있는 것과[197] 무인 집정인 최충헌崔忠獻이 자기 집에서 군사들을 훈련시키면서 이들에게 주紬·포布를 내리고 있고,[198] 또 그의 아들로 역시 집정이던 최이崔怡가 불확실한 사실을 고변하였음에도 북방 사람들의 인심을 얻고자 그에게 능綾·라羅·견絹과 함께 주紬·저紵·포布를 각각 10필씩 하사함과 동시에 왕에게 청하여 추가로 능·라·견 40필, 주紬 100필·포 200필을 내리도록한 것을[199] 들 수 있다. 이어서 충선왕의 즉위교서를 찬술한 박전지朴全之에게 능綾·초綃와 더불어 주紬 15필을 사여한 사례도 보이며,[200] 충렬왕 때에는 원나라 황제의 명에 따라 이리간伊里干(교통의 요지에 두는 촌락)의 설치를 위해 민인民人들을 이주시키면서 정착에 도움을 주고자 면綿(솜)과 함께 명주를 2필~5필씩 사여한 예[201] 등이 눈에 들어온다.

다음 후자의 예로는 고종 8년에 몽고 사신 저고여著古與 등이 와서 황태제皇太弟의 지시라고 하면서 수달 가죽 1만장과 함께 세주細紬

196) 『고려사』 권70, 志24 樂1, 雅樂 軒架器樂.
197) 『고려사』 권4, 세가·『고려사절요』 권3, 顯宗 9년 冬10月.
198) 『고려사절요』 권14, 고종 3년 12월.
199) 『고려사』 권129, 열전42, 叛逆3 崔忠獻 附 崔怡.
200) 『고려사』 권109, 열전22, 朴全之傳.
201) 『고려사』 권82, 志36, 兵2, 站驛 충렬왕 5년 6월.

3,000필·세저포細紵布 2,000필·면자緜子(솜) 1만근 등을 요구하였고, 또 원수元帥 찰랄札剌(쟈라) 등도 서신을 보내 각기 수달피 가죽과 면주緜紬·면자緜子 등을 징구徵求한게[202] 대표적이다. 한데 이때 준 명주가 세주細紬가 아니라 추주포麤紬布였던 듯 저들은 그 물품을 모두 들에 버리고 돌아가다가 누군가에 의해 압록강가에서 죽음을 당하여[203] 양국간에 커다란 문제가 되었다 함은 잘 알려진 이야기이다. 그후 고종 18년에는 침입해온 적장들에게 금은 그릇과 주·저포紬紵布를 보내고 있으며,[204] 그 주장主將인 살례탑撒禮塔에게 사·라의紗羅衣 등과 더불어 주포의紬布衣 2,000벌을 바치는 조처를 취하고 있다.[205] 이어서 고종 40년에도 적장 야굴也窟에게 서신을 전달하는 편에 역시 금은 그릇·수달가죽과 함께 나羅·주紬·저포紵布를 보내는가 하면,[206] 원종 4년에 예빈경 주영량朱英亮 등을 몽고에 파견하면서 수달피 500장·백저포 300필과 함께 주紬 100필을 보내는[207] 등 명주는 여전히 고려의 중요한 의료의 하나로서 몽고와의 교섭에서 요긴한 물품의 일부로 기능했던 것을 알 수 있다고 하겠다.

그러면 면포의 경우는 어떠했을까? 이 역시 품질면에서 뿐 아니라 추위를 막는 일과 관련이 깊어서 중시하는 의료의 하나로 널리 이용된 것으로 생각된다. 일찍이 현종 9년(1018) 정월에, 흥화진(평북 의주군)에 병란이 잦아 백성들이 많이들 추위와 배고픔을 겪고 있을 것이라 하여 면포緜布와 소금·간장을 지급하고 있는 것과[208] 정종靖宗 5년(1039)

202) 『고려사』 권22, 세가·『고려사절요』 권15, 高宗 8년 8월.
203) 『고려사절요』 권15, 高宗 12년 春正月.
204) 『고려사』 권23, 세가·『고려사절요』 권16, 高宗 18년 12월.
205) 『고려사절요』 권16, 高宗 18년 12월.
206) 『고려사절요』 권17, 高宗 40년 9월.
207) 『고려사』 권25, 세가 원종 4년 夏4月.

12월에 제制를 내려 "대한 철이어서 눈·바람이 매우 차 빈궁한 백성들이 필시 매우 춥고 굶주릴 것이다. 그 외국인으로 투화投化해온 사람들과 번경蕃境에서 잡혀와 타향에 사는 남녀 80여명에게 담당 관청은 노유老幼를 헤아려 각각 면포를 지급하라고 하였다"는 데서[209] 그같은 면모를 살필 수 있다. 후대로 내려가서는 충렬왕 때에 원나라의 징병 요구로 북정군北征軍을 파견하면서 여러 왕씨(제왕諸王)와 시·산時散(전·현직)의 백관들에게 차등을 두어 면포를 내도록 하고 있는 것과[210] 공양왕 3년 3월에 이미 언급한 바도 있는 중랑장 방사량房士良의 시무책時務策 중에 혼인하는 집안에서 외국 물품의 사용을 금하는 대신 면포를 전용하도록 하고,[211] 또 면포에도 사紗·라羅 등과 함께 관인官印을 찍어서 매매시에 세금을 내도록 해야한다는 건의,[212] 그리고 원나라에 다녀오던 도중에 말이 지치자 창두(노비)가 화살 하나를 주고 콩 1단을 사서 먹이자 이를 본 이공수李公遂가 어찌 궁핍한 백성의 먹을 것을 빼앗느냐며 면포를 잘라서 갚아주고 있는 것[213] 등에 보이는 면포도 동일한 의료로 이해된다.

이같은 면포로 가공되기 이전의 면綿(솜) 자체도 의료의 일부 등으로 쓰임새가 많았던 듯 사면絲緜·면서緜絮·면자緜子·연면鍊緜과 그냥 서絮·면緜 등의 명칭으로 자주 등장하고 있다. 그중 사면은 풀솜(고치를 펴서 만든 솜)을 말하는데, 앞서 든바(㉣-⑤, 83쪽) 예종 10년에 개정

208) 『고려사』 권80, 志34 食貨3, 賑恤 水旱疫癘賑貸之制·『고려사절요』 권3, 顯宗 9년 春正月.

209) 『고려사』 권6, 세가 靖宗 5년 12월.

210) 『고려사』 권79, 志33 食貨2, 科斂 충렬왕 15년 8월.

211) 『고려사』 권85, 志39, 刑法2 禁令·『고려사절요』 권35, 공양왕 3년 3월.

212) 『고려사』 권79, 志33 食貨2, 貨幣-市估 공양왕 3년 3월.

213) 『고려사』 권112, 열전25, 李公遂傳·『고려묘지명집성』 573쪽 李公遂墓誌銘.

된 녹절계법祿折計法에 따르면 이것은 소견小絹과 마찬가지로 1필에 미米(쌀) 7두로서 1필에 6두인 면주緜紬 보다도 오히려 높게 평가받고 있어서 주목된다. 이 이외에도 사면은 삼사三司가 여러 도道에서 1년에 세공稅貢으로 납부해야할 물품 가운데 사면 40근을 미납한 지역의 외관外官은 파면시킬 것을 아뢰고 있는 사례들에서[214] 살필 수 있다.

면서緜絮(솜)는 덕종이 그의 즉위에 즈음하여 내투인來投人들에게 의복과 함께 그것을 하사토록 담당 관청에 명하고 있는 데서 보인다.[215] 그리고 연면鍊緜은 희종이 국로國老와 서로庶老 모두에게 향응을 베풀면서 사여하는 물품 가운데 하나로 나오는데, 이것의 해당자는 지위가 높았던 사람들이다. 그에 비해 하위층들에게는 면자緜子(솜)가 하사되고 있지마는[216] 연면이 면자 보다는 품질이 좀 높았던 모양이다. 면자의 사례는 그밖에도 위에서 언급했듯(주 202, 88쪽) 고종 8년에 몽고의 사절로 온 저고여著古與 등이 황태제皇太弟의 지시임을 내세워 여러 물품을 요구하는 가운데 이것 역시 1만필이나 내라고 한 것과 찰랄 등도 면주緜紬와 더불어 면자를 징구徵求한 것에서 찾아볼 수 있다.

다음으로 그냥 서絮·면緜을 칭한 사례로서, 전자의 경우로는 공민왕이 지문하성사(종2품) 정세운을 도순찰사로 삼고 그곳 군인으로 공로가 있는 사람에게 의복 등과 함께 이것을 하사한 예를 들 수 있다.[217] 그리고 후자의 경우로는 의종이 보현원普賢院의 누각에 거동하여 걸인들에게 각각 포 1필과 면 2냥兩씩을 하사하고 있는 것과[218] 원나라 황제

214) 『고려사』 권78, 志32 食貨1, 田制 租稅 靖宗 7년 正月.
215) 『고려사』 권5, 세가 德宗 卽位年 11월 乙亥.
216) 『고려사』 권68, 志22 禮10, 嘉禮 老人賜設儀 熙宗 4년 10월 乙亥.
217) 『고려사』 권39, 세가·『고려사절요』 권27, 공민왕 9년 春正月.
218) 『고려사』 권18, 세가·『고려사절요』 권11, 毅宗 14년 冬10月.

의 명령에 따라 이리간伊里干을 설치하면서 그곳으로 이주시킨 사람들에게 면緜을 내리고 있는 것,[219] 우왕이 환자宦者를 보내 화살 제작자인 송부개宋夫介에게 술과 면 5근을 사여하고 있는 것[220] 등 여럿이 찾아진다.

면(솜)·면포와 관련해서는 누에고치에서 얻는 것과 함께 야생의 초면草綿에서 얻는 것을 중시하는 견해가 피력되어 있기도 하지만[221] 자세한 언급은 피한다. 그리고 널리 알려진대로 문익점文益漸이 공민왕 13년(1364)에 원나라로부터 목화씨를 전래하여 보급되기 시작한 목면木綿이 우리의 의생활에 일대 혁신을 가져오는데 그의 보편화·일반화는 역시 조선조에 들어가서의 일이므로 더 이상의 언급은 하지 않기로 한다.

고려 중기에 해당하는 문종 18년(1064)에 면포로 제작된 의복을 지칭한 사례가 눈에 들어오므로 아래에 소개하여 둔다.

> ㉣-⑩ (문종 18년 8월에) 면포綿袍와 면고綿袴(솜 바지)·모관毛冠(털 모자) 각 1천벌을 서북면의 수변守邊하는(변경을 지키는) 군사軍士들중 빈핍자貧乏者에게 사여하였다.[222]
>
> ㉣-⑪ (문종 18년 12월에) 명하여 정포고征袍庫의 면의고綿衣袴(솜 저고리와 바지)·모관毛冠 및 구두(화靴)를 변졸邊卒(변경의 군졸) 빈핍자에게 사여토록 하였다.[223]

---

219) 『高麗史』 권82, 志36, 兵2, 站驛 충렬왕 5년 6월.
220) 『고려사』 권135, 열전48 우왕 10년 12월.
221) 김문숙, 「직물류-면직물」 『고려시대 원간섭기 일반복식의 변천』, 서울대 박사학위논문, 2000. 108~109쪽.
박선희, 「고대 한국의 면직물」 『한국 고대 복식』, 지식산업사, 2002, 205~209쪽.
222) 『고려사』 권81, 지25, 兵1 五軍·『고려사절요』 권5, 文宗 18년 8월.
223) 『高麗史』 권81, 지25, 兵1 五軍·『고려사절요』 권5, 文宗 18년 12월.

(5) 견絹과 백帛

위에서 누에고치를 통해 얻는 의료를 일괄하여 견직물이라 칭한다 하였거니와, 그것들은 직조와 가공 방법에 따라 다시 능綾·라羅·금錦·사紗·곡縠 등등 여러 명칭으로 나뉘게 된다는 사실도 언급해 두었다. 지금 이 자리에서 다루고자 하는 견絹·백帛도 그들중 일부로서, 전자는 가공하지 않은 누에고치 실을 평직平織으로 짠 직물이고, 후자는 물들이지 않은 누에고치실로 짠 것으로 길이가 수건처럼 길어, 희다는 글자인 백白과 수건의 건巾을 따라 명칭을 붙인 것이라 한다.224)

견絹·백帛은 이와 같이 각기 특정한 견섬유의 일종이지만 또한 일반 견직물 전체를 일컫는 총칭으로 사용되는 용어이기도 했다는 데서225) 공통점을 지닌다. 이것은 일면 생각해 볼 때 견·백이 귀중하게 여기는 견직물의 일종이면서도 그들 가운데에서는 그나마 일반성을 지닌 직물로서 비교적 쉽게 대할 수 있는 편이어서 혹 비롯된 결과는 아닐까 싶기도 하다. 이런 측면은 특히 견絹에서 어렵지 않게 찾아볼 수 있거니와, 그것은 앞서 든바(㉣-⑤, 83쪽) 예종 10년에 개정된 녹절계법祿折計法에서 미米로 환산하여 지급하는 물품중 대견大絹과 중견中絹·소견小絹 모두가 그 대상이 될만큼 비중이나 위상이 높았다는 점을 우선 지적할 수 있다. 이중 소견은 앞서 살핀 면주緜紬(주紬)와 거의 같은 위상

---

224) 趙孝淑, 「織物名稱의 設定－견絹·주紬·초綃」『韓國 絹織物 研究－高麗時代를 中心으로』, 세종대 박사학위논문, 1993, 109~110쪽.
박선희, 「고대 한국의 사직물－견·백」『한국 고대 복식』, 지식산업사, 2002, 164·174쪽.

225) 위의 두 글.
김문숙, 「직물류－견직물」『고려시대 원간섭기 일반복식의 변천』, 서울대 박사학위 논문, 2000, 112쪽.

으로 나타나 있지마는, 명주 역시 견직물의 범주에 속하면서도 여타의 그들과는 별도로 파악되기도 하는 직물로 민서民庶의 의료로써 일정한 기능을 했었다는 데서 양자가 일맥 상통하는 부분이 있다는 점 또한 염두에 둘 필요가 있지 않을까 한다. 이와 같은 분위기는 역시 앞서 인용했던바(㉮-⑥, 18쪽) 성종 원년에 최승로가 올린 상소문 가운데에서 서인은 문채나는 사紗·곡縠 같은 비단은 입지 못하게 하고 단지 주紬·견絹만 사용케 하라고 한 건의문을 통해서도 엿볼 수 있을 것 같다.

상황은 좀 다르지만 유사한 내용을 전하는 기사는 얼마 더 찾아볼 수 있다. 인종 9년에 「서인들이 나의羅衣·견고絹袴를 입거나 도시에서 말을 타는 것과 노예들이 혁대革帶(가죽 띠)를 띠는 것을 금하였다」고 한[226] 데서 민서民庶의 경우 나羅로 된 저고리와 견絹과 같은 견직물로 만든 바지는 아울러 착용할 수 없게 하였음을 알 수 있다. 그런가 하면 원나라와 특수한 관계 아래에서의 일이기는 하나 원종元宗이 종실宗室과 백관百官들에게 주紬·견絹을 내도록 하여 군의軍衣를 만드는데 제공하고 있지마는[227] 그 군의가 상급에 한하는 인원들만을 위한 것으로 보이지는 않는다. 이외에도 충렬왕이 국가에서 보유한 견絹 2만필을 양반과 경외京外(수도와 지방)의 민호民戶들에게 나누어 지급하고 군량을 사들였다고 한 것과,[228] 원에서 관원을 파견, 견絹 3만 3천여필을 가지고 와서 군량軍粮을 사들이도록 하자 왕은 즉시 관견도감官絹都監을 설치하고 경외京外의 대소 인민들, 즉 왕경王京·충청도·경상도·전라도의 이들에게 나누어 지급하고 그대로 시행했다고 보이는데,[229] 이는 각지의

226) 『고려사』 권85, 지39, 刑法2 禁令·『고려사절요』 권9, 仁宗 19년 5월.
227) 『고려사』 권79, 志33 食貨2, 科斂 원종 11년 11월.
228) 『고려사』 권82, 志36 兵2, 屯田 충렬왕 7년 3월.
229) 『고려사』 권27, 세가·『고려사절요』 권15, 元宗 15년 夏4月.

민인民人들을 상대로 국가가 나서서 견絹을 팔고 있는 사례인 것이다.

견絹이 의료로 쓰인 직접적인 사례로는 바로 위에 든 견고(견으로 만든 바지)를 들 수 있다. 내용인즉은 서인들의 경우 견고를 입지 못하게 한다는 금지령이 내려지고 있는 사안이지만 그같은 금령이 내려진 것 자체가 이미 그 이전부터 서인들도 그 이상의 신분층들과 함께 견고를 만들어 입는 사례가 적지 않았음을 의미하는 것이다. 그리고 국가의 제사를 담당하는 기구인 태상시太常寺(전의시典儀寺)의 한 관원인 재랑齋郎이[230] 제복祭服으로 비견의緋絹衣(붉은색 비단 상의)와 비견고緋絹袴(붉은색 비단 바지)를 입었다는 것도[231] 유사한 종류의 사례이다.

견絹이 의료가 아닌 다른 용도로 쓰인 사례 역시 몇몇 찾아지는데, 현종이 시장에서 능綾과 견絹으로 만든 부채(능견선綾絹扇)의 판매를 금지시켰다는 견선絹扇은[232] 그 하나이겠다. 또 희종이 국로國老와 서로庶老 등 각계각층의 인원들에게 향연을 베풀고 물품을 사여하면서 썼다는 황견복자黃絹複子(황색비단 보자기)와[233] 각종 헌가軒架의 악기樂器에 함께 쓰였던 홍견욕紅絹褥(붉은색 비단으로 만든 요)·자견연등심석紫絹緣燈心席(자주색 비단으로 테두리를 장식한 등심초로 만든 자리)·백견말대白絹抹帶(흰 비단으로 만든 말대) 등도[234] 역시 유사한 사례들이다.

앞서 여러 차례 인용한바 예종 10년에 개정된 녹절계법祿折計法에는(㉣-⑤, 83쪽) 아마 나비에 따른 구분인 듯 짐작되는[235] 대견·중견·소

230) 『고려사』 권76, 志30, 百官1 典儀寺.
231) 『고려사』 권72, 志26, 輿服 百官祭服 毅宗朝詳定.
232) 『고려사』 권85, 지39, 刑法2 禁令 顯宗 3년.
233) 『고려사』 권68, 志22 禮10, 嘉禮 老人賜設儀 熙宗 4년 10월.
234) 『고려사』 권70, 志24 樂1, 雅樂 軒架器樂.
235) 趙孝淑, 「織物組織의 分析과 織物名稱의 設定」 『韓國 絹織物 硏究 - 高麗

견 등의 명칭이 보인다. 그리고 그들 견絹은 다시 자색·홍색·백색 등으로 나뉘어지기도 했음을 알 수 있다. 이들중 값어치에 있어 대견은 중견에 비해 2배에 가깝고, 소견에 비해서는 2배가 넘고 있거니와, 색깔에 있어서도 자색과 홍색 견이 백색의 견에 비해 값이 높았으리라는 짐작은 가능할 것 같다. 그리하여 신분적 높낮이나 경제적인 여유 등에 따라 이용하는 직물에 차등이 났을 것이다.

그런데 견絹의 용례로 우리들이 가장 많이 대할 수 있는 것은 전통사서史書의 성격 때문이긴 하겠지만 실제적인 생활 보다는 국가의 차원에서 값을 치르거나 각종 사안에 따라 국왕이 사여품으로 쓰는 등의 일과 관련된 것들이다. 이제부터 그 몇 사례를 소개하겠는데, 정종定宗이 동여진東女眞에서 말을 바치자 그것들을 심사·평가하여 금錦·견絹으로 값을 지불토록 하고 있는게[236] 그 하나이며, 현종顯宗이 평장사平章事(정2품)를 지낸 최항崔沆이 세상을 떠나자 쌀·보리와 함께 견 300필을 부의賻儀로 보내고 있는 것이[237] 또 다른 사례의 하나이다. 이어서 적을 포로로 잡는데 기여한 귀주龜州의 여진인들과,[238] 동계東界에서 전사한 박회절의 처자,[239] 서경의 반란군 토벌에 나선 병마사와 판관[240] 및 왜구의 토벌에 공로를 세운 정지鄭地와[241] 양백연楊伯淵[242] 등에게 국왕이 여러 물품과 더불어 견絹을 내리고 있는 것은 전투와 관

時代를 中心으로』, 세종대 박사학위논문, 1993, 110쪽.

236) 『고려사』 권2, 세가 定宗 3년 秋9月.

237) 『고려사』 권64, 志18 禮6, 凶禮－諸臣喪 顯宗 15년 6월·같은 책 권93, 열전6 崔沆傳·『고려사절요』 권3, 顯宗 15년 6월.

238) 『고려사』 권4, 세가·『고려사절요』 권3, 顯宗 9년 冬10月.

239) 『고려사』 권13, 세가 睿宗 4년 2월.

240) 『고려사』 권16, 세가 仁宗 14년 3월·같은 책 권98, 열전11 金富軾傳.

241) 『고려사』 권113, 열전26, 鄭地傳.

242) 『고려사』 권114, 열전27, 楊伯淵傳.

련된 경우들이다. 아울러 인종仁宗이 국학에 거동하여 선성先聖(공자)에게 석전釋奠을 지내고 능綾과 견絹을 헌납한 사례도 보이며,[243] 또 왕이 직접 짓거나 지정한 운韻에 맞추어 신료들이 지은 시詩를 평가하여 상으로 견을 하사하는가 하면[244] 동행한 신료들에게 활을 쏘도록 하고 맞춘 사람에게 역시 상으로 견絹을 내리는 등[245] 다양하게 쓰이고 있는 것이다.[246]

이들 이외에 충선왕이 궁궐을 지음에 즈음하여 상량上樑하는 행사가 있게 되자 백관들이 저포紵布 등과 함께 견絹을 선물로 올려 하례하였다고 보이는데[247] 어떤 점에서 이것은 국왕측이 관료들로부터 견을 거둔 경우라 할 수 있을 듯싶다. 또 고종 30년에는 별감別監인 박익유朴益儒가 백성들을 착취한 일이 있자 법사法司에서 고핵考覈하여 견 150필을 추징하고 있지마는,[248] 견 쓰임새의 다른 일면을 엿보게 하는 사례일 것 같다.

다음은 백帛으로 표기된 사례에 대해 살펴보기로 하겠는데 숫자상으로는 이 역시 견絹에 비견될만큼 다수가 찾아진다. 하지만 견의 경우 대다수가 일종의 특정 견섬유를 지칭하는 용어로 쓰였던 반면에 백帛은 그와 달리 많은 경우 견직물 전체를 의미하는 사례로 쓰인게 아닌가 싶어 차이가 난다. 예컨대 무신정권의 집정執政인 최우崔瑀의 아들로서

243) 『고려사』 권16, 세가·『고려사절요』 권9, 仁宗 7년 3월.

244) 『고려사』 권9, 세가 文宗 36년 冬10月·앞의 책 권11, 세가 肅宗 2년 夏4月·앞의 책 권11, 세가와 『고려사절요』 권11, 毅宗 5년 6월.

245) 『고려사』 권81, 志35 兵1, 兵制 肅宗 7년 10월·위의 책 권12, 세가 睿宗 원년 12월·위의 책 권18, 세가와 『고려사절요』 권11, 毅宗 21년 9월.

246) 이상에서 열거한 각 경우들에 있어 개별적인 사례는 얼마씩 더 찾아지나 번잡을 피하여 생략한다.

247) 『고려사』 권33, 세가 충선왕 元年 3월.

248) 『고려사』 권23, 세가 高宗 30년 冬10月.

승려가 된 만종萬宗과 만전萬全이 무뢰한 중들을 모아 문도門徒로 삼고는 재물 늘리는 일에만 힘써 금·은·곡穀과 백帛이 거만鉅萬을 헤아릴 정도였다고한 그 백帛이나[249] 우왕禑王이 부고府庫의 금金·백帛을 풀어 병사를 모집하였다고한 경우의 백帛은[250] 아무래도 일반 견직물로 보는게 타당할 것 같다. 그리고 문종이 왕 7년에 「동반東班 상참常叅(6품) 이상과 서반西班 낭장郞將(정6품) 이상에게 장락전에서 연회를 베풀어 주고 백帛을 하사하였는데 차등이 있었다」고 한 것과[251] 또 17년에 「군신群臣과 건덕전에서 연회를 베풀고 백帛을 차등을 두어 하사하였다」고한[252] 사례의 백은 분위기로 미루어 역시 일반 견직물로 이해하는게 좋을 것으로 생각된다. 이어서 왕 33년에 서여진西女眞 사람들이 내조來朝하여 북조에서 받은 직첩을 반납하자 맡은 관청의 요청에 따라 원보직元甫職을 제수하고 금金과 함께 내리고 있는 백帛과[253] 인종이 즉위한 해에 연로한 분들을 위해 향연을 베푼 자리에서 이자겸의 어머니 김씨에게 특별히 금金·약물藥物과 함께 사여하고 있는 백은[254] 품질이 높은 비단으로 보는게 옳을 것 같다.

백帛은 그 앞에 광채·채색을 뜻하는 채彩 자字를 붙여 고급 비단임을 나타낸 채백彩帛이라 표기된 사례도 여럿 보이는데, 이들 역시 일반 견직물로 이해하는게 합당할 것 같다. 그들의 구체적인 예로는, 일찍이 태조 때 후백제를 섬기던 공직龔直이 귀부해오자 그에게 높은 지위와

---

249) 『고려사절요』 권16, 高宗 27년 冬12月.
250) 『고려사』 권137, 열전50 우왕 14년 6월.
251) 『고려사』 권7, 세가 文宗 7년 冬10月 癸丑.
252) 『고려사』 권8, 세가 文宗 17년 春正月 癸卯.
253) 『고려사』 권9, 세가 文宗 33년 夏4月.
254) 『고려사』 권15, 세가 仁宗 卽位年 11월. 유사한 사례는 여럿이 더 찾아지는데 생략하였다.

함께 말 3필 및 채백彩帛을 내리고 있는 것과,[255] 문종조에 여진의 추장 등이 와서 철갑 등을 바치자 의대衣帶·채백을 사여하고 있는 것,[256] 고종 때에 회음진 도령都領이 서경의 모반자를 붙잡아가지고 와서 고하자 채백 40필을 하사하고 있는 것,[257] 같은 왕 43년에 태자부太子府에 도둑이 들어와서 훔쳐갔다는 채백,[258] 충혜왕이 미색美色으로 알려진 황씨를 사간私姦하고 내려주었다는 채백 10필,[259] 공민왕이 왕륜사에 가서 사리舍利를 관람하고는 채백을 시여施與하고 있는 것[260] 등을 들 수 있다.

다음은 백帛과 포布가 함께 기술되고 있는 경우인데, 인리人吏는 성부省府의 직무에 비할바는 못되고 대개는 주현州縣의 창늠사倉廩司에 소속하여 금金·곡穀·포布·백帛을 출납하는 일을 보았다고한 사례의 백帛은[261] 국가의 기구에 금·곡·포와 함께 보관된 물품의 하나임을 고려할 때 일반 견직물로 짐작된다. 그리고 고종 40년 5월에 몽고의 장수 야굴也窟이 보낸 사람들에게 금·은·포와 더불어 증여하였다는 백帛과[262] 12월에 몽고의 여러 관인官人 등에게 역시 금·은·포와 함께 바쳤다는 백帛도[263] 고려를 위협하고 있는 몽고의 고위 관원들에게 금·은 등의 값나가는 물품과 더불어 보내는 직물이었던 만큼 그 또한 상급에

---

255) 『고려사』 권92, 列傳5, 龔直傳·『고려사절요』 권1, 태조 22년 春3月.
256) 『고려사』 권9, 세가 文宗 35년 2월.
257) 『고려사』 권22, 세가 高宗 15년 3월.
258) 『고려사』 권24, 세가 高宗 43년 12월.
259) 『고려사절요』 권25, 忠惠 後卽位年 5월·『고려사』 권106, 열전19 洪奎 附 洪戎.
260) 『고려사』 권41, 세가·『고려사절요』 권28, 공민왕 15년 夏4月. 유사한 사례는 이 이외에도 얼마가 더 찾아진다.
261) 『高麗圖經』 권21, 早隷 人吏.
262) 『고려사』 권24, 세가 高宗 40년 5월.
263) 『고려사』 권79, 志33 食貨2, 科斂 고종 40년 12월.

속하는 일반 견직물로 보아야할 것 같다. 그 이외에 현종이 즉위년에 구정毬庭에 행차하여 백성들 가운데 나이가 80세 이상 된 사람들과 심한 질병이 있는 자 635인을 모이게 하고 주酒·식食·다茶·약藥과 더불어 포布·백帛을 사여하고 있는 것과,[264] 또 12년에 경성京城의 남녀 90세 이상자에게 동일한 조처를 취하고 있는 것[265] 및 14년에 말갈인들이 와서 말과 방물方物을 바치자 그들에게 각각 포·백을 내리고 있는 것,[266] 명종 16년에 내시원內侍院에서 지금부터는 어선御膳을 바치는 자에게 다만 주酒·과果만을 지급하고 포·백을 사용하지 말자고 아뢰고 있는 것,[267] 우왕 5년에 낭사郞舍에서 동북면과 서북면에 나가있는 수령들이 개경에 있는 지인들의 청탁을 받아 그곳 민호民戶에 포·백을 나누어주고는 미곡을 거두어들여서 폐해를 끼치고 있으니 금단시켜야 하겠다고 상소하고 있는 것[268] 등도 유사한 종류의 사례들인데, 여기서 언급되고 있는 백은 포布, 즉 마포·저포 등과 상대되는 존재로 쓰인만큼 이들 역시 견직물 일반을 의미한다고 이해하는게 옳을 듯싶지마는, 어떤 사례는 그와 달리 특정한 견섬유 하나로서의 백으로 볼 수 있을 듯도 싶어 그처럼 단정하는 데는 어려움이 따른다.

다음의 사례와 같이 증백繒帛으로 표기된 경우의 백은 특정한 견섬유를 지칭한게 분명한 것 같다. 일찍이 태조가 서경에 행차하여 그곳에 학원學院을 설치하고 정악廷鶚을 교수로 삼아 생도들을 가르치도록 조처하였는데 뒤에 그 학교가 번성하게 되었다는 말을 전해 듣고 증백繒

264) 『고려사』 권4, 세가 顯宗 卽位年 7월·같은 책 권68, 志22 禮10, 嘉禮 老人賜設儀 穆宗 10년(현종 즉위년) 7월.
265) 『고려사』 권4, 세가·『고려사절요』 권3, 顯宗 12년 2월.
266) 『고려사』 권5, 세가 顯宗 14년 春正月.
267) 『고려사절요』 권13, 明宗 16년 秋7月.
268) 『고려사』 권85, 지39, 刑法2 禁令 辛禑 5년 정월.

帛을 하사하여 권장하였다고 한 것과[269] 고려의 전통에 외국 사신이 오게되면 큰 시장을 벌이고 수많은 물건을 나열하는데 그 하나로 붉고 검은 증백繒帛이 지적되고 있는게,[270] 그들 사례로서, 여기서 언급된 증繒은 백帛과 통하는 용어로 좀 두텁게 짠 직물이었다 한다.[271] 따라서 「증백」을 증과 백으로 분리해보거나 하나의 용어로 보거나간에 그것은 특정의 견섬유를 말하는게 틀림이 없다고 이해되는 것이다. 백帛 역시 의료의 한 종류로서 일정한 구실을 담당했다고 하겠다.

(6) 능綾과 나羅

능綾은 얼음결 같은 무늬가 들어있는 직물이며, 나羅는 날실과 씨실의 간격을 넓게 짜서 마치 새그물처럼 성글게 된 직물을 말한다.[272] 이 둘은 견직물 가운데서도 상급에 속하는 것으로서 국가·왕실과 관료 등 주로 상위층에서 널리 애용하는 물품이었으며, 그만큼 중요시되는 대상의 하나였다. 이점은 양자가 모두 앞서 소개했던바(㉣－⑤, 83쪽) 예종 10년에 정해지는 녹절계법祿折計法의 대상이 되고 있다는 데서 어느 정도 드러나지만, 값어치 면에서도 대견大絹이 1필에 미米(쌀) 1석 7두, 소평포小平布 1필은 쌀이 1두 2승 5홉으로 절가되었던데 비해 대릉大綾 1필은 미米 4석, 상평문라常平紋羅와 대문라大紋羅 1필은 각각 쌀 1석 7

269) 『고려사절요』 권1, 태조 13년 冬12月.
270) 『高麗圖經』 권3, 貿易.
271) 박선희, 「고대 한국의 사직물－백帛」 『한국 고대 복식』, 지식산업사, 2002, 174쪽.
272) 趙孝淑, 「織物名稱의 設定－羅·綾」 『韓國 絹織物 硏究－高麗時代를 中心으로』, 세종대 박사학위 논문, 1993, 114~120쪽.
박선희, 「고대 한국의 사직물」 『한국 고대 복식』, 지식산업사, 2002, 176~178쪽.

두 5승과 2석 5두로서 능綾·나羅가 포布·견絹보다 월등하다는 것을 통해 알 수 있다. 아울러 능·나 사이에서는 전자가 후자보다 값이 높고 고급품이었음도 확인할 수 있다.

능·나는 이처럼 위상이 높고 중시되는 물품이었으므로 국가로서도 많은 관심을 가지고 관리한 공부貢賦 품목의 하나였다. 이같은 사실은 권단權㫜이 동경東京(경주)의 유수留守였을 때 그곳에는 이전부터 갑방甲坊이라는 창고가 있어서 민인民人들이 공부貢賦로 내는 능라綾羅를 저장하였다가 공헌貢獻에 충당하고 잉여로 남는 많은 물품은 모두 유수가 사사로이 써 왔던 것을 단㫜이 갑방을 없애고 1년에 거둔 것을 가지고 3년간의 공물로 지탱토록 했다고[273] 한 것에서 엿볼 수 있다. 그리고 역시 앞에서 소개한 일이 있는바(㉣－⑧, 85쪽) 공민왕이 신료들의 녹봉이 충분치 못한 것을 염려하여 교서敎書를 내려, 계림(경주)·복주(안동)·경산부京山府(경북 상주)에서 주紬·포布와 함께 공납貢納하는 능·나를 덕천고德泉庫에 들이지 말고 광흥창廣興倉에 수납하여 백관들의 녹봉을 보충토록 하라고한 것에서도 유사한 상황의 짐작이 가능하다. 최자崔滋는 「3도부三都賦」를 통해 계림·영가永嘉(안동)에서 각종 의료가 풍성하게 재배·생산되는 상황을 찬양하는 글을 남기고 있지마는,[274] 능·나의 그것도 각별했던 모양이다.

능·나에 대한 국가의 깊은 관심과 관리 모습은 서경유수관西京留守官 휘하의 속관屬官으로 보조寶曹를 설치하고 거기에 대부大府·소부小府 등과 함께 능라점綾羅店을 두어 일을 보게한[275] 사실에서도 엿볼 수 있

273) 『고려사』 권107, 列傳20, 權㫜傳·『고려사절요』 권20, 충렬왕 5년 6월·같은 책 권23, 충선왕 3년 12월.
274) 『東文選』 권2, 賦 「三都賦」·민족문화추진회편, 『국역 동문선 I』, 1976, 59~61쪽.
275) 『고려사』 권77, 지31, 百官2 外職 西京留守官－屬官沿革 .

다. 중앙의 대부시大府寺가 재화財貨와 늠장廩藏을 관장한 기구였고 소부시小府寺도 공기工技와 보장寶藏을 관장한 기구였음을 감안할 때 능라점의 업무 역시 대략 짐작할 수가 있는 것이다.[276] 또 중앙의 액정국掖庭局에는 나장 행수교위羅匠行首校尉와 능장 행수부위綾匠行首副尉가 배치되어 있었는데,[277] 이들 능·나장은 물품 제작의 기술적인 측면을 관장하는 일이 주된 업무였겠지마는 능·나 자체의 관리에도 일정한 직무를 수행하였을 것이다.

이와 같은 위상과 사회적 인식 때문인 듯 능·나를 일정한 신분층 이하에서 사용하는 것을 금하는 기사가 몇몇 찾아진다. 이미 몇차례 언급한바(㉮ - ⑥, 18쪽) 성종조에 최승로가 시무책을 올리는 자리에서, 태조 이래로 귀천을 논하지 아니하고 임의로 입어서 비록 직위가 없더라도 집이 부유하기만 하면 능·라·금수 같은 비단을 사용함으로써 예법에 어긋나니 속히 시정토록 할 것을 건의하고 있는게 그 하나라 할 수 있다. 이어서 현종 때는 스님들이 능라로 만든 허리띠(능라륵綾羅勒)를 띠는 것을 금하는 기사가 보이며,[278] 정종조靖宗朝에는 중외中外의 남녀들이 능라로 만든 의복의 착용을 금하는 조처를 취하고 있는 사례도[279] 눈에 띤다. 여말인 공양왕 때의 일이긴 하지만 방사량房士良이 상소하여 사서士庶·공상工商·천예賤隸들이 사紗·라羅·능綾·단段으로 만든 옷을 입는 것을 금하도록 건의하고 있는 것[280] 또한 그 일례이겠다. 이러한 사실을 외국 사신도 알게된 듯 인종 때 송나라 사절의 한 사람

276) 박용운, 『고려사 백관지 역주』, 신서원, 2009, 706쪽.
277) 『고려사』 권80, 志34 食貨3, 祿俸 諸衙門工匠別賜 掖庭局.
278) 『고려사』 권85, 지39, 刑法2 禁令·『고려사절요』 권3, 顯宗 18년 8월.
279) 『고려사』 권85, 지39, 刑法2 禁令·『고려사절요』 권4, 靖宗 9년 4월.
280) 『高麗史』 권85, 지39, 刑法2 禁令·『고려사절요』 권35, 공양왕 3년 3월.

으로 왔던 서긍은,

> ㉣-⑫ 듣기로는 삼한의 의복제도에서 염색을 한다는 이야기는 못들었다. 다만 꽃이나 무늬로 (장식하는) 것을 금하였는데, 어사御史가 민인들의 옷(민복民服)을 감찰해 무늬를 놓은 나羅나 꽃장식이 든 능綾을 입은 자는 단죄斷罪하고 물품을 압수하였으므로 민서民庶들이 준수하여 감히 영令을 무시하지 못하였다.[281]

는 글을 남기고 있기도 하다.

민서를 포함하여 중하급 신분층에게는 이처럼 능라의 사용을 금지 혹은 억제한 반면에 왕실이나 집권자들에게는 물론 아무런 제약이 없었다. 그런 관계로 현재 전해지는 자료들도 많은 경우 이와 관련된 것들이다. 이제 그 몇 예를 살펴보면, 태조 왕건이 개국開國에 공로가 큰 홍유洪儒·배현경裵玄慶·신숭겸申崇謙·복지겸卜智謙을 일등공신으로 삼고 이들에게 금은기金銀器 등과 함께 능라를 내리고 있는 것과,[282] 항부해온 신라왕에게 안마鞍馬와 더불어 역시 능라를 사여하고 있는 것을[283] 들 수 있다. 그리고 예종비睿宗妃인 연덕궁주延德宮主가 원자元子(뒤의 인종)를 낳자 왕실의 기틀을 튼튼히 하였다고 칭송하면서 은기銀器 등과 함께 능라를 하사하고 있고,[284] 이른바 이자의李資義의 난을 수습하고 계림공(뒤의 숙종)이 왕위에 오르는데 결정적인 역할을 한 소태보邵台輔에게 숙종이 즉위에 즈음하여 높은 직위와 더불어 능라 등을

281) 『高麗圖經』 권20, 婦人.

282) 『高麗史』 권1, 세가 太祖 元年 8월 辛亥·같은 책 권92, 열전5 洪儒·裵玄慶·申崇謙·卜智謙.

283) 『고려사』 권2, 세가·『고려사절요』 권1, 太祖 14년 秋8月.

284) 『고려사』 권88, 列傳1, 后妃 睿宗 文敬太后李氏.

내리고 있는 것도[285] 유사한 기사들이라 할 수 있을 것 같다.

이밖에 전쟁에서 공로를 세운 사람들에게 특별히 능라를 사여하고도 있거니와, 예종이 동계東界에서 전사한 박회절朴懷節의 처자에게 은병銀甁·사견紗絹과 함께 능라를 내리고 있는 것과,[286] 인종仁宗이 서경에서 일어난 묘청의 난을 진압하는데 공로를 세운 장수·장교들에게 은銀·견絹과 능라를 사여하고 있는 것이[287] 그 예들이다. 그런 한편 이미 소개한바(주 199), 87쪽) 무인집정인 최이崔怡가 북방 사람들의 인심을 얻고자 불확실한 사실의 고변에도 불구하고 그들에게 견絹·주紬·저紵 등과 함께 능·라를 내리고 있는 것은 또 다른 사례일 것 같다. 아울러 원나라와의 관계에서 여타 의료衣料들의 경우와 마찬가지로 고종 19년에는 조숙창趙叔昌을 저들 나라로 파견하면서 나羅·견絹·능綾·주紬를 10필씩 헌납하고 있고,[288] 충숙왕이 최안도崔安道를 보내 돌아가는 매려買驢 등에게 금은·저포와 함께 능·나를 주고 있는 것은[289] 역시 고려가 취해온 방식들이다.

이상 능·나에 대해 대략적인 내용을 소개하였는데, 실인즉 그것들은 설명의 편의를 위해 능·나가 동시에 언급된 기록들을 대상으로 한 것이었다. 하지만 내용상의 줄기는 비록 유사하다 하더라도 능綾과 나羅가 제각각 나오는 기사들도 다수인만큼 그들에 대한 소개 역시 빼놓아서는 안될 것 같다. 그런 취지에서 먼저 능綾에 대해서부터 살피기로 하겠는데, 먼저 부인婦人(귀부貴婦)의 옷에 「백저白紵(흰 모시)로 만든

285) 『고려사』 권95, 列傳8, 邵台輔.
286) 『고려사』 권13, 세가 睿宗 4년 2월.
287) 『고려사』 권16, 세가 仁宗 14년 3월·같은 책 권98, 열전 金富軾傳.
288) 『고려사』 권23, 세가 高宗 19년 夏4月.
289) 『고려사』 권35, 세가 충숙왕 15년 秋7月·같은 책 권124, 열전37 嬖幸2 崔安道傳.

포袍(두루마기·겉옷)는 대략 남자의 것과 유사하다. 무늬를 넣은 능(문릉文綾)으로 통이 넓은 바지(관고寬袴)를 만들면서 안감으로는 생사 명주(생초生綃)를 댄다」고한 기사가[290] 눈길을 끈다. 그리고 예종조에 태자부의 내수內豎(환관)들이 금법을 어기고 흰 능(백릉白綾)으로 지은 버선과 바지를 착용하였으므로 어사대 서리들이 벗기려다가 오히려 구금당하였다는 기록이 찾아지며,[291] 또 고종 때는 국신國贐에 보탬이 되도록 4품 이상의 고위 관료들에게 2색릉의二色綾衣(두 가지 색깔의 능으로 만든 옷)를 내도록 했다는 기사도[292] 찾아지지마는 의복과 관련된 자료는 더 이상 잘 보이지 않는다. 그에 비해 「능으로 만든 부채(능선綾扇)의 판매를 금지시켰다」던가[293] 인종이 검약儉約하여 「침의寢衣(잠옷)에 능綾·금錦의 장식을 하지 않았다」고 한 것[294] 및 의종이 「만수정萬壽亭을 세우고 황릉黃綾으로 그 벽을 발랐다」거나[295] 「최이崔怡가 황릉黃綾으로 후벽後壁을 장식하였다」고 한 것[296] 등 능綾이 집안의 장식이나 소품의 제작에 사용된 사례는 몇몇 눈에 들어온다.

그러나 이들보다 훨씬 많이 보이는 기사는 역시 국왕이 신료臣僚 등에게 사여하는 사례이고, 그 외에 집정 무신이 내리거나 원나라 사람에게 예물로 주는 경우도 얼마간 찾아진다. 먼저 전자의 예부터 보면, 반기를 들까 염려하던 청주인靑州人 견금堅金 등이 찾아오자 태조가 그들에게 마馬·백帛과 함께 능綾을 하사하고 있는 것과[297] 위에서 소개했던

290) 『高麗圖經』 권20, 婦人 - 貴婦.
291) 『高麗史』 권14, 세가 睿宗 13년 3월 甲辰.
292) 『고려사』 권79, 志33 食貨2, 科斂 고종 18년 12월.
293) 『고려사』 권85, 지39, 刑法2 禁令 顯宗 3년.
294) 『고려사절요』 권10, 인종 24년 2월 史臣 金富軾曰.
295) 『고려사절요』 권11, 의종 6년 夏4月.
296) 『고려사절요』 권16, 고종 31년 8월.
297) 『고려사절요』 권1, 태조 원년 秋7月·『고려사』 권92, 列傳5, 王順式 附 堅金.

바(주 282), 103쪽) 홍유 등 1등공신에게 능綾·나羅 등을 사여하는 자리에서 2·3등 공신에게도 능綾을 지급하고 있는 기록을 들 수 있다.[298] 그리고 시기가 좀 많이 지난 때이긴 하지만 숙종이 장경사에 행차하여 양경兩京(개경과 서경)의 장사將士와 마대馬隊를 사열한 후 재추宰樞 대신들과 호가扈駕한 신료들에게 활을 쏘게하고 과녁을 맞춘 사람들에게 능綾·견絹을 사여하고 있고,[299] 의종이 남경南京으로 행차한 날 밤에 내시內侍(왕을 측근에서 모시는 사람들)와 중방重房(상장군·대장군의 회의 기관)의 인원들에게 명하여 동일한 행동을 취하게 한 후 역시 능·견을 내리고 있으며,[300] 인종은 국학國學에 나가 선성先聖(공자)에게 석전釋奠을 지내는 것을 시찰하고 은반銀盤과 더불어 능·견 30필을 헌납하고 있는 사례[301] 등도 눈에 띤다. 이밖에 희종이 노인사설의老人賜設儀를 베풀고 재추 이하 여러 관품직을 지낸 사람들에게 각종 물품을 하사하는 가운데 의릉衣綾을 포함시키고 있으며,[302] 충선왕은 즉위교서를 찬술한 박전지朴全之 등에게 초綃·주紬·저紵와 함께 능綾을 하사하고 있거니와,[303] 무인집정武人執政이던 최충헌崔忠獻이 진강후晉康侯로 책봉을 받으면서 그 왕명을 가지고 온 책사冊使에게 서대犀帶·백금白金과 더불어 능·견을 내리고, 독책讀冊 이하의 여러 집사執事들에게도 백금과 능·견을 증여하고 있으며,[304] 그의 아들 최이崔怡도 잔치를 베풀면서 그 자리에 나온 기녀들에게 능綾 2필씩을 내리고 있는데,[305] 이들

298) 『고려사』 권1, 세가 太祖 元年 8월 辛亥·『고려사절요』 권1, 태조 원년 8월.
299) 『고려사』 권81, 지35, 兵制 肅宗 7년 10월.
300) 『고려사』 권18, 세가·『고려사절요』 권11, 의종 21년 9월.
301) 『고려사』 권16, 세가·『고려사절요』 권9, 인종 7년 3월.
302) 『고려사』 권68, 志22, 禮10, 嘉禮 老人賜設儀 熙宗 4년 10월.
303) 『고려사』 권109, 列傳22, 朴全之傳.
304) 『고려사』 권129, 列傳42, 叛逆3, 崔忠獻傳.
305) 『고려사절요』 권16, 고종 31년 春2月.

경우는 성격이 약간 다른 사여의 사례이겠다. 이것들에 비해 충혜왕이 신궁新宮의 역도役徒들을 먹이는데 문무신료와 창고倉庫들에서 주찬酒饌과 능백綾帛을 헌납받아 그 비용에 보태도록 한 것은[306] 수혜자가 오히려 종래와는 바뀐 경우이다.

한편 능綾을 외국에 공물로 보낸 사례로는 문종이 송나라에 색릉色綾 300필을 바친 사실을 들 수 있다.[307] 그리고 원나라에는 고종이 적장인 살례탑撒禮塔에게 많은 물품을 보내면서 그의 휘하 장수 등에게 능綾·사紗로 만든 유의襦衣(웃옷)를 보내고 있으며,[308] 충숙왕 때에 사신으로 온 실리미失里迷에게 재추들이 웅피熊皮 등과 함께 능綾·저紵를 증여하고 있고,[309] 또 공민왕 때에는 돌아가는 산동山童에게 역시 재추들이 비록 받지는 않았지만 백은白銀·저마포苧麻布와 더불어 능綾 3필을 바친 사례[310] 등이 눈에 띈다.

그러면 이어서 나羅가 독자적으로 이용된 사례에 대해 알아보기로 하겠는데, 위에서 능綾이 나羅보다 값이 높은 견직물이었다고 언급한바 있거니와 그만큼 귀한 물품이었을 것이며 나羅는 상대적으로 그렇지 않았으리라 짐작된다. 그런 때문인지 또는 다른 연유가 더 있었는지는 분명치 않으나 상급 견직물 가운데에서는 나羅가 가장 널리 이용되고 있음을 사례를 통해 대략 짐작할 수 있다. 그중 우선 의료로 사용된 몇 사례부터 찾아 보면, 국왕이 중조中朝(중국)의 사신을 맞을 때인즉 자주색 나(자라紫羅)로 된 공복公服을 입으며, 상복常服으로는 소매가 좁은

306) 『고려사』 권36, 세가·『고려사절요』 권25, 충혜왕 後4年 5월.
307) 『고려사』 권9, 세가 文宗 34년 秋7月.
308) 『고려사』 권23, 세가 高宗 18년 12월.
309) 『고려사』 권35, 세가 충숙왕 後7年 8월.
310) 『고려사』 권38, 세가 공민왕 2년 秋7月.

담황색 겉옷, 즉 두루마기(착수상포窄袖緗袍)에 자주색 나(자라紫羅)로 된 허리띠를 둘렀다고 한 것과[311] 고종조의 세자가 원나라로 들어가 홀필렬忽必烈을 만나러 갔을 때 연각의 검은 사紗로 된 복두(연각오사복두軟角烏紗幞頭)에다가 소매가 넓은 자주색 나羅로 만든 두루마기(광수자라포廣袖紫羅袍)를 착용했다고 한 것은[312] 보다시피 국왕과 세자의 복식에 나羅가 사용된 경우이다. 그리고 국상의 복國相服을 비롯하여 근시의 복近侍服·종관의 복從官服과 왕실의 장위仗衛를 맡은 공학군控鶴軍 의복은 모두 자주색 무늬가 들어간 나羅로 만든 두루마기(자문라포紫文羅袍)였고[313] 경·감 의복卿監服과 조관 의복朝官服은 비색 무늬가 들어간 나羅로 만든 두루마기(비문라포緋文羅袍)였다.[314] 아울러 흥위좌우친위군興威左右親衛軍은 붉은 무늬가 들어간 나羅로 만든 두루마기(홍문라포紅文羅袍)를 입었고,[315] 산원散員은 자주색 나羅로 된 소매가 좁은 옷(자라착의紫羅窄衣)을 입은[316] 사실 등도 밝혀져 있다. 그밖에 의종조에 상정詳定된 백관 제복百官祭服에는 흰색 나(백라白羅)의 중단中單(중의中衣)이 포함되어 있고, [317] 또 국가의 여러 행사에 위장衛仗을 위해 동원되는 각 부대의 군사들, 예컨대 대관전조회大觀殿朝會 때의 흑간작자홍라호대黑簳斫子紅羅號隊 소속 군사軍士들이 녹색 나羅로 만든 한삼(녹라한삼綠羅汗衫)을 착용했다던지, 법가위장法駕衛仗을 담당한 은작자홍라호대銀斫子紅羅號隊 소속의 군사들이 비라배자緋羅背子와 녹라

---

311) 『高麗圖經』 권7, 冠服－王服.
312) 『고려사』 권25, 세가 元宗 元年 3월 丁亥.
313) 『고려도경』 권7, 冠服－國相服·近侍服·從官服 및 같은 책 권11, 仗衛1 控鶴軍.
314) 『고려도경』 권7, 冠服－卿監服·朝官服.
315) 『고려도경』 권11, 仗衛1 興威左右親衛軍.
316) 『고려도경』 권21, 早隷 散員.
317) 『고려사』 권72, 志26, 輿服 冠服－百官祭服.

한삼을 착용한 것, 서남경순행위장西南京巡幸衛仗을 담당한 백간작자홍라호대白幹斫子紅羅號隊 소속의 군사들이 녹라한삼을 착용한 사례 등도 찾을 수 있다.[318]

혹 기사 가운데는 초·나로 만든 공복(초라공복綃羅公服)까지도 우리나라의 생산물에 의한 것이 아니라고 하면서 시신侍臣 이외의 5품 이하관은 착용하지 말도록 한 조처도 보인다.[319] 그러나 이것은 공민왕 말기의 어려운 경제적 상황을 고려한 특수한 예로서, 대체적으로는 그렇지 않았다고 생각된다. 실제적으로는 국왕·왕실과 직접 관련된 경우는 말할 것 없고 대·소 신료들이나 국왕의 호위 및 각종 국가적 행사-특히 국왕이 참여하는 행사에 동원되는 군사軍士들의 의류에는 나羅가 광범하게 사용되었던 것이다. 하지만 위에서도 몇몇 소개했듯이 천인이나 서인까지도 나羅로 제조된 옷은 착용이 금지되었는데, 태자부太子府의 내환內宦들이 검은색의 나로 된 옷(조라삼皁羅衫)을 입었다가 어사대御史臺의 이속吏屬에게 빼앗긴 것과,[320] 서인庶人들의 나의羅衣 착용을 금지한 조처,[321] 및 무신집권자였던 정중부鄭仲夫의 가노家奴들이 자라삼紫羅衫을 입었다가 역시 어사대의 이속에 의해 압수당한 것[322] 등의 사례에 잘 드러나 있다.

한데 나羅는 이상에서 살펴본 바와 같은 의류에서 뿐 아니라 다른 여러 방면으로도 이용되고 있다. 그 역시 국왕·왕실과 관련되었거나 국

318) 『高麗史』 권72, 志26, 輿服 儀衛 해당 조목. 동일한 내용이 이곳의 上元燃燈·仲冬八關會·西南京巡幸 回駕奉迎衛仗·鹵簿-王太子鹵簿 항목에도 실려 있다.
319) 『고려사』 권72, 志26, 輿服 冠服-朝服 공민왕 21년 11월 教.
320) 『고려사』 권14, 세가 睿宗 13년 3월 甲辰.
321) 『고려사』 권85, 지39, 刑法2 禁令·『고려사절요』 권9, 인종 9년 5월.
322) 『고려사』 권128, 列傳41, 叛逆2, 鄭仲夫傳.

가적 필요에 따른 경우가 큰 비중을 차지하고 있거니와, 법가위장을 담당한 은작자홍라호대銀斫子紅羅號隊 소속의 군사들을 위시하여 상원연등과 중동팔관회의 은간작자홍라호대銀斡斫子紅羅號隊 소속의 군사 및 서남경순행위장西南京巡幸衛仗의 백간작자홍라호대白斡斫子紅羅號隊 군사, 서남경순행 회가봉영위장西南京巡幸廻駕奉迎衛仗의 은간작자홍라호대 소속 군사, 왕태자노부의 은작자대銀斫子隊 소속 군사들이 쓴 자라관紫羅冠은[323] 그 하나이다. 아울러 국왕이 거동 때 등에 쓰이는 의물儀物의 하나로 용의 서린 모습으로 장식된 가리개인 반리선盤螭扇은 푸른색 나(녹라綠羅)로, 자수로 꽃 모양을 새긴 가리개인 수화선繡花扇은 진홍색 나(강라絳羅)로 제작되었고,[324] 역시 가리개의 일종으로 손잡이가 구부러진 곡개曲蓋도 강라絳羅로 만들어졌으며, 중국의 것과 대략 같았던 청개靑蓋는 안감에 강라가 쓰였고,[325] 화개華蓋는 무늬를 넣은 나(문라文羅)가 그의 자료였으며,[326] 깃발인 채라번彩羅幡과 황라번黃羅幡·백라번白羅幡·흑라번黑羅幡·홍라번紅羅幡 등도[327] 나羅로 제작되었음은 더 말할 필요가 없겠다.

그런가 하면 다음과 같은 사례도 눈에 띤다. 의종이 출타하였다가 돌아옴에 즈음하여 여러 왕씨(종친)들에게 명해 광화문廣化門 좌우랑左右廊에 채막綵幕을 설치토록 하였고, 관현방管絃房과 대악서大樂署도 채붕綵棚을 설치하고 많은 놀이를 베풀면서 어가를 맞이하는데 금은·주옥과 금수錦繡·나羅·기綺·산호·대모玳瑁 등으로 장식해서 그 기묘하고

323) 『고려사』 권72, 志26, 輿服 儀衛·鹵簿 해당 조목.
324) 『高麗圖經』 권9, 儀物1, 盤螭扇·繡花扇.
325) 『고려도경』 권9, 儀物1, 曲蓋·靑蓋.
326) 『고려도경』 권10, 儀物2, 華蓋.
327) 『고려사』 권72, 志26, 輿服 儀衛 法駕衛仗·宣赦儀仗.

사치스러움이 이전과 비교할 바가 없었다고 한다.[328] 그리고 충렬왕 또한 국신고國贐庫의 나羅·견絹 20필을 순마소巡馬所에 두고는 궁중에서 잔치하는 날에 꽃계단을 장식토록 하고 오래되면 바꾸게 했다고[329] 한다. 나羅도 다른 물품들과 함께 국왕의 호사스러운 행사를 위한 치장에 쓰였음을 보여주고 있는 것이다.

한편 나羅는 머리에 쓰는 두건頭巾의 제작에 두루 사용된 사례 역시 여럿 찾아진다. 외국인인 서긍까지도 「고려에서 두건은 오직 무늬있는 나(문라文羅)로 만든 것을 중히 여겼는데 건巾 하나의 값이 미米(쌀) 1석에 준하여서 가난한 백성(세민細民)들은 마련할만한 재물이 없었다」고 언급하고[330] 있지마는, 그런 가운데서도 진사進士는 4대문라건四帶文羅巾을, 민장民長은 문라文羅로 만든 건巾을 썼으며,[331] 상6군위 중검낭장上六軍衛中檢郎將은 자문라건紫文羅巾,[332] 용호상초군龍虎上超軍은 문라두건文羅頭巾을 썼고,[333] 정리丁吏와 방자房子 또한 문라두건을 썼다고[334] 적고 있다. 그리고 여말인 우왕 때에 호복胡服(원나라 복식)을 혁파하고 명明나라 제도로 고치면서 별감別監·소친시小親侍·급사給事는 자라두건紫羅頭巾, 악관樂官은 녹라두건綠羅頭巾을 쓰도록[335] 조처한 기사도 보이는 것이다.

아울러 「부인婦人들의 머리 모양은 귀·천인이 같다. 오른쪽 어깨로 늘어뜨리고 나머지 머리카락으로 아래를 덮는데 강라絳羅로 묶고 작은

328) 『고려사』 권19, 세가·『고려사절요』 권11, 毅宗 24년 春正月.
329) 『高麗史』 권31, 세가 충렬왕 22년 5월 癸酉.
330) 『高麗圖經』 권19, 民庶, 舟人.
331) 『고려도경』 권19, 民庶, 進士·民長.
332) 『고려도경』 권11, 仗衛1 해당 항목.
333) 『고려도경』 권12, 仗衛2 해당 항목.
334) 『고려도경』 권21, 早隷 丁吏·房子.
335) 『高麗史』 권72, 志26, 輿服 冠服-冠服通制 우왕 13년 6월.

비녀를 꽂았다」. 「민서民庶의 가정에서 여자가 출가하지 않았을 때는 홍라紅羅로 머리카락을 묶고 그 나머지는 아래로 늘어뜨렸다. 남자들도 역시 그러하였는데 다만 붉은색을 검은색 끈으로 바꿨다」고도 전하는데[336] 여자들이 머리를 다듬는데 있어 강라(홍라)를 사용하였고, 귀·천인이 동일한 모습을 하였다는 점이 눈길을 끈다.

그러면 이어서 나羅를 여타 물품들과 마찬가지로 국왕이 사여하거나 외국에 공물로 보내는 등에 사용한 사례들에 대해 알아보기로 하자. 이 부분은 이미 능라綾羅에 대해 언급하는 자리에서 이미 얼마간 소개한 바 있지만 나羅가 단독으로 주어진 경우 역시 없지 않은만큼 잠시 살피는게 좋겠다는 생각인데, 먼저 사여의 예부터 보면, 김돈중金敦中 등이 궁 밖으로 행차한 국왕을 위해 화려한 연회의 자리를 마련하고 극진하게 대접하자 이들에게 백금과 함께 나羅·견絹 등을 내린 것과,[337] 또 청녕재淸寧齋에 나갔을 때는 시종하는 장졸將卒들에게 활을 쏘게 하고 과녁을 맞춘 사람들에게 역시 나·견을 하사하고 있는 것을[338] 들 수 있다. 그리고 희종은 국로國老 등을 초빙하여 향연을 베풀고는 재추宰樞 역임자와 3품직을 지낸 인원들에게 복두사幞頭紗와 더불어 생문라生紋羅·후라厚羅 등을 선물로 내리고 있으며,[339] 여말인 우왕 때에는 순천·낙안 등에 쳐들어온 왜구를 소탕하는데 공로를 세운 정지鄭地와,[340] 진주를 노략질하러 들어온 왜구를 무찌르는데 공훈을 세운 양백연楊伯淵에게 나·견을 상으로 하사하고 있는[341] 사례 등도 찾아진다.

---

336) 『고려도경』 권20, 婦人 - 賤使·女子.

337) 『고려사』 권98, 열전11, 金富軾 附 金敦中傳·『고려사절요』 권11, 毅宗 19년 夏4月.

338) 『고려사』 권18, 세가 毅宗 20년 11월.

339) 『고려사』 권68, 志22, 禮10, 嘉禮 老人賜設儀 熙宗 4년 10월 乙亥.

340) 『고려사』 권113, 열전26, 鄭地傳.

다음은 나羅를 외국에 공물로 보낸 사례에 대해서인데, 우선 문종 34년에 송나라로 생릉生綾을 비롯한 여러 물품 등과 함께 색라色羅 100필과 생라生羅 300필을 진헌하고 있음을[342] 지적할 수 있다. 한데 실은 그보다 얼마 앞서 어의御衣와 황계삼黃罽衫을 위시하여 다수의 진귀한 물품들을 보내고 있는데 이때에는 나羅 자체가 아니라 그들 물품을 포장하는 것들－금박을 입힌 붉은 나로 만든 겹보자기(초금홍라협복銷金紅羅裌複), 홍매화를 수놓은 나로 만든 수건(홍매화라협파紅梅花羅裌帕), 수놓은 붉은 나로 만든 겹자루(홍라수협대紅羅繡裌袋) 같은 여러 홍라紅羅 제품들을 부수적으로 보낸 사실도[343] 확인이 된다.

그런데 한편 보면 이들과 유사한 사례는 송나라와의 관계보다 여타 물품에서도 그러하였듯이 원나라와의 접촉에서 더 많이 이루어지고 있다. 고종 18년에 적장인 살례탑撒禮塔이 파견했던 사신이 돌아가는 편에 장군 조시저趙時著를 같이 보내 황금 등과 함께 사·라·금수의紗羅錦繡衣 16벌을 진헌하고 있고,[344] 왕 40년에는 대장군 고열高悅을 적장 야굴也窟에게 파견하여 서신을 전하면서 금은주기金銀酒器와 나羅·주저포紬紵布 등을 예물로 보내고 있으며,[345] 원종 3년에는 고예高汭를 몽고에 보내 표表를 올리면서 그 편에 수달피 등과 함께 진자라眞紫羅 5필을 진헌하고 있는 것이[346] 그 몇 기사들이다. 이어서 충렬왕이 원나라 황태자의 즉위식에 참여하면서 세저細苧 86필·수달피 81령과 더불어 자라紫羅 9필을 예물로 올리고 있으며,[347] 왕 22년에 황제를 배알하러 갔

---

341) 『고려사』 권114, 열전27, 楊伯淵傳.
342) 『高麗史』 권9, 세가 文宗 34년 秋7月 癸亥.
343) 『고려사』 권9, 세가 文宗 26년 6月 甲戌.
344) 『고려사』 권23, 세가·『고려사절요』 권16, 高宗 18년 12월.
345) 『고려사절요』 권17, 高宗 40년 9월.
346) 『고려사』 권25, 세가 元宗 3년 12月 丁卯.

을 때는 수달피 76령·백저포白苧布 100필 등과 함께 자라紫羅 10필을 헌정하고 있고,348) 충선왕은 좌상시左常侍 김지겸金之兼을 파견하여 황태자의 탄일誕日을 축하하면서 진자라眞紫羅 6필을 헌정하고 있는 기사349) 등도 대할 수 있는 것이다.

능綾과 나羅는 상품上品에 속하는 견직물로서 왕실과 신료 등을 위시한 지배신분층에서 주로 이용하는 의료였다. 하지만 그에 한정되지 않고 국가에서 필요로 하는 각종 중요 물품의 제작이나 외국으로 보내는 공물에의 충당 등은 말할 것 없고 사적으로 소요되는 여러 용도에도 널리 사용되었으며, 그런 점에서 값이 조금 낮은 나羅가 능綾 보다 얼마간 활성화되어 있지 않았나 생각된다.

(7) 금錦

금錦은 여러 종류의 색사色絲를 사용하여 무늬를 짜 넣은, 역시 상급에 속하는 직물의 하나로서 그 제직 기술은 중국뿐 아니라 우리나라도 비교적 이른 시기부터 발달한 편이었다.350) 그리하여 고려조에 들어와서도 일찍부터 금錦이 다방면으로 쓰이고 있음을 살필 수 있다. 태조 왕건이 즉위한지 3개월만에 개국의 공신들을 포상하는 가운데 1등 공신인 홍유洪儒·배현경裵玄慶·신숭겸申崇謙·복지겸卜智謙과 2등 공신인

---

347) 『고려사』 권31, 세가 충렬왕 20년 夏4月 甲午.
348) 『고려사』 권31, 세가 충렬왕 22년 11월 甲申.
349) 『고려사』 권34, 세가 충선왕 3년 2월 丁未.
350) 趙孝淑, 「織物名稱의 設定－錦과 織錦」 『韓國 絹織物 研究－高麗時代를 中心으로』, 세종대 박사학위 논문, 1993, 121~122쪽.
박선희, 「고대 한국의 사직물」 『한국 고대 복식』, 지식산업사, 2002, 160~163쪽.

견권堅權·능식能寔·권신權愼·염상廉湘·김낙金樂·연주連珠·마원麻煖 등에게 금은기金銀器와 더불어 수놓은 금錦으로 만든 이부자리(금수피욕錦繡被褥)을 사여하고 있으며,351) 왕 7년에 18세의 많지 않은 나이에도 불구하고 천문天文 복서卜筮에 능한 것으로 알려진 최지몽崔知夢을 만나 자신의 꿈 이야기를 하여준데 대해 그것은「장차 반드시 삼한三韓을 통어統御하게 될」징조라는 해몽이 나오자 크게 기뻐하여 그에게 금의錦衣를 하사하고 있고,352) 14년에는 신라왕에게 채금綵錦을 선물로 보내고 있는 것은353) 그 몇 사례라 할 수 있다. 이어서 다음 왕인 혜종 때에 중국 5대五代 국가의 하나인 후진後晋에 보낸 공물을 보면 계罽(모직)와 금錦에 은으로 별을 수놓은 가죽 갑옷(계금은성피갑罽錦銀星皮甲) 2벌, 계·금과 연철로 만든 투구(계금연철투무罽錦鍊鐵兜鍪) 4개, 금·은으로 장식하고 계·금으로 만든 칼집에 넣은 장검(금은장계금초장도金銀裝罽錦鞘長刀) 10개, 붉은 바탕에 금실·은실·5색실로 꽃과 새를 수놓은 금·계로 만든 등받이(홍지금은5색선직성화조계금의배紅地金銀五色線織成花鳥罽錦倚背) 2벌, 붉은 바탕에 금실 은실 5색실로 꽃과 새를 수놓은 계·금으로 만든 치마 허리띠(홍지금은5색선직성화조계금군요紅地金銀五色線織成花鳥罽錦裙腰) 6개 이외에도 계·금을 사용한 다수의 물품들이 나열되고 있어354) 눈길을 끈다. 그런가 하면 다시 다음 왕인 정종定宗 3년에는 동여진東女眞에서 말과 방물方物을 바치자 국왕 자신이 천덕전에 나가 말(마馬)들을 살펴보고 평가하여 1등마는 은주전자 하나에

351)『고려사』권1, 세가·『고려사절요』권1, 太祖 元年 8월·『고려사』권92, 열전5, 洪儒傳.

352)『고려사』권92, 열전5, 崔知夢傳·『고려사절요』권2, 成宗 6년 3월.

353)『고려사』권2, 세가·『고려사절요』권1, 太祖 14년 秋8月.

354)『고려사』권2, 세가 惠宗 2년.

금錦·견絹 각 1필, 2등마는 은바리때(은발銀鉢) 하나에 금錦·견絹 각 1필, 3등마는 금錦·견絹 각 1필로 정하고 있으며,[355] 경종景宗(5대)은 귀양길에서 돌아온 최지몽에게 높은 직계職階와 함께 금錦으로 만든 이부자리(피욕被褥)·휘장(장帳)·옷(의衣) 등을 내리고도[356] 있는 것이다.

일정하지는 않았다 하더라도 그 이후 역시 유사한 상황이었다고 생각된다. 현종 3년조의 기사에 의하면 여러 도道에 금기방錦綺坊이 설치되고 거기에 장수匠手들이 소속해 있었음을 알 수 있다.[357] 이 기사는 농업의 장려를 위해 그 숫자를 줄이라는 교서에 나오는 것이지마는 각각의 도에 금錦의 생산을 위한 기능인이 배속되어 있었다는 것은 당시의 상황을 짐작케 하는 것이다. 얼마의 시기가 지난 문종 30년 때의 기사에는 중앙의 기구인 액정국掖庭局에 이미 소개한바 나장羅匠·능장綾匠과 함께 금장 지유승지錦匠指諭承旨와 금장 행수대장錦匠行首大匠이 배치되어 있었다는 사실[358] 역시 이점을 이해하는데 도움이 된다.

이제 좀더 그 구체적인 모습을 보여주는 사례들을 찾아보면 먼저 인종이 검약儉約하여 그의 침의寢衣(잠옷)에 금錦의 장식이 없었다고 한 것으로[359] 미루어 다른 왕들은 그렇지 않았음을 알 수 있고, 또 국왕이 누관樓觀에 출유出遊할 때는 왕족들이 금수錦繡의 의복을 입었다고 한 것을[360] 비롯하여 왕의 장위仗衛를 담당하는 용호좌우친위기두龍虎左右親衛旗頭와 그곳의 군장軍將 및 신호좌우친위군神虎左右親衛軍이 둥근 무늬가 있는 금錦으로 만든 두루마기(겉옷)(구문금포毬文錦袍)를 입었다

355) 『고려사』 권2, 세가 定宗 3년 秋9月.
356) 『고려사』 권92, 열전5, 崔知夢傳.
357) 『고려사』 권79, 志33 食貨2, 農桑 현종 3년 3월.
358) 『고려사』 권80, 志34, 食貨3, 祿俸 諸衙門工匠別賜.
359) 『고려사절요』 권10, 仁宗 24년 2월「史臣 金富軾曰」.
360) 『高麗圖經』 권3, 城邑, 樓觀 .

는[361] 사실을 들 수 있다. 뿐 아니라 국왕이나 왕태자가 거동하는 국가의 큰 행사에서 의위儀衛를 담당하는 많은 수의 장군과 군사 등은 제도적으로 금의錦衣를 입도록 되어 있기도 하였다. 법가위장法駕衛仗의 경우 선배대先排隊의 영장군領將軍, 청곡병대산青曲柄大傘과 청양산青陽傘을 담당하는 공학군拱鶴軍, 평련平輦의 인가引駕와 호련도장護輦都將·장교, 청곡병대산과 황산黃傘·홍산紅傘 담당 공학군, 초요軺轎의 인가와 호련도장·장교, 교상絞床과 수관자水灌子 담당 군사軍士, 장엄궁莊嚴宮 장교, 한罕과 필畢 담당 군사, 정편승지靜鞭承旨, 월부鉞斧 담당 낭장郞將, 중금반中禁班의 영지유領指諭, 도지반都知班의 영지유와 반사班士, 홍수선紅繡扇·공작선孔雀扇·반룡선蟠龍扇 담당 승지承旨와, 공작산孔雀傘·황산黃傘·홍산紅傘 담당 군사 및 어견룡御牽龍 담당자, 어로御輅의 봉로도장奉輅都將과 장교, 은작자홍라호銀斫子紅羅號의 낭장, 어궁전장군御弓箭將軍, 어로御輅의 우산과 협산夾傘 담당자와 좌우상장군左右上將軍·천우대장군千牛大將軍, 후전後殿 영장군領將軍 등이 모두 금의錦衣를 착용하였음이 확인되는 것이다.[362] 숫자상의 차이는 있지만 비슷한 양상은 상원연등 의위儀衛와 중동팔관회 의위·서남경순행 회가봉영위장西南京巡幸廻駕奉迎衛仗·왕태자 노부鹵簿 등에서도 다수 찾아볼 수 있다.[363] 이밖에 명종 8년에는 양계兩界의 동요를 막기 위해 이 지역의 도령都領들에게 금의錦衣를 내리고 있고,[364] 조금 시기가 지난 고종 15년에도 당시 집정자였던 최이崔怡가 서북인들의 민심을 얻고자 분명치

361) 『고려도경』 권11, 仗衛1, 龍虎左右親衛旗頭·龍虎左右親衛軍將·神虎左右親衛軍.

362) 『高麗史』 권72, 志26, 輿服 儀衛 凡法駕衛仗.

363) 『고려사』 권72, 志26, 輿服 儀衛·鹵簿 해당 항목.

364) 『고려사』 권19, 세가 明宗 8년 11月.

도 않은 일을 가지고 고변한 사람에게 역시 금의를 하사하고 있는 기사가 보이며,[365] 또 왕 18년에는 국신國贐에 보태고자 여러 왕씨王氏(제왕諸王)와 재추宰樞에게 권금의卷錦衣를 바치게 하는가 하면[366] 몽고의 적장인 살례탑撒禮塔을 달래기 위해 그에게 금수의錦繡衣를 보내고도 있어[367] 경우는 조금씩 다르지만 이들을 통해 금의錦衣의 면면은 살필 수 있다.

금錦은 이처럼 의료로서 중요한 위치에 있었지만 한편으로는 다른 용도로도 쓰이고 있어서 이 부분에 대해서도 앞서 얼마간 소개한바 있는데 그 사례는 더 찾아진다. 문종이 송나라에 진귀한 여러 예물을 보내면서 그것들을 붉은색 금으로 만든 겹주머니(홍금협대紅錦裌袋)에 넣었다거나 백금외대白錦外袋·청금외대青錦外袋로 쌌다고 한 것은[368] 그 하나이겠다. 그리고 역시 위에서 국왕이 거동하는 큰 행사 때에 의위儀衛를 담당하는 군사 등이 금의錦衣를 입었다고 소개했지마는 그들중 많은 경우는 금모자錦帽子를 쓰고도 있음이 확인된다. 법가위장法駕衛仗에서 한罕과 필畢 담당하는 군사와, 어로御輅의 뒤를 옹호하는 말(후옹마後擁馬)을 담당한 공군사控軍士, 상원연등과 서남경순행 회가봉영위장西南京巡幸廻駕奉迎衛仗에서 교상絞床·수관자水灌子 담당 군사軍士와 한·필 담당 군사, 중동팔관회의 한·필 담당 공학군사拱鶴軍士가 그들이다.[369] 이와 함께 의종이 청녕재淸寧齋에서 연회를 베푸는데 총애하는 환관이 금수錦繡와 금·은으로 만든 꽃 등의 진기한 물품들을 모아 좌우

365) 『고려사』 권129, 列傳42, 叛逆3, 崔忠獻 附 崔怡傳.
366) 『고려사』 권79, 志33 食貨2, 科斂 고종 18년 12월.
367) 『고려사』 권23, 세가·『고려사절요』 권16, 高宗 18년 12월.
368) 『고려사』 권9, 세가 文宗 26년 6月 甲戌.
369) 『고려사』 권72, 志26, 輿服 儀衛 해당 항목.

에 진열하여 놓고 어가御駕를 맞는가 하면[370] 관현방管絃房과 대악서大樂署에서 출타하였다가 돌아오는 왕을 맞으면서 여러 가지 놀이를 베푸는데 역시 금·은과 주옥珠玉·금수錦繡 등으로 장식하였다는 기사도[371] 눈에 띈다. 아울러 고려의 귀부인들은 금錦으로 만든 향낭香囊을 찼고[372] 무인집정이던 최우崔瑀가 왕에게 바친 수레는 금·은과 금수錦繡로 장식되었다 하며,[373] 금나라 사신으로 온 어떤 사람은 검소하여 우리 관사館舍의 금錦·기綺로 된 휘장과 이부자리를 모두 거두도록 했다는[374] 이야기도 전한다. 금錦은 여전히 귀중한 물품으로서 국가의 필요나 왕실을 비롯한 고위 신분층에서 이용하고 있음이 잘 드러나 있다.

다음으로 금錦은 다른 물품들과 마찬가지로 국왕의 하사품으로 쓰이고 있다. 예종이 연덕궁주의 몸에서 원자가 태어나자 이는 국가의 기반을 굳히는 일이요 신민臣民들의 기쁨이라고 말하면서 금은기金銀器·능綾·나羅 등과 함께 금錦을 내리고 있는 것이[375] 그에 해당하는 사례의 하나이다. 이어서 숙종이 비상수단을 써서 즉위하는데 공로를 세운 소태보邵台輔에게 계罽·능綾·나羅 등과 더불어 역시 금錦을 사여하고 있고,[376] 또 동여진東女眞 사람들이 찾아오자 변경의 일을 묻고는 주식酒食·견絹과 함께 금錦을 하사하고 있으며,[377] 서경에서 반란이 일어났을 때 연주漣州의 호장戶長 강안세와 중랑장 김인감이 거짓(위僞) 병마부사인 이자기와 장군 이영 및 병졸 600여명을 사로잡자 왕이 장려하면서

370) 『고려사』 권18, 세가 毅宗 20년 11月 癸卯.
371) 『고려사』 권19, 세가·『고려사절요』 권11, 毅宗 24년 春正月.
372) 『高麗圖經』 권20, 婦人－貴婦.
373) 『고려사절요』 권16, 高宗 18년 8月.
374) 『고려사』 권20, 세가·『고려사절요』 권13, 明宗 16년 6月.
375) 『고려사』 권88, 열전1, 后妃1, 睿宗－文敬太后李氏.
376) 『고려사』 권95, 列傳8, 邵台輔傳.
377) 『고려사』 권11, 세가 肅宗 元年 8月 丙子.

이들에게 금錦 2단段 등을 내리고 있는 사례[378] 등도 찾아볼 수 있는 것이다.

이상에서 살펴 보았듯이 금錦은 얼마간의 예외가 없지 않았으나 주로 국가에 공로가 많은 사람들에 대한 사여품이나 외국에 보내는 예물과 그와 관련되어 필요로 하는 것들, 그리고 국왕의 일상적인 시위와 그가 국가적인 여러 행사에 거동할 때 동행하는 신료나 장위仗衛를 위해 동원되는 병력들의 제복 및 왕실의 일원과 고위 관료 등 상급 신분층에서 사용하는 직물의 하나였다. 그런 관계로 금錦의 이용에는 여러모로 제약이 뒤따랐다. 정종靖宗이 중앙과 지방의 남녀 모두에게 금수錦繡로 된 의복의 착용을 금하는 조처를 취한 것에서 그 일면을 엿볼 수 있다.[379] 이어서 인종은 전국적으로 10년 동안 금수錦繡 공작工作(공업工業)을 정지하도록 명하고 있으며,[380] 의종은 자신의 호사스런 생활에도 불구하고 정작 교서를 내려 공사公私 모두에서 의복에 금수錦繡를 이용하는 등의 사치 풍조가 심하다고 지적하면서 전국의 담당 관청에게 엄하게 금단시키도록 지시하고도 있다.[381] 좀더 후대로 가면 이제현李齊賢이 여러 현안에 대해 상소한 가운데에 이후부터는 재상들이 금수錦繡로 옷을 만들어 입지 못하도록 해야 한다는 항목이 포함되어 있으며,[382] 우왕禑王도 교서를 내려 사람들이 검약할줄 모르고 사치하여 재물을 소비한다면서 금·옥 그릇과 금수錦繡 등의 물품을 일체 금하라고

378) 『고려사』 권127, 列傳40, 叛逆1, 妙淸·『고려사절요』 권10, 仁宗 13년 春正月 癸丑.
379) 『고려사』 권85, 지39, 刑法2 禁令·『고려사절요』 권4, 靖宗 9년 4월.
380) 『고려사』 권85, 지39, 刑法2 禁令·『고려사절요』 권49 仁宗 9년 5월.
381) 『고려사』 권85, 지39, 刑法2 禁令 毅宗 22년 3월.
382) 『고려사』 권110, 列傳23, 李齊賢傳·『고려사절요』 권25, 충목왕 즉위(충혜왕 後5年) 5월.

언급하고 있거니와,383) 이같은 금錦의 사용에 대한 여러 제약들은 상하를 막론하고 검약하는 미풍양속에서 벗어나거나 심지어는 예법을 어겨가면서까지 그것을 사용하는 사례가 적지 않았음을 말해주는게 아닐까 싶다. 위에 소개한 이제현의 상소에 금·은과 금수錦繡는 우리나라의 생산품이 아니라는 언급도 나오지마는, 유사한 기록들이 더 눈에 띄는 것으로 미루어 실제로 그들 중에는 수입품이 어느 정도 포함되어 있었으리라 짐작된다. 그러나 인종 때 송나라 사절의 한 사람으로 왔던 서긍이 우리나라의 금錦과 능綾·나羅 등 상급 견직물이 대부분 중국으로부터의 수입 물품이거나 자기네의 기능에 의한 것인 듯 기록하고 있는 것은384) 우리의 물품에 대한 이해의 부족이나 좀 낮추 보려는 편견에서 비롯된 것 같다. 위에서 살펴 보았듯이 우리의 견직물 생산은 매우 다양하면서도 수준 또한 상당히 높았던 것이다.

(8) 사紗와 기綺·곡穀·초綃·환紈·단緞

사紗는 좀 성글면서도 꼬임이 없이 짠 얇고 고운 견직물의 하나로서385) 역시 널리 사용되었다. 그리하여 기록상으로도 이미 여러 차례 언급했던바 최승로가 상소문에서 「서인庶人들은 문채文彩나는 사곡紗縠을 착용하지 못하게 하고 다만 주견紬絹을 이용하게」 하라고 한데서386) 벌써 보이고 있다. 이어서 귀가貴家 자제 출신 선랑仙郎은 검은

383) 『고려사』 권85, 지39, 刑法2 禁令 辛禑 원년 2월.
384) 『高麗圖經』 권23, 雜俗2, 土産.
385) 趙孝淑, 「織物名稱의 設定 - 羅와 紗」 『韓國 絹織物 硏究 - 高麗時代를 中心으로』, 세종대 박사학위 논문, 1993, 114~118쪽.
박선희, 「고대 한국의 사직물」 『한국 고대 복식』, 지식산업사, 2002, 180쪽.

사(조사早紗)로 된 옷을 입었다고 하였으며,[387] 고종 18년에는 적장 살례탑撒禮塔에게 사라의紗羅衣와 자사오자紫紗襖子, 그 휘하의 장좌將佐들에게 능사유의綾紗襦衣 등을 보내고도 있다.[388] 그런가 하면 공양왕이 공민왕 때의 정비定妃를 태비太妃로 책봉하는 행사에서 강사포絳紗袍를 입었다는 기사가 찾아지며,[389] 또 방사량房士良이 상소하여 사서士庶·공상工商·천예賤隸들이 일체 사라의복紗羅衣服을 입지 못하게 할 것을 건의하거나[390] 간관諫官인 허응許應 등도 대소의 신료들이 모두들 사라의紗羅衣를 입지 못하게 함으로써 검소함을 숭상토록할 것을 상소하고 있는 기사 역시 눈에 띈다.[391] 이밖에 예종이 전사한 박회절朴懷節을 추념追念하여 그의 처자에게 나羅·견絹과 함께 사紗를 하사하고 있으며,[392] 공양왕 때의 방사량 상소에는 사紗도 나羅·능綾 등과 마찬가지로 관인官印을 찍어 수세收稅할 것을 건의하고 있기도[393] 하거니와, 이 두 기사는 위에 예시한 것들처럼 옷감으로서의 사紗에 대해 직접적으로 언급한게 아니기는 하나 내용은 동일한 범주의 기록으로 보아도 좋지 않을까 싶다. 사紗 역시 옷감으로서 한 위치를 점하고 있었다고 생각되는 것이다.

하지만 관련 기사들을 종합적으로 살펴 보면 사紗는 이보다도 모자의 제작에 좀더 요긴하게 쓰이지 않았나 생각된다. 그것은 국왕으로부

386) 『고려사절요』 권2·『고려사』 권85, 지39, 刑法2 禁令 成宗 元年 6월·『고려사』 권93, 列傳6, 崔承老傳.
387) 『高麗圖經』 권21, 皁隷 騶使.
388) 『고려사』 권23, 세가·『고려사절요』 권16, 高宗 18년 12月.
389) 『고려사』 권65, 지19, 禮7 嘉禮 册太后儀 공양왕 2년 4월.
390) 『고려사』 권85, 지39, 刑法2 禁令·『고려사절요』 권35, 공양왕 3년 3月.
391) 『고려사』 권46, 세가 공양왕 3년 5月.
392) 『고려사』 권13, 세가 예종 4년 2月.
393) 『고려사권79, 지33, 食貨2, 貨幣－市估 공양왕 3년 3월.

터 대소 신료들이 공복公服과 더불어 착용하는 복두幞頭와 공사公私 생활에서 두루 쓰던 사모紗帽로 알려진 모자, 그리고 국왕의 시위侍衛와 관련하여 각종 행사에 참여하는 군사들의 상당수가 쓰던 모자 등의 자료이었다는 점으로 미루어 짐작이 가는 것이다. 국왕의 복두 착용은 이자겸李資謙의 반란 때에 어의御衣가 찢어지고 복두가 문門 중방에 닿아 파손되었다고 한 예에서 보듯이[394] 잘 알려져 있거니와,[395] 직접 사紗가 언급된 기사로는, 「왕은 상복常服 때에 오사烏紗(검은색 사)로 만든 고모高帽를 썼다」고한 것을 들 수 있고,[396] 뒷날 원종元宗이 되는 세자가 홀필렬忽必烈을 만나러 갔을 때 오사복두烏紗幞頭를 썼다고 한 것은[397] 보다시피 왕세자의 착용 사례이다. 아울러 영관복令官服에서는 사제복두紗製幞頭를 착용했다고 전하며,[398] 희종이 국로國老 등에게 잔치를 베풀면서 특별히 재신宰臣·추밀樞密과 3품관을 지낸 사람들에게는 예물로 복두사幞頭紗를 하사했다고도 보인다.[399] 그런 한편으로 요遼와 송나라에 귀중한 물품을 공물로 보내는 가운데 전자에게는 복두사를,[400] 후자에게는 복두사와 모자사帽子紗를 포함시키고 있지마는,[401] 사紗가 이 방면에서 매우 중요한 위치에 있었음을 잘 보여주는 사례가 아닌가 한다.

다음은 사모紗帽에 관한 것인데, 『고려사』의 공식 기록에는 여말인

394) 『고려사절요』 권9, 인종 4년 3월·『고려사』 권127, 열전40, 叛逆1 李資謙傳.
395) 박용운, 「고려시기의 幞頭와 幞頭店」 『韓國史學報』제19호, 2005년 3월; 『고려시기 역사의 몇 가지 문제』, 一志社, 2010년 12월.
396) 『高麗圖經』 권7, 冠服 王服.
397) 『益齋亂藁』 권9상, 忠憲王 세가·『고려사』 권25, 世家 원종 元年 3월.
398) 『고려도경』 권7, 冠服 令官服.
399) 『高麗史』 권68, 志22 禮10, 嘉禮 老人賜設儀 희종 4년 10월 乙亥.
400) 『고려사』 권6, 세가 靖宗 4년 秋7月.
401) 『고려사』 권9, 세가 文宗 34년 秋7月.

우왕 13년 5월에 사절로 명나라에 들어갔던 설장수偰長壽가 황제가 내려준 사모에 단령團領을 입고 귀국하여 나라 사람들이 비로소 중국의 관복冠服 제도를 알게 되었다고[402] 전하고 있으며, 그 다음 달인 6월에 호복胡服(원나라 복식)을 혁파하고 명나라의 제도에 의거하여 1품으로부터 9품에 이르기까지 모두 사모에 단령(둥근 깃)의 옷을 입도록 하였다고[403] 보인다. 이어서 공양왕 3년에는 도평의사사都評議使司의 요청에 따라 평양부平壤府 토관土官의 관·복을 정하면서 동·서반의 으뜸이 되는 각 1인씩은 사모에 품대品帶를 띠도록 했다고 하였는데,[404] 이것은 이때에 이르러 처음으로 사모를 쓰도록 하였다는게 아니라 원나라의 간섭하에서 바뀌었던 이전의 제도와 풍습을 다시 따르도록 한 것으로 이해하는게 옳은 방향일 것 같다. 사모〔검은 색의 사로 제작된 모자; 오사모(오사모자)烏紗帽(子)=조사모(자)早紗帽(子)〕를 착용한 사례는 몽고와 접촉하기 이전의 시기부터 찾아지는 것이다. 명종 10년의 과거에 급제한 후 여러 모로 활동을 했던 이인로李仁老가 남긴 글에 「농서자隴西子(이인로) 나물 먹고 배불러서 손으로 배를 문지르며, 가냘픈 오사烏紗(오사모) 재껴 쓰고」라고한 구절과[405] 역시 명종 20년에 급제한 후 고종조에 걸쳐 커다란 활약을 하며 많은 글도 남긴 이규보李奎報가 「훌륭하다 그대의 척당倜儻한 마음 언제나 나의 마음 끌게 하는 구려, 검은색 사모(오사모) 반쯤 쓰고는, 백옥白玉 잔을 자주 기울이며」라고 읊은 시구詩句가[406] 그러한 것들이다. 나아가서 의종조에 상정詳定된바

---

402) 『고려사』 권136, 列傳49, 禑王 13년 5월.
403) 『고려사』 권72, 志26, 輿服 冠服－冠服通制 禑王 13년 6월.
404) 『고려사』 권72, 志26, 輿服 冠服－冠服通制 공양왕 3년 정월.
405) 『東文選』 권2, 賦 「紅桃井賦」.
406) 『東國李相國全集』 권5, 古律詩 「卜居鸞溪……贈西隣梁閣校」.

국가의 각종 행사에 참여하는 국왕의 의위儀衛를 위해 동원되는 수많은 군사들 가운데 다수가 제도적으로 조사모자(조사모)를 쓰도록 규정하고도 있다. 그 몇몇 예만 하더라도 대관전의 조회 때 대산大傘과 양산陽傘을 담당하는 군사와 한罕·필畢 담당 군사, 은골타자대銀骨朶子隊의 군사, 교상絞床·필연안筆硏案 담당 군사 등이 그에 해당하는 사람들이며,[407] 법가위장法駕衛仗의 경우 경령전景靈殿 판관判官에 따른 군사와 취라군吹螺軍,[408] 그리고 상원上元 연등위장의 은골타자대銀骨朶子隊 군사·경령전 판관에 따른 군사·국인國印과 조서용 어보를 담은 짐(서조보담書詔寶擔)을 담당하는 군사·뒤 행렬(후행後行)의 말 담당 공군사控軍士 등도 마찬가지인데,[409] 동일한 양상을 중동팔관회仲冬八關會·서남경순행위장西南京巡幸衛仗·서남경순행 회가봉영위장西南京巡幸廻駕奉迎衛仗·법가노부法駕鹵簿·서남경순행 환궐봉영노부西南京巡幸還闕奉迎鹵簿·왕태자노부王太子鹵簿 등에서도 찾아볼 수 있는 것이다.[410] 사紗가 모자의 제작과 관련이 많았음도 여러 모로 확인이 된다고 하겠다.

이어서 살필 기綺는 무늬를 넣어 짠 견직물로서[411] 흔히 나羅·능綾과 견주어지기도 하는 물품이었다. 계림(경주)과 영가永嘉(안동)는 그 명품의 생산지로 알려져 있고[412] 여러 도道에는 생산을 위한 금기방錦綺坊

407) 『고려사』 권72, 志26, 輿服 儀衛 - 朝會儀仗.
408) 『고려사』 권72, 志26, 輿服 儀衛 - 法駕衛仗.
409) 『高麗史』 권72, 志26, 輿服 儀衛 - 燃燈衛仗.
410) 『고려사』 권72, 志26, 輿服 儀衛·鹵簿 해당 항목.
411) 趙孝淑, 「織物名稱의 設定 - 綾과 綺」 『韓國 絹織物 硏究 - 高麗時代를 中心으로』, 세종대 박사학위 논문, 1993, 119~121쪽.
김문숙, 「견직물 - 기綺」 『고려시대 원간섭기 일반복식의 변천』, 서울대 박사학위 논문, 2000, 114쪽.
박선희, 「고대 한국의 사직물」 『한국 고대 복식』, 지식산업사, 2002, 177~178쪽.
412) 『東文選』 권2, 賦 「三都賦」.

이 설치되어 있기도 하였거니와[413] 그것의 용례用例는 일찍부터 보이고 있다. 즉, 태조 왕건이 개국 1·2등 공신들에게 이미 언급했듯 금수錦繡와 더불어 기綺로 만든 이부자리를 사여하고 있는 것이다.[414] 그후 숙종은 왕비·원자 등과 함께 승가굴僧伽窟에 행차하여 재齋를 지내고는 다향茶香·의대衣襨 등과 더불어 기綺를 하사하고도 있다.[415]

기綺로 제작된 의류에 대해 직접 언급한 사례는 이규보가,

> ㉱-⑬ 이별을 생각하니 서운한 마음 거두기 어렵네
> 다시 술집을 바라보고
> 자주빛 비단 갖옷(자기구紫綺裘)을 던졌네[416]

라고 읊고 있는 시구詩句의 자기구紫綺裘에서 찾아볼 수 있다. 그리고 좀 특수한 경우이긴 하지만 충렬왕의 근신인 오잠吳潛이 놀기를 좋아하는 왕의 비위를 맞추고자 수도와 지방을 막론하고 자색이 뛰어났거나 가무에 능한 기녀·관비官婢를 뽑아다가 궁중에 소속시킨뒤 그들에게 나羅·기綺로 옷을 만들어 입혔다고 한 것과,[417] 충선왕과 특별한 관계에 있던 최문도崔文度가 원나라에서 숙위宿衛하는 동안 몽고의 문자와 말을 익혀 기로 만든 저고리(기유綺襦)와 환紈으로 만든 바지(환고紈袴)를 입은 사람들과 함께 있었다고 한 데서도[418] 살필 수 있다. 단, 후자의 경우는 전체 문맥으로 보아 기·환과 같은 고급 비단 옷을 입은 대

---

413) 『고려사』 권79, 志33 食貨2, 農桑 현종 3년 3월.

414) 『고려사』 권1, 세가·『고려사절요』 권1, 태조 元年 8월·『고려사』 권95, 열전5 洪儒傳.

415) 『고려사』 권11, 세가 肅宗 4년 閏9月.

416) 『동국이상국집』 권15, 古律詩 「皇甫書記 見和壽量寺留題 復用前韻」.

417) 『고려사』 권125, 列傳38, 姦臣1, 吳潛傳.

418) 『益齋亂藁』 권7, 碑銘·『고려묘지명집성』 527쪽 崔文度墓誌銘.

상이 고려인이 아니라 몽고 사람들을 말한 것 같지마는 흔치 않은 기유·환고의 사례여서 들어두는 것이다.

기綺를 의료가 아닌 용도로 쓰인 사례로 이미 위에서 이부자리를 만든 경우를 들기도 했지마는, 의종이 출타했다가 돌아오는 것을 환영하기 위해 관현방管絃房과 대악서大樂署에서 채붕綵棚을 달고 갖가지 놀이를 베풀면서 금은·주옥·금수錦繡·나羅 등과 함께 기綺로 장식했다는 기사[419] 역시 눈에 띈다. 그런가 하면 금나라 사절이 고려의 관사館舍에 이르러 금錦·기綺와 같은 화려한 비단으로 장식한 휘장과 이부자리를 모두 거두게 했다는 아름다운 이야기도 전하며,[420] 여말인 우왕 때에 보원고寶源庫의 기綺·견絹 100필을 올리라고 명했으나 담당관이 창고가 비어서 즉시 올리지 못하자 노한 왕이 200대의 매를 쳤다는 기사는[421] 성격이 좀 다른 이야기이다.

다음의 곡縠은 경사나 위사에 꼬임을 많이 준 실을 사용하여 짰기 때문에 작은 매듭이 주름처럼 무늬져 보이는 견직물을 말한다.[422] 이것에 대해서는 바로 위에서 소개한 최승로의 상소문에 「서인庶人들은 문채文綵나는 사·곡紗縠을 착용하지 못하게 하고」라한 대목(주 386), 122쪽)과 최자崔滋가 「삼도부三都賦」에서 계림(경주)·영가(안동)가 기綺와 함께 곡縠의 명산지라고도 지적하고 있어[423] 어렵지 않게 찾아볼 수 있다. 그리고 여말의 윤소종尹紹宗 역시 「형들은 유산을 물려받아, 노비에

419) 『고려사』 권19, 세가·『고려사절요』 권11, 의종 24년 春正月.
420) 『고려사』 권20, 세가·『고려사절요』 권13, 명종 16년 6月.
421) 『고려사』 권136, 列傳49·『고려사절요』 권32, 우왕 13년 春正月.
422) 김문숙, 「견직물－곡縠」 『고려시대 원간섭기 일반복식의 변천』, 서울대 박사학위 논문, 2000, 112쪽.
박선희, 「고대 한국의 사직물」 『한국 고대 복식』, 지식산업사, 2002, 180쪽.
423) 『東文選』 권2, 賦 「三都賦」.

다 환·곡紈縠 옷을 끌었지만」이라는 시구詩句를 남겨[424] 그 한 면모를 전해주고 있기도 하다.

또 다른 견직물의 하나인 초綃는 생사生絲로 만든 평직平織의 비단으로 견絹이나 주紬 보다는 좀 까슬까슬했다.[425] 이 직물과 관련해서는 일찍이 성종 5년에 내린바, 「도망친 남의 노비를 숨겨서 점유하고 있는 자는 법률 조문(율문律文)에 1일당 초綃 3척尺씩으로 (계산)한다고한 예에 따라 하루에 포布 30척씩 징수하여 본주本主에게 주되, 일수日數가 비록 많더라도 본래의 (노비) 값을 초과하지 못하게 한다」라는 교서와[426] 여말인 공양왕 3년에 방사량이 상서를 올려, 사紗·나羅·능綾 등과 함께 초綃에도 관인官印을 찍어 유통에 세금을 매길 것을 건의하고 있는 데서[427] 그 값어치와 위상을 대략 짐작할 수 있다.

이 초綃의 생산에 대해서는 역시 바로 위에서 계림(경주)과 영가(안동)를 최자가 「삼도부」에서 소개하고 있어서 쉽사리 접할 수 있다. 그리고 그것을 이용한 사례로는 예종이 외적과의 전투에서 세상을 뜬 박회절朴懷節을 추념追念하여 그의 처자에게 은병銀甁·능綾과 함께 초綃를 내려주고 있고,[428] 충선왕은 자신의 즉위교서를 작성토록 한 박전지朴全之 등에게 능綾·주紬·저포苧布 및 초綃를 각각 15필씩 하사하고 있으며,[429] 또 「무늬있는 능綾으로 폭넓은 바지(관고寬袴)를 만드는데 생

424) 『동문선』 권5, 五言古詩 「祭東門媼」.
425) 趙孝淑, 「織物名稱의 設定－絹·紬·綃」 『韓國 絹織物 硏究－高麗時代를 中心으로』, 세종대 박사학위 논문, 1993, 112~113쪽.
김문숙, 「견직물－초綃」 『고려시대 원간섭기 일반복식의 변천』, 서울대 박사학위 논문, 2000, 110쪽.
박선희, 「고대 한국의 사직물」 『한국 고대 복식』, 지식산업사, 2002, 183~184쪽.
426) 『고려사』 권85, 志39, 刑法2, 奴婢·『고려사절요』 권2, 成宗 5년 秋7月.
427) 『고려사』 권79, 志33 食貨2, 貨幣－市估 공양왕 3년 3월.
428) 『고려사절요』 권7, 예종 4년 2月.

초生綃로 안감을 댄다」는 설명도430) 눈에 띈다. 공민왕이 말년에 초라조복綃羅朝服 등은 우리나라의 생산이 아니니 지금부터는 시신侍臣 이외의 동·서반 5품 이하는 주저조복紬紵朝服을 사용하라는 교서를 내리고 있지마는,431) 이는 당시의 어려운 사회·경제적 상황을 고려한 지시로서 지금까지 살펴본 바와 같이 초·라와 그것으로 만든 조복 모두가 우리나라의 생산이 아니라고 한 것은 전적으로 옳은 설명이라고 할 수 없을 듯하다.

다음의 환紈은 비교적 가는 실로 짠 희고 고운 직물로,432) 위에서 윤소종이 지은 시구詩句에 곡縠 및 환紈으로 지은 옷에 대한 언급이 있다고 소개하였는데(주 424), 128쪽) 그 사례의 하나가 되겠다. 그리고 의종 때에는 「내시內侍의 좌·우번左右番들이 다투어 진기한 애완물들을 바쳤는데, 당시에는 우번에 환고紈袴(희고 고운 비단(환)으로 만든 바지) 자제子弟(환고 같은 옷을 입을만큼, 부귀한 집안의 자제)들이 많았으므로 환자宦者(환관)를 통해 성지聖旨로써(성지라고 하면서) 많은 공公·사私의 진기한 서화를 거두어 드렸다」고한 데서433) 또 다른 사례를 볼 수 있다.

단緞은 두껍고 광택이 있는 견직물의 하나로서 단段 또는 필단匹段·채단采段 등의 칭호로 기록에 자주 보이고 있다.434) 그 몇몇만을 소개

---

429) 『고려사』 권109, 列傳22, 朴全之傳.

430) 『高麗圖經』 권20, 婦人 - 貴婦.

431) 『고려사』 권72, 志26, 輿服 冠服 - 朝服.

432) 김문숙, 「견직물 - 기타 평직류」 『고려시대 원간섭기 일반복식의 변천』, 서울대 박사학위 논문, 2000, 112쪽.
박선희, 「고대 한국의 사직물」 『한국 고대 복식』, 지식산업사, 2002, 177쪽.

433) 『고려사』 권18, 세가 毅宗 19년 夏4月 甲申.

434) 趙孝淑, 「織物名稱의 設定 - 緞」 『韓國 絹織物 硏究 - 高麗時代를 中心으로』, 세종대 박사학위 논문, 1993, 125~126쪽.

하면, 현종이 7년에 궁인 김씨가 왕자를 낳자 금은기金銀器와 함께 필단을 내리고 있고,435) 11년에는 현화사玄化寺에 행차하여 새로 주조한 종을 쳐보고 역시 필단을 사여하고 있으며,436) 문종은 7년에 탐라국의 왕자가 와서 우황牛黃·우각牛角 등을 바치자 그에게 공복公服과 채단采段을 내리고 있고,437) 21년에는 국사國師인 해린海麟이 산으로 돌아가기를 청하자 친히 현화사에 행차하여 다약茶藥과 역시 채단 등을 하사하고 있다.438) 그리고 예종도 장령전에서 활쏘기를 사열하면서 과녁을 맞춘 사람에게 말과 채단을 내리고 있거니와,439) 유사한 사례는 이후에도 계속적으로 이어지고 있다. 여말인 공양왕 3년에는 중랑장 방사량이 상소하여 능綾·나羅·초자綃子·면포綿布 등과 함께 단段에도 관인官印을 찍고 그의 경중輕重과 장단長短에 따라 수세收稅할 것을 건의하고 있지마는,440) 이를 통해서도 의료로서의 그가 지니는 위상을 이해하는데 적지 않은 도움을 받을 수 있다.

(9) 계罽(모직물)와 피皮(가죽)

각종 동물의 가죽(피皮)과 거기에서 얻은 털을 가공하여 만든 모직물

김문숙,「견직물－단段」『고려시대 원간섭기 일반복식의 변천』, 서울대 박사학위 논문, 2000, 115~116쪽.

박선희,「고대 한국의 사직물」『한국 고대 복식』, 지식산업사, 2002, 181~182쪽.

435)『고려사』권4, 세가, 顯宗 7년 5月.

436)『고려사』권4, 세가, 顯宗 11년 9月.

437)『고려사』권7, 세가·『고려사절요』권4, 문종 7년 2月.

438)『고려사』권8, 세가·『고려사절요』권5, 문종 21년 9月.

439)『고려사』권12, 세가, 예종 3년 9月.

440)『고려사』권79, 志33 食貨2, 貨幣－市估 공양왕 3년 3월.

(계罽)은 우리나라에서도 오래전부터 의료를 비롯한 여러 용도로 이용되었다.[441] 그리하여 고려조에 들어와서는 더 말할 필요도 없이 요긴하게 사용되었지마는, 계罽의 경우 국가 기관인 잡직서雜織署에 계장지유승지동정罽匠指諭承旨同正과 계장행수교위罽匠行首校尉 같은 전문 기술자가 설치되어 있었다는[442] 데서 벌써 그점을 짐작할 수 있다. 그리고 그 구체적인 용례로는 문종이 즉위하자 곧바로 선조先朝(정종)가 썼던 용상(의상倚床)과 그 발받침(답두踏斗)이 모두 금·은으로 장식되고, 또 금실과 은실로 수놓아 짜서 만든 계罽·금錦으로 방석과 요(인욕茵褥)를 만들었음을 지적하면서 담당 관청으로 하여금 금·은 대신에 동銅·철鐵, 계·금 대신에 능綾·견絹으로 할 것을 명하고 있는 것과,[443] 숙종이 자신이 즉위하는데 큰 공로를 세운 소태보邵台輔를 문하시중門下侍中으로 삼음과 동시에 금은 그릇·능綾·나羅 등과 함께 금錦·계罽를 하사하고 있음을[444] 볼 수 있다.

한데 계罽의 용례는 실은 이들보다 외국으로 보낸 공물貢物에서 훨씬 많이 찾아진다. 일찍이 혜종 2년(945)의 기사에 의하면 그가 후진後晋에, 계罽와 금錦에 은으로 별을 수놓은 가죽 갑옷(피갑皮甲) 2벌과, 계·금과 연철鍊鐵로 만든 쇠투구 4개, 붉은 계·금 바탕에 금실·은실·오색실로 꽃과 새를 수놓은 계·금 다리 보호대(계금한과罽錦捍胯) 4개, 금·은으로 장식하고 계·금으로 만든 칼집(계금초罽錦鞘)에 넣은 비수匕首

441) 김문숙, 「모제품」 『고려시대 원간섭기 일반복식의 변천』, 서울대 박사학위 논문, 2000, 117~118 쪽.
박선희, 「고대 한국의 가죽과 모직물」 『한국 고대 복식』, 지식산업사, 2002, 25쪽·69~74쪽.

442) 『고려사』 권80, 志34, 食貨3, 祿俸 - 諸衙門工匠別賜, 雜織署, 문종 30년.

443) 『고려사』 권7, 세가, 문종 즉위년 5月.

444) 『고려사』 권95, 列傳8, 邵台輔傳.

10자루, 붉은 바탕에 금실·은실·오색실로 꽃과 새를 수놓은 계·금으로 만든 등받이(계금의배罽錦倚背) 2벌, 붉은 바탕에 금실·은실·오색실로 꽃과 새를 수놓은 계·금으로 만든 치마 허리띠(계금군요罽錦裙腰) 6개 등을 예물로 보내고 있다.[445] 이어서 문종 25년(1071)에 송나라로 파견되는 김제金悌편에 바친 공물이 그 이듬해의 기사에 전하는데, 황계삼黃罽衫 1벌·홍계편복紅罽便服 1벌과 함께 금합金合을 계로 짠 요대(계륵백罽勒帛)로 포장하는가 하면 붉은 모직 등받이(홍계의배紅罽倚背) 6개·누런 모직 등받이(황계의배黃罽倚背) 4개·붉은 모직 요(홍계욕紅罽褥) 6벌·누런 모직 요(황계욕黃罽褥) 4벌 등은 각각 홍매화로 수놓은 비단 겹보자기 등으로 싸서 보내고 있으며,[446] 그 얼마후 유홍柳洪이 사절로 가는 편에도 계병罽屛 1합合과 붉은 모직 등받이 10개, 붉은 모직 요 2개를 보내고 있는 것이다.[447]

현존하는 이들 자료에 의거할 때 계罽의 이용층이 다른 직물에 비하여 매우 제한되어 있었음을 알 수 있다. 하지만 그같은 제약성에도 불구하고 고려에서는 일찍부터 생산하여 필요에 따라 사용하였던 것이다. 위에서 송나라 사절의 한 사람으로 고려에 왔던 서긍(주 384), 121쪽)이 금錦·능綾·나羅와 함께 계罽도 대부분이 중국으로부터의 수입 물품이거나 자기네의 기능에 의한 것인 듯 기록하고 있으나 그것을 그대로 인정하기는 어렵다.

이러한 계罽에 비하여 피皮(가죽)는 상대적으로 이용층의 범위가 넓고 용도가 다양한 데다가 특히 국용國用 면에서 요긴한 물품의 하나였다. 그점은 국가 기관들인 태복시太僕寺에 피장행수皮匠行首, 군기감軍

445)『고려사』 권2, 세가, 惠宗 2년.
446)『고려사』 권9, 세가, 문종 26년 6月.
447)『고려사』 권9, 세가, 문종 34년 秋7月.

器監에 피갑장皮甲匠 지유指諭와 행수지유부승지行首指諭副承旨 및 피장皮匠 지유교위指諭校尉와 행수대장行首大匠, 중상서中尙署에 위장지유승지韋匠指諭承旨, 장야서掌冶署에 피대장행수교위皮帶匠行首校尉 등 각 방면의 전문 기술자들을 배치해 두고 있는 것에서[448] 짐작할 수 있다. 그리하여 이들 국가 기관이나 또는 왕실 등에서 필요로 하는 가죽 물품은 국민들이 부담하는 세역稅役의 하나인 공부貢賦에 의해 충당되었던 것 같다. 이는 문종 20년에 각 주현에서 매년 상공常貢으로 납부하는 우피牛皮·우근牛筋·우각牛角을 평포平布로 절가折價(환산) 대납代納토록 정하고 있는 것으로[449] 보아 알 수 있다. 우피는 공안貢案에 수록되어 있어 매년 일정하게 납부하게 되어 있는 상공 물품의 하나였던 것이다. 한데 이보다 훨씬 뒤인 충렬왕 때에 중찬中贊(종1품 수상) 홍자번洪子藩은 상소에서, 「여러 도道의 공부貢賦는 이미 정해진 액수가 있는데 지금 또 호虎·표豹·웅피熊皮를 바치도록 함으로써 다만 과렴科斂이 번거롭고 무거울뿐 아니라 맹수에게 사람들이 해를 입을까 두렵사오니 마땅히 금지시키십시오」라고[450] 언급하고 있거니와, 문맥으로 보건대 호랑이(범) 가죽·표범 가죽·곰 가죽은 상공이 아니라 필요에 따라 수시로 부과하는 별공別貢에 해당했던 것 같다. 이들 이외에 명종은 「무릇 궁실에 바치는 진상품은 각기 토산물을 제철에 따라 진헌進獻하고, 그 나머지 애완품인 곰 가죽·호랑이 가죽·표범 가죽으로 인하여 백성들을 수고롭게 해서 거두어드려 비밀리에 바치는 일이 없도록 하라」고 명하고 있으며,[451] 또 충렬왕 6년에는 감찰사監察司에서, 여러 도道의 안렴

448) 『고려사』 권80, 志34, 食貨3, 祿俸－諸衙門工匠別賜, 太僕寺·軍器監·中尙署·掌冶署, 문종 30년.
449) 『고려사』 권78, 志32, 식화1, 田制－貢賦·『고려사절요』 권5, 文宗 21년 6月.
450) 『고려사』 권78, 志32, 식화1, 田制－貢賦 충렬왕 22년 6월.

사按廉使와 별감別監들은 직책이 지방의 수령들을 감독하여 백성들의 고통을 보살피는 것인데 지금은 모두들 상공上供을 핑계삼아 백성들에게서 주紬·저紵 등과 함께 피皮(가죽)를 거두어서는 권귀權貴들에게 뇌물로 바치고 있은즉 그 죄를 다스려야 한다고 아뢰고 있지마는,[452] 이 경우는 관원들이 가죽을 불법적으로 거두는 사례들로 생각된다.

그 외에 유목민족인 여진女眞 등에게서 담비 가죽(초피貂皮·초서피貂鼠皮) 등이 예물로 들어온 기사도 얼마간 찾아진다. 즉, 먼저 동여진으로부터 현종 9년 정월에 초서피와 청서피靑鼠皮(하늘다람쥐 가죽)가, 2월에는 초피, 윤4월에도 초서피의 진헌進獻이 있자 우리가 의물衣物을 내려주고 있는 것이다.[453] 이어서 역시 현종 9년에 서여진으로부터 피皮의 헌납이 있었고,[454] 덕종조에는 철리국鐵利國으로부터 초서피의 헌정이 있었으며,[455] 원종 때는 홍저洪泞 등이 대마도의 일본 해적들을 추궁하여 미米·맥麥과 함께 우피牛皮 70령領을 받아온 예[456] 등도 보인다. 이들 가죽을 사용한 물품의 사례로서 처음으로 눈에 띄는 것은 바로 위에서 소개한바(주 445), 132쪽) 혜종 2년에 후진으로 보낸 여러 공물 가운데에 포함되어 있는 금金으로 별을 수놓아 만든 가죽 갑옷(피갑皮甲) 2벌과, 계罽·금錦에 은으로 별을 수놓아 만든 가죽 갑옷 2벌, 그뒤 문종 34년에 송나라로 보낸 예물(주 447), 132쪽) 가운데 금·은으로 도금하여 가죽으로 싼 기장(피기장皮器仗)이다. 이와 더불어 국왕이 참여하는 국가적인 행사 때에 그의 위장衛仗을 담당하는 많은 군사들이 피

451) 『고려사』 권85, 지39, 刑法2 禁令, 명종 18년 3月.
452) 『고려사』 권29, 세가, 충렬왕 6년 3月·『고려사』 권105, 列傳18, 鄭可臣傳.
453) 『고려사절요』 권3, 顯宗 9년 春正月·2월·윤4월.
454) 『고려사절요』 권3, 顯宗 9년 2월.
455) 『고려사절요』 권4, 德宗 2년 春正月.
456) 『고려사절요』 권18, 元宗 4년 8월.

갑皮甲(가죽 갑옷)을 착용하고도 있는데, 법가위장法駕衛仗에서 방패대防牌隊 소속 군사 100인과 어가御駕의 뒤를 따르는 금오절충도위金吾折衝都尉 2인, 그리고 연등위장燃燈衛仗에서 현무대玄武隊 소속의 군사 100인, 서남경순행 회가봉영위장西南京巡幸回駕奉迎衛仗에서 역시 현무군대玄武軍隊 소속의 군사 100인 등이 그 해당자들이었다.[457)]

여타 의료들이 그러했듯 피皮와 그 제품 역시 국왕의 하사물로 이용되었다. 예종은 김연金緣에게 명하여 청연각에서 『서경書經』홍범편을 강론하게 하고 여러 왕씨(제왕諸王)와 재추·학사學士들에게 청강토록 하고는 인하여 연회를 베풀고 창화唱和하게한 후 각자에게 난선煖扇과 함께 초피貂皮를 하사하고 있으며,[458)] 희종은 노인사설의老人賜設儀를 베푼 자리에서 재추宰樞(종2품 이상)와 3품직을 지낸 사람들에게 여러 물품과 더불어 홍정피紅鞓皮 1요腰(벌)씩을 내리고 있는 것이[459)] 그런 예의 일부이다. 그리고 공민왕은 염제신廉悌臣을 서북면 도원수西北面都元帥로 삼고는 금대金帶와 함께 초구貂裘를 사여하고 있지마는,[460)] 담비 가죽으로 제작한 갖옷(겉옷)의 존재가 찾아진다는 점에서 눈길이 간다. 또 공양왕 때에는 이미 여러 차례 인용한 일이 있는 방사량 상소에, 「여염집(인가人家) 자손들이 혹 집이 가난하고 돈이 없어 능綾·금錦으로 된 침구를 마련하지 못하거나 피 혼수품 예물(피폐皮幣)과 의복을 갖추지 못해 세월만 오래 끌다가 혼인할 때를 잃고 있습니다」라고한[461)] 대목이 보이거니와, 여염집으로 표현된 그리 지위가 높거나 부유하지

457) 『고려사』 권72, 志26, 輿服 儀衛 해당 항목.
458) 『고려사』 권14, 세가, 예종 12년 12月.
459) 『고려사』 권68, 志22 禮10, 嘉禮 老人賜設儀 희종 4년 10월.
460) 『고려사』 권39, 세가, 공민왕 5년 9月·『고려사』 권111, 列傳24, 廉悌臣傳.
461) 『고려사』 권85, 지39, 刑法2 禁令·『고려사절요』 권35 공양왕 3년 3월.

못한 집에서도 혼인시에 가죽으로 된 예물을 이용하는 경우도 어느 정도 있었음을 암시해주고 있다는 데서 역시 주목되는 기사의 하나이다.

그렇지만 피皮가 한층 중요한 물품으로 대두하는 것은 고려가 역시 유목민족인 몽고와 깊이 얽히면서부터였다. 그리하여 사절이 왕래하는 초기인 고종 12년에 벌써 수달피水獺皮를 예물로 사여하고 있으며,[462] 18년 12월과 40년 9월·44년 추7월에 연이어 몽고의 장수들에게 여러 값진 물품과 더불어 수달피를 보내고 있다.[463] 그후 원종 3년에는 고예高汭를 몽고에 파견하여 표表를 올리게 하면서 금종金鐘·진자라眞紫羅·세저포細苧布 등과 함께 수달피 77령領을 헌정하고 있고,[464] 다음해에도 예빈경인 주영량朱英亮 등을 몽고에 보내 주紬·백저포白苧布·표지表紙 등과 더불어 수달피 500령을 바치고 있다.[465]

보다시피 이때까지의 가죽 제품은 수달피에 한정되다시피 하였는데 이후에는 크게 확대되어 그와 함께 호랑이(범)·표범·곰·염소 등에 걸치고 있다. 즉, 충렬왕 19년에 왕과 공주(충렬왕비 제국대장공주)가 황태자인 진금眞金의 비妃를 뵈면서 금종金鐘·은우銀盂 등과 함께 호피虎皮와 표피豹皮 각각 9령領 및 수달피 27령을 바치고 있고,[466] 다음해 황태자의 즉위에 즈음해서 금종과 은우·자라紫羅 등과 더불어 표피豹皮 18령과 수달피 81령을 헌납하고 있으며,[467] 22년 11월에 왕과 공주가

462) 『고려사절요』 권15, 고종 12년 春正月.
463) 『고려사』 권23, 세가, 고종 18년 12월 乙卯·庚辰·甲戌·『고려사절요』 권16, 고종 18년 12月·『고려사절요』 권17, 고종 40년 9月·『고려사』 권24, 세가, 고종 44년 秋7月.
464) 『고려사』 권25, 세가, 원종 3년 12월 丁卯.
465) 『고려사』 권25, 세가, 원종 4년 夏4月 甲寅.
466) 『고려사』 권30, 세가, 충렬왕 19년 12月 乙巳.
467) 『고려사』 권31, 세가, 충렬왕 20년 夏4月 甲午.

황제를 알현하면서는 금병金甁·금종金鐘·자라紫羅·백저포白苧布·대모玳瑁 등과 함께 호피와 표피 각각 13령과 수달피 77령을 바치고도 있다.[468] 왕 21년에 중랑장 조침趙琛을 원나라에 보내 제주에서 진헌한 저포苧布·목의木衣 등과 더불어 환피貛皮(오소리 가죽) 76령·야묘피野猫皮(들고양이 가죽) 83령·황묘피黃猫皮 200령·고라니 가죽 400령을 올린 것은[469] 특수한 예에 해당하는 것이겠다.

이어서 세자로 있는 충선忠宣이 원나라로 들어갈 때에 권의權宜가 호피 20장을 올리고 있는 사례가 보이며,[470] 충숙왕 후7년後七年에는 원나라 사절로 온 실리미失里迷에게 재추들이 은銀·능綾·저苧와 호피(범가죽)·표피豹皮·웅피熊皮를 증정하고 있고,[471] 새로 즉위하여 원에 머물고 있는 충혜왕에게 고려 조정에서는 대호군大護軍 최성崔成 등을 파견하여 백저포白苧布와 호피·표피를 올리고 있는 사례도 찾아진다.[472] 그리고 충목왕 원년에는 원나라에서 사람을 보내 웅피와 고피羔皮(염소가죽)를 구하고도 있지마는,[473] 그에 답하듯 공민왕은 상호군上護軍 강중경姜仲卿 등을 원에 보내 그들 물품을 바치고 있다.[474] 그밖에 우왕이 판도판서 이자용·사재령司宰令 한국주韓國柱 등을 일본의 구주절도사九州節度使인 원료준源了浚에게 파견하여 왜구倭寇를 금지시켜 줄 것을 요청하면서 그 편에 금은주기金銀酒器와 인삼·석자席子(화문석)와 함께 호피와 표피를 보내고 있는 것은[475] 역시 특수한 사례에 해당한다.

---

468) 『고려사』 권31, 세가, 충렬왕 22년 11月 甲申.
469) 『고려사』 권31, 세가, 충렬왕 21년 閏4月.
470) 『고려사』 권123, 列傳36, 嬖幸1, 權宜傳.
471) 『고려사』 권35, 세가, 충숙왕 後7年 8月.
472) 『고려사』 권36, 세가, 충혜왕 卽位年 3月 丁巳.
473) 『고려사』 권27, 세가·『고려사절요』 권25, 충목왕 원년 秋7月.
474) 『고려사』 권38, 세가, 공민왕 2년 春正月.
475) 『고려사』 권133, 列傳46, 禑王 4년 10월.

4

고려시대 사람들 의복식의 분류와 형태

(1) 의복식의 분류

의복식은 그 기준을 어디에 두느냐에 따라 여러 갈래로 분류할 수가 있다. 그 하나로 우선 『고려사』 권72, 여복지輿服志의 ① 왕 관복王冠服, ② 제복祭服, ③ 시조복視朝服, ④ 왕비 관복王妃冠服, ⑤ 왕세자 관복王世子冠服, ⑥ 백관 제복百官祭服, ⑦ 조복朝服, ⑧공복公服, ⑨장리 공복長吏公服으로 나눈 관복조冠服條를 들 수 있다. 그 ①은 고려 국왕이 송·요·금나라로부터 사여받은 관冠과 복식 등을 소개한 부분이고, ②는 역시 국왕이 제례 때에 착용한 곤복袞服인 현의玄衣(검붉은 색의 상의上衣)와 훈상纁裳(분홍색 하의下衣, 곧 치마) 등의 내용과 함께 공민왕이 명나라로부터 사여받은 면복冕服에 대해 설명한 대목이며, ③은 신정 등을 맞이하여 조정 하례가 행하여질 때 국왕이 자황포赭黃袍(주황색 도포)를 입었다는 사실과 더불어 역시 공민왕이 명나라로부터 원유관遠遊冠 등을 사여받은 것을 전하는 항목이다. 다음 ④는 방금 소개한 명나라로부터의 사여 때에 우리나라의 왕비에게도 명 태조의 효자황후孝慈皇后가 관복冠服을 내려준 내용을 기술한 대목이고, ⑤는 요나라의 사여가 있었던 문종과 숙종조에는 우리의 왕세자에게 역시 관복冠服과 의대衣帶도 함께 사여되었음을 전해주는 항목이다. 그리고 ⑥은 제례에 참여하는 백관百官들이 착용하는 의衣·상裳 등의 내용을 품계별·직위별로 나누어 소개함과 동시에 공민왕 때에 명나라에서 제사를 받드는 우리의 군신群臣들에게 내린 관복冠服에 대해 소개한 부분이고, ⑦은 신정 등을 맞이하여 조정의 하례가 있을 때에 신료들이 착용하는 복식에 대한 기술이며, ⑧은 고려 초기에 정해진 자삼紫衫·단삼丹衫·비삼緋衫·녹삼綠衫의 4색공복제와 그 후의 각 품계 관원들이 착용한 옷과 띠 등을 차례로 소개한 항목이다. 끝으로 ⑨는 명칭 그대로 지방의 장리, 곧 향리들의 공복을 언급한 대목인데, 보다시피 이것들은 왕실과 국가의 신료들을 대상으로한 일종의 공적 직위 내지는 그에 따른 용도까지를 참작한 분류라고 할 수 있을 것 같다. 본래 전근대의 사서史書가 치자治者 중심이었던 만큼 『고려사』의 의복식조 역시 그에 맞도록 구성되었다고 하겠거니와, 더군다나 그 내용의 상당 부분이 외국으로부터 사여받은 것으로 채워져 있다는 점에서 우리들이 추구하는 의복식의 본래 취지와는 거리가 큰 분류라고 평가할 수밖에 없을 듯하다.

다음으로 또하나 고려시기의 의복식을 분류해놓은 사서로는 송나라 사절의 한 사람으로 인종 원년(1123)에 고려를 다녀간 서긍이 견문록으로 남긴 『선화봉사고려도경宣和奉使高麗圖經』이 찾아진다. 거기에 보면 권7에 관복조冠服條를 설정하고 의복식을 ① 왕복王服, ② 영관복令官服, ③ 국상복國相服, ④ 근시복近侍服, ⑤ 종관복從官服, ⑥ 경감복卿監服, ⑦ 조관복朝官服, ⑧서관복庶官服으로 나누어 차례로 소개하고 있는 것이다. 이것은 얼핏 보더라도 국왕과 고위관료들을 직위별로 분류, 설명하였음을 알 수 있는데, 그 내용은 대략적이나마 각급 인원들이 착용하는 복식에 대한 언급이어서 실상을 파악하는데 얼마간의 도움을 받을 수 있을 것 같다. 하지만 외국인으로서의 편견과 잠시 동안의 견문에 따른 한계 같은 문제점이 없지 않은 데다가 그 대상이 상급층에 한정되어 있어서 위에든 『고려사』 여복지 관복조冠服條가 지니는 문제가 여기에도 내재한다고 보아야 할 것으로 생각된다.

그런데 한편으로 이 『고려도경』에는 권21에서 하리직下吏職에 해당하는 ① 이직吏職, ② 산원散員,[1] ③ 인리人吏, ④ 정리丁吏, ⑤ 방자房子, ⑥ 소친시小親侍, ⑦ 구사驅使를 소개하면서 그들의 의복식에 대해서도 언급함으로써 이 방면에 대한 이해를 돕고 있다는 점에서 다른 일면을 살필 수 있다. 나아가서 권19에 민서조民庶條를 따로 설정하고 ① 진사進士, ② 농상農商, ③ 공기工技, ④ 민장民長, ⑤ 주인舟人에 대한 설명과 함께 역시 단편적이긴 하지만 의복식에 관한 소개도 곁들여 이해에 적지 않은 도움을 얻을 수 있다. 요컨대 『고려도경』은 왕실과 양반 관료, 중류층부터 농·공·상·어민에 이르는 하층민까지의 인원 전반이 착용하는 의복식에 대해 매우 제한적이기는 하더라도 소개하고 있다는 점에서 지니는 의미가 적지 않다고 본다. 그렇지만 이것 또한 당시의 사회상을 반영하여 그 분류의 기준을 직위·신분에서 구하고 있어 의복식 본래의 모습과 의미를 찾는 데에는 한계를 지니게 마련이었다고 할 수 있다.

『고려사』 등의 사료들을 살펴가노라면 의복식의 분류 기준이 매우 다양했다는 것을 알 수 있다. 그 하나가 의료衣料에 의해 분류한 것으로 가장 널리 이용되었다. 그 사례는 하나하나 다 열거할 수 없을 정도로 다수인데 편의를 위해 앞 부분을 다루는 과정에 나왔던 것들 만을 참고로 소개하면 다음과 같다.

① 마의麻衣(47·59쪽), 녹마의綠麻衣(57쪽), 마곤麻裩(57쪽)
② 포의布衣(47·58쪽), 포군布裙(58쪽), 청포착의青布窄衣(71쪽)
③ 백갈군白葛裙(57쪽), 백갈의白葛衣(57쪽), 갈의葛衣(61쪽), 갈포의葛

---

1) 散員은 武班(西班)의 정8품직으로(『고려사』 권77, 백관지2 서반) 吏屬과는 본래 구분되어야 하는 직위이다.

布衣(61·62쪽)

④ 저의紵衣(70쪽), 저상紵裳(70쪽), 저삼紵衫(70쪽), 백저궁고白紵窮袴(71쪽), 백저황상白紵黃裳 (71쪽), 백저포白紵袍(71·72·105쪽), 백저의白紵衣(73쪽)

⑤ 자주소수의紫紬小袖衣(86), 주포의紬布衣(88쪽), 주저조복紬紵朝服(129(쪽)

⑥ 면의綿衣(91쪽), 면고綿袴(91쪽)

⑦ 견고絹袴(93쪽), 비견의緋絹衣(94쪽), 비견고緋絹袴(94쪽)

⑧ 나의羅衣(93·109쪽), 자라공복紫羅公服(107쪽), 자문라포紫文羅袍(108쪽), 비문라포緋文羅袍 (108쪽), 홍문라포紅文羅袍(108쪽), 자라착의紫羅窄衣(108쪽), 백라중단白羅中單(108쪽), 녹라한삼綠羅汗衫(108쪽), 비라배자緋羅背子(108쪽), 조라삼早羅衫(109쪽), 자라삼紫羅衫(109쪽)

⑨ 능라의복綾羅衣服(102쪽), 문릉관고文綾寬袴(105쪽), 백릉고白綾袴(105쪽), 2색릉의二色綾衣(105쪽), 능사유의綾紗襦衣(107쪽)

⑩ 사라의紗羅衣(88·122쪽), 사라능단의紗羅綾段衣(102쪽), 사라금수의紗羅錦繡衣(113쪽), 자사오자紫紗襖子(122쪽), 강사포絳紗袍(122쪽), 사라의복紗羅衣服(122쪽)

⑪ 초라조복綃羅朝服(84·129쪽)

⑫ 자기구紫綺裘(126쪽), 기유綺襦((126쪽)

⑬ 환곡紈穀 옷(128쪽), 환고紈袴(129쪽)

⑭ 금의錦衣(115·117쪽), 구문금포毬文錦袍(116쪽), 금수의錦繡衣(118·120쪽)

⑮ 황계삼黃罽衫(113·132쪽), 홍계편복紅罽便服(132쪽)

⑯ 피갑皮甲(131·134쪽), 초구貂裘(135쪽)

다음으로 또 하나 분류의 기준이 되고 있는 것은 용도用途에 의한 것이다. 융복戎服과[2] 융의戎衣[3] 및 군의軍衣는[4] 이 범주에 속하는 한 부

2) 『고려사』 권85, 지39, 刑法2 禁令, 충렬왕 元年 6月·같은 책 권44, 世家와 『고려사절요』 권29, 공민왕 22년 冬10月·『고려사』 권103, 列傳16, 趙沖傳·같은 책 권

류이겠다. 그리고 추위와 더위에 대처하기 위한 동의冬衣와[5] 하의夏衣도[6] 마찬가지일 것이며, 평상복을 뜻하는 편복便服[7] 역시 유사한 경우로 생각해도 좋을 듯하다. 이밖에 잠옷을 지칭하는 침의寢衣와[8] 평상복으로 끼어 입는 습의襲衣,[9] 양반의 아내들이 교외로 외출할 때 입던 예복인 노의露衣[10] 등도 용도에 따라 착용하던 의복들로 이해된다.

이와 함께 의복식의 분류 기준으로 널리 이용된 것은 색깔이었다. 일찍이 광종 11년에 제정된 공복公服이 자삼紫衫·단삼丹衫·비삼緋衫·녹삼綠衫, 즉 자·단·비·녹의 4색으로 구분된게[11] 그 대표적인 예일 것이다. 이중 자주색은 가장 많이 쓰인 색깔로 자의紫衣로 표현된 사례만도 다수가 찾아지지마는,[12] 그밖에 황의黃衣,[13] 홍의紅衣와 홍배자紅背子,[14]

132, 열전45, 叛逆6 辛旽傳·같은 책 권64, 志18 禮6, 軍禮 遣將出征儀.

3) 『고려사』 권22 世家와 『고려사절요』 권15, 고종 5년 9月·『고려사』 권64, 志18 禮6, 軍禮 遣將出征儀·같은 책 권81, 志35 兵1 兵制 辛禑 2년 7월.

4) 『고려사』 권79, 志33 食貨2, 科斂 원종 11년 11월.

5) 『고려사절요』 권5, 문종 13년 9月·『고려사』 권53, 志7 五行1 水 충선왕 원년 6월·같은 책 권81, 志35 兵1 兵制 辛禑 2년 7월·같은 책 권137, 열전50, 昌王 즉위년 9월.

6) 『고려사절요』 권18, 원종 11년 3月.

7) 『고려사』 권8, 세가, 문종 22년 6月·『고려사절요』 권28, 공민왕 13년 冬10月·『고려사』 권65 志19 禮7, 嘉禮 册太后儀·같은 책 권69, 志23 禮11, 嘉禮 , 上元燃燈會儀.

8) 『高麗圖經』 권29, 供張2 寢衣.

9) 『고려사』 권14, 세가, 예종 12년 6月·『고려도경』 권7, 冠服·『고려사』 권41, 세가 공민왕 15년 12月.

10) 『고려사』 권85, 지39, 刑法2 禁令, 충렬왕 14年 4月.

11) 『고려사』 권72, 志26, 輿服 冠服-公服·『고려사절요』 권2, 光宗 11년 3月.

12) 『고려사』 권72, 志26, 輿服 冠服-冠服通制 成宗 8년 3월·같은 책 권84, 志36 兵2 宿衛 문종 18년 6월과 毅宗 21년, 정월·같은 책 권72, 志26, 輿服 冠服-冠服通制 禑王 8년 7월·『고려도경』 권11, 仗衛1 上六軍衛中檢郎將·같은 책 권21, 早隷 房子. 『고려사』 권72, 志26, 輿服 儀衛의 朝會儀仗·法駕衛仗 이하의 여러 항목에도 紫衣의 사례가 일일이 열거할 수 없을 정도로 많이 실려 있다.

주의朱衣,15) 비의緋衣와 비라배자緋羅背子,16) 녹의綠衣와 녹라한삼綠羅汗衫,17) 청의靑衣,18) 조의皁衣와 조삼皁衫, 흑의黑衣와 흑삼黑衫, 치의緇衣,19) 그리고 백의白衣와 소복素服20) 등등이 눈에 띄는 것이다.

하지만 이같은 다양한 분류에도 불구하고 그들은 위에서도 지적했듯이 전근대적인 사회상을 반영하거나 단순히 어떤 일면만을 염두에 둔 구분으로서 의복식의 본래 기능이나 우리의 생활과 연결된 모습 등을 이해하는 데는 미흡한 면이 없지 않은 것이었다. 그러므로 근래의 연구

13) 『고려도경』 권20, 婦人－貴婦·『고려사』 권26, 세가, 원종 10년 11月·같은 책 권72, 志26, 輿服 冠服－冠服通制 禑王 8년 7월,

14) 『고려사』 권44, 세가와 『고려사절요』 권29, 공민왕 22년 冬10月·『고려사』 권72, 志26, 輿服 儀衛－朝會儀仗 黑幹斫子紅羅號隊·同 燃燈衛仗 銀斫子紅羅號隊·同 八關衛仗 銀斫子紅羅號隊·同 西南京巡幸衛仗 白幹斫子紅羅號隊.

15) 『고려도경』 권12, 仗衛2 神旗軍·『고려사』 권71, 志25, 樂2 唐樂과 舞鼓·同 西南京巡幸廻駕奉迎衛仗 銀幹斫子紅羅號隊.

16) 『고려사』 권72, 志26, 輿服 儀衛－西南京巡幸衛仗 五六旗·同 法駕鹵簿 紅門大旗와 銀斫子·同 還闕奉迎鹵簿 紅門大旗·同 王太子鹵簿 白澤中旗·『고려사』 권72, 志26, 輿服 儀衛－法駕衛仗 銀斫子紅羅號隊·同 王太子鹵簿 銀斫子隊.

17) 『고려도경』 권7, 冠服 庶官服·같은 책 권21, 皁隷 吏職·『고려사』 권72, 志26, 輿服 儀衛－朝會儀仗 黑幹斫子紅羅號隊·同 法駕衛仗 銀斫子紅羅號隊·同 燃燈衛仗 銀幹斫子紅羅號隊·同 八關衛仗 銀幹斫子紅羅號隊.

18) 『고려도경』 권33, 舟楫 巡船·『고려사』 권72, 志26, 輿服 儀衛－法駕衛仗 淸遊隊·同 燃燈衛仗 淸遊隊·同 八關衛仗 玄武隊·同 西南京巡幸衛仗 淸遊隊와 白甲隊 및 玄武隊와 衛身馬隊·西南京巡幸廻駕奉迎衛仗 淸遊隊 .

19) 『고려사』 권82, 志36, 兵2 宿衛 문종 18년 6월·『고려도경』 권21, 皁隷 人吏·『고려사』 권72, 志26, 輿服 冠服－冠服通制 辛禑 8년 7월·같은 책 권71, 志25, 樂2 俗樂 舞鼓와 唐樂 獻仙桃·같은 책 권39, 세가 공민왕 6년 윤9월·『고려사절요』 권17, 고종 38년 夏5月·『고려사』 권102 列傳15, 孫抃傳·같은 책 권72, 志26, 輿服 冠服－冠服通制 충혜왕 後5年 7월.

20) 『고려사』 권73, 志27, 選擧1, 科目1 의종 8년 5월·같은 책 권85, 志39, 刑法2 禁令 충렬왕 25년 9월·『고려사절요』 권27, 공민왕 10년 6月·『고려사』 권64, 志18, 禮6, 凶禮, 國恤 공민왕 14년 2월·同 軍禮 救日月蝕儀·같은 책 권34, 세가 충숙왕 3년 春2月.

자들은 합당한 분류 방식을 모색하게 되었고, 그 결과로 「복식의 기본형」 또는 「일반 복식」이라고 일컫는 새로운 분류를 하게 되었다. 이 방면의 선두 주자는 이여성李如星으로서, 그는 상대上代의 의복식을 형태에 초점을 맞추어 웃옷인 저고리(유襦·단의短衣)와 아랫도리의 옷인 바지(고袴)·치마(상裳), 그리고 그들 위에 입는 포袍(두루마기)에다가 요부의 띠(대帶) 및 두부의 관모冠帽와 족부의 신(이류履類)으로 구성되었다고 파악하였다.[21] 이어서 그는 이들 각각에 대하여 대체적인 설명을 곁들이고 있거니와, 이같은 그의 연구는 이후 한국의 복식사에 관심을 가진 연구자들에게 커다란 영향을 미쳤다. 근대 한국복식사의 기초를 닦아가는데 많은 역할을 담당하고 있는 김동욱金東旭의 『이조전기 복식구조李朝前期 服飾構造』, 한국연구원, 1963; 『한국복식사연구韓國服飾史研究』, 아세아문화사, 1973과 유희경의 『한국 복식사 연구』, 이화여대 출판부, 1975를 비롯하여 근자의 김문숙, 『고려시대 원간섭기 일반복식의 변천』, 서울대 이학박사학위 논문, 2000 등에 이르는 여러 연구서들에서 얼마간의 차이가 있기는 하지만 기본 구조는 그에 따르고 있다는 데서 그점을 알 수 있다. 이는 이여성의 파악이 그만큼 합당한 방식이었음을 반증한다는 의미를 지니기도 하는 듯싶거니와, 그러므로 고려시기의 의복식 분류도 역시 그것에 따르는게 좋지 않을까 생각된다. 물론 위의 분류가 대체적으로 삼국 이전, 즉 고대사를 대상으로한 것이지만 고려 시기라 하여 저들과 기본구조가 달라진 것은 아니라 이해되고 있기 때문에 이 또한 별 문제가 없으리라 짐작되는 것이다. 결국 고려의 의복식을 위에 대략 소개한바 저고리와 바지·치마, 그리고 포袍와 이들에 부수된 삼衫과 구裘 및 두의頭衣인 관모冠帽, 족의足衣라할 버선

21) 李如星, 「상대 복식의 기본형」 『朝鮮服飾考』, 白楊堂, 1947; 범우사, 1998, 70쪽.

과 신발에 대해 차례로 살펴보고자 하는 것이다.

(2) 저고리(유襦·의衣·단의短衣)와 삼衫

우리들의 웃옷을 지칭하는 저고리라는 용어는 조선의 세종 2년(1420) 9월에 원경왕후元敬王后를 위한 천전의遷奠儀 행사에 올린 물품의 하나인 「홍단자紅段子(로 제작된) 적고리赤古里」에서 유래하는 것으로 알려져 있거니와,[22] 그 이전부터의 한자 표기로는 「유襦」자를 썼다. 그러므로 우리나라에서도 삼국의 이전은 말할 것 없고 고려시기를 다룬 사서史書 등에서 유襦를 찾아볼 수 있는 것이다. 그 한 사례로 고종 18년(1231)에 몽고의 사절로 왔다가 돌아가는 편에 예물로 황금 등과 함께 유의襦衣 1,000벌을 줌과 동시에 장군 조시저曹時著를 파견하여 적장인 살례탑撒禮塔에게 역시 황금 등과 함께 주포유의紬布襦衣(명주로 된 저고리) 2,000벌을 보내고, 또 그의 휘하 장수들에게도 능사유의綾紗襦衣(능이나 사로 제작한 저고리) 등을 사여한 것을 들 수 있다.[23] 이어서 우왕 때에는 이성계가 호랑이를 잡아 바치자 왕이 유의襦衣 한 벌을 하사하면서 「악惡한 짐승은 잡는게 옳으나 역시 위험한 일이므로 이후에는 삼가시오」라고 했다는 것과,[24] 좀 시기를 거슬러 올라가서는 인종 원년(1123)에 고려를 다녀간 송나라 사람 서긍이 견룡군牽龍軍에 대해

22) 『朝鮮世宗實錄』 권9, 世宗 2년 9월 戊寅. 이 내용을 처음으로 소개한 것은 金東旭, 「우리 服飾의 基本構造」 『李朝前期 服飾構造』, 한국연구원, 1963, 173쪽에서였다.

23) 『고려사』 권23, 世家 고종 18년 12月 庚辰. 『고려사절요』 권16, 고종 18년 12월조에도 이 기사가 실려 있는데 서술의 내용은 조금 다르다.

24) 『고려사』 권133, 列傳46, 禑王 원년 10월.

언급하면서 「포유布襦에 혁리革履(가죽신)를 신고 많은 말을 부린다」고 한 데서[25] 또다른 예를 볼 수 있다. 그리고 이들과는 좀 달리 일반 민인民人들을 상대로 한 사례로는 이규보가 「아내는 손수 금정의 물을 깃고婦親金鼎水, 애들은 향풀 수놓은 옷(저고리)을 좋아하네兒媚繡襦蓀」라고 읊은 시 구절과,[26] 「비단 저고리(나유羅襦)에 잔주름 치마(세접군細摺裙) 새로 입었으니」라고 읊은 시 구절에[27] 나오는 유襦를 지적할 수 있다.

이런 사례들에도 불구하고 그 숫자가 좀 적지 않느냐는 느낌을 받는데, 그것은 아마 우리들이 이미 알고 있듯이 저고리 같은 웃옷을 '의衣'로 표기하기도 했던데 원인이 있는게 아닐까 짐작된다. 물론 의衣라고 해서 모두가 웃옷만을 의미한 것은 아니고 옷 일반을 가리키는 경우도 많았다. 현종 2년에 동여진 추장이 무리와 함께 와서 방물方物을 바치자 「각자에게 의복衣服과 은그릇을 사여하였다」거나[28] 숙종이 새 급제자를 인견하시고 「의복과 주酒·식食을 사여하고」 있는 것,[29] 공민왕이 「정세운鄭世雲을 서북면도순찰사로 삼고 군인 가운데 공로가 있는 자에게 은기銀器·서백絮帛과 의복을 차등을 두어 사여하고」 있는 것[30] 등과, 현종 9년에 동여진 사람이 부락민과 함께 와서 말과 담비가죽을 바치자 「의물衣物을 사여하고 있는 것」,[31] 같은 왕 11년에 국왕이 현화사

25) 『고려도경』 권12, 仗衛2 左右衛牽龍軍.
26) 『東國李相國全集』 권5, 古律詩 「梁公見和 復用前韻」.
27) 『동국이상국전집』 권5, 古律詩 「次韻李君見和」.
28) 『고려사』 권4, 세가·『고려사절요』 권3, 顯宗 2년 5月.
29) 『고려사』 권74, 志28 選擧2, 科目2 凡崇奬之典, 肅宗 7년 11월.
30) 『고려사』 권39, 세가, 공민왕 9년 春正月. 이처럼 '衣服'을 칭한 사례는 이곳에 하나 하나를 다 열거할 수 없을 정도로 많은 숫자가 찾아진다.
31) 『고려사절요』 권13, 현종 9년 2월.

에 가서 친히 새로 주조한 종을 쳐보고 또 여러 신료들에게도 치게 하고는「각기 의물과 필단匹段을 희사토록 하고」있는 것,[32] 문종이 국로國老들에게 합문閤門에서 잔치를 베풀고「의물을 사여하고」있는 것[33] 등이 그들로서 이곳 '의복'·'의물'의 '의'는 아무래도 옷 일반을 말하는 게 틀림이 없다고 생각되는 것이다. 아울러 이처럼 의복·의물이 아니라 '의'가 독자적으로 쓰였음에도 역시 옷 일반으로 이해해야할 경우가 적지 않은 것 같다. 예종이 새로 급제한 노현용盧顯庸 등을 인견하고「의衣·주酒를 사여하였다」고한 것과[34] 인종조에 비록 하리下吏였으나 청렴했던 함유일咸有一은「집이 가난하여 항상 헤진 옷(의폐衣弊)을 입고 뚫어진 신(이천履穿)을 신었다」고한 경우,[35]「고종 19년 5월에 의衣·식食·기명器皿의 사치를 금하였다」고한 것[36] 등이 그같은 사례들이다. 그리고「의 일습衣一襲(옷 한 벌)」·「의 일령衣一領(옷 한 벌)」으로 표기된 경우도[37] 마찬가지라고 판단된다. 그런가 하면 한편으로 앞서 언급한바 '의衣'가 웃옷을 지칭하는 경우로 짐작되는 사례 역시 다수 대할 수 있는데, 마의·포의布衣·갈의葛衣·나의羅衣·금의錦衣나 하의夏衣·침의寢衣 및 자의紫衣·홍의紅衣·청의青衣 등등이 그렇지 않나 싶다. 그리고 이런 측면은 '의衣'와 함께 상裳(치마)·고袴(바지) 등이 나란히 언급된 기사를 보면 한층 명확해진다. 본래 동양에서는「웃옷과 아래 치마

32)『고려사』권4, 세가 현종 11년 9월.

33)『고려사절요』권5, 문종 21년 5월. 이외에도 '衣物'을 칭한 사례가 다수 눈에 띈다.

34)『고려사』권74, 志28 選擧2, 科目2 凡崇奬之典, 睿宗 4년 2월.

35)『고려사』권99, 列傳12, 咸有一傳.

36)『고려사』권85, 지39, 刑法2 禁令. 유사한 사례들은 얼마 더 찾아볼 수 있다.

37)『고려사절요』권8, 예종 11년 11월·『고려사』권22, 세가 고종 4년 5월·같은 책 권40, 세가 공민왕 12년 秋7月·같은 책 권46, 세가 공양왕 3년 2月·同 3년 5월 등 다수가 찾아진다.

(상의 하상上衣下裳)를 만드는 것이」「성인聖人의 일어남을 볼 때 반드시 그 일대의 법(일대지법一代之法)이 있었듯」「대개 하늘과 땅에서 그 모양을 취한 것(개취상어건곤蓋取象於乾坤)」이라 사유되고 있었다 한다.[38] 천지天地의 이치에 비교될만큼 당연한 일로 이해하여 왔음을 알 수 있다. 그리하여 이 습속은 당시인들의 생활에 널리 깃들어 왔거니와, 고려시기에도 마찬가지 였다. 이제 그 몇몇 실례들을 찾아보면, 먼저 백관百官의 제복祭服으로 태상경太常卿(정3품)·광록경光祿卿·전중감殿中監(종3품) 등이 착용하는 현의玄衣(검붉은 색의 상의, 즉 저고리)와 훈상纁裳(분홍색 치마), 그리고 태축太祝(정9품)·태상박사太常博士(종6품)·봉례랑奉禮郞(정9품)이나 상의봉어尙衣奉御(정6품)·통사사인通事舍人(종6품)·어사御史(종6품) 및 태악령太樂令(종7품)·태관령太官令(종7품)·양온령良醞令(정8품) 등이 각각 착용하는 의衣·상裳을 들 수 있다.[39]

유사한 현상은 의衣(저고리)·고袴(바지)에서 한층 다양하게 나타나고 있는데, 문종 12년「겨울 10월에 동로東路 변경에 있는 군인들에게 의고衣袴를 사여하였다」고한 것과,[40] 같은 왕 18년「12월에 명하여 정포고征袍庫의 솜저고리·바지(면의고緜衣袴)와 털모자(모관毛冠) 및 가죽신을 내어서 병졸중의 빈핍자貧乏者에게 사여토록 하였다」고한 것,[41]「선종 원년 11월에 눈바람(풍설風雪)으로 추위가 심함에 왕께서 변경을 지키는 사졸들이 혹한을 겪고 있음을 염려하여 건명고乾明庫의 평포平布 1천여필로서 정포도감征袍都監에 명해 의고衣袴를 제작토록 하여 나누어 주고」있는 것[42] 등은 그 몇 사례들이다. 이어서 인종 9년에는「서

38)『牧隱文藁』권11, 表·牋·批答·教書·頌「請冠服表」.
39)『고려사』권72, 志26, 輿服 冠服－百官祭服 毅宗朝詳定.
40)『고려사절요』권5.
41)『고려사』권81, 志35 兵1 兵制·『고려사절요』권5, 문종 18년 12월.

인庶人들이 나의羅衣와 견고絹袴를 (입는 것과) 도성 안에서 말을 타는 것 및 노예들이 가죽 띠를 차는 것을 금하였다」는 기사가 보이며,[43] 태묘太廟에 대한 제례祭禮에 참여하는 태상시太常寺의 일원인 태상재랑太常齋郎은 비견의緋絹衣(붉은 비단 상의)와 비견고緋絹袴(붉은 비단 바지)를 입었다는[44] 기록도 눈에 띈다. 뿐 아니라 『고려사』 권72, 여복지의 의위조儀衛條와 노부조鹵簿條에는 여러 행사에 참여하는 국왕과 왕태자에 대한 시위侍衛와 각종 물품을 담당하는 적지 않은 숫자의 군사들이 보이는데, 이들의 상당수가 비의緋衣와 한고扞袴[45](또는 한고와 비의)를 착용하도록 되어 있었다는 사실도 전해지고 있다. 구체적으로 팔관위장八關衛仗에서의 황룡대기黃龍大旗를 담당한 군사軍士와 서남경순행위장西南京巡幸衛仗에서의 5방기五方旗를 담당한 협군사夾軍士 및 법가노부法駕鹵簿에서 홍문대기紅門大旗를 담당한 협군사와 은작자銀斫子를 지닌 군사를 비롯하여 왕태자 노부王太子鹵簿에서 잡채기雜彩旗를 담당하는 군사에 이르기까지 모두 14개 부분의 군사들이 동일한 복장을 착용하도록 되어있는 것이다.

웃옷인 저고리는 이상에서 설명했듯이 유襦 또는 의衣라 호칭되었는데 그것에 더하여 단의短衣라는 명칭도 지니고 있었던 것으로 알려져 있다. 『설문해자說文解字』에 유襦는 단의短衣라 설명되어 있는 데서 그 근거를 찾을 수 있거니와, 그렇기 때문에 초기 연구자들은 모두 이 호칭을 주제어로 삼고 있기도 하다. 고대로부터 고려시기에 이르러서도

---

42) 『고려사』 권81, 志35 兵1 兵制－五軍·『고려사절요』 권6, 宣宗 元年 冬11月.
43) 『고려사』 권85, 지39, 刑法2 禁令·『고려사절요』 권9, 仁宗 9年 5月.
44) 『고려사』 권72, 志26, 輿服 冠服－百官祭服 毅宗朝詳定.
45) 扞袴는 활동을 편리하게 하기 위하여 무릎 아래를 묶는 바지를 말한다(『국역고려사』 17, 志5, 景仁文化社, 2011, 261쪽 주228).

저고리는 최소한도로 허리 이하에까지 내려오도록 길이가 상당히 길었다. 그러다가 조선조에 들어와 짧아지지만, 그러므로 논자들은 단의短衣의 단短 자字는 포袍(두루마기)에 대칭되는 의미를 지니는 것으로서 저고리 길이가 짧은 것을 뜻하는 것은 아니라고 이해하고들 있다.[46] 그러면 실제로 저고리의 길이가 짧아지기 시작하는 것은 언제부터 였을까? 그것은 아마 고려가 여러 면에서 원나라의 영향을 받는 고려후기부터일 것이라는 견해가 조선후기의 실학자인 이덕무 등이 제기한[47] 이후 근래의 연구자들 중에도 그대로 수긍하는 논자가 없지 않으나,[48] 대체적으로는 원나라의 짧은 저고리의 영향을 받아 부분적으로 변용이 없지는 않았다 하더라도 고려시기에는 기본적인 형태가 그대로 지속되었다고 보고 있다.[49] 단의短衣라는 용어가 우리의 사서史書에서 처음으로 등장하는 것은 『삼국사기』 권33, 잡지雜志2 색복조色服條의 6두품녀六頭品女와 5두품녀·4두품녀에서이다. 포袍 보다는 짧고, 유襦보다는 긴 상의上衣인 오의襖衣·오자襖子가 『고려사』 권2, 세가 광종 10년(959)조와 같은 책 권23, 세가 고종 18년(1231) 12월조에 보인다는 점도 이 부분을 이해하는데 많은 참고가 된다. 이후의 고려시기 기록으로는 김극기金克己가 지은 시詩의 하나인 「전가4시田家四時」에 「여우와 토끼를 좇아 달릴 때, 짧은 옷(단의短衣)에는 흐르는 피 묻었네」라는 구절이 전

---

46) 李如星, 「단의短衣 : 저고리」 『朝鮮服飾考』, 白楊堂, 1947; 범우사, 1998, 71쪽.
유희경, 「襦; 短衣」 『한국복식사 연구』, 이화여대출판부, 1975, 22쪽.

47) 김문숙, 「저고리에 대한 원대 복식의 영향」 『고려시대 원간섭기 일반복식의 변천』, 서울대 박사학위 논문, 2000, 176쪽.

48) 金東旭, 「저고리短衣」 『李朝前期 服飾構造』, 韓國硏究院, 1963; 亞細亞文化社, 1973, 173쪽.

49) 유희경, 주 46)의 글 24쪽.
김문숙, 주 47)의 글 179쪽.

해져[50] 그 편린이나마 엿볼 수 있다.

다음은 저고리의 임형袵型 문제인데, 이점에 대해서는 우리의 경우 애초에는 좌임左衽(옷을 입을 때 오른쪽 섶을 왼쪽 섶의 위로 여미는 것)이 주였으나 이미 삼국시대 전후가 되면 좌임과 우임右衽이 뒤섞이는 양상을 띠는 가운데 점차 후자쪽으로 기울어지다가 고려에 접어들면 아예 우임 일색으로 된다는게 대략 논자들의 공통된 의견이다.[51] 필자 역시 이 견해가 옳은 듯 싶거니와, 그것은 현종 원년(1010)에 거란의 성종聖宗이 몸소 대군을 이끌고 제2차의 침입을 강행해 오자 신료들의 항복하자는 건의에도 불구하고 그 예봉만은 피하되 끝까지 대결할 것을 주장하여 마침내 국가의 위기를 넘기게 했던 강감찬姜邯贊을 뒤에 내사시랑동내사문하평장사內史侍郎同內史門下平章事(정2품)로 임명하면서 왕이 몸소 고신告身(임명장)에다가, 「경술년(현종 원년)에 거란 오랑캐가 전쟁을 일으켜 깊숙히 한강변까지 들어왔을 때 강공姜公의 계책을 쓰지 않았더라면 온 나라가 모두 좌임인左衽人(북방 호족胡族 풍습, 즉 야만인)이 되었을 것이다」라고 써서 주니 세상 사람들이 큰 영예로 여겼다고한[52] 기사를 통해 짐작할 수 있는 것이다.

저고리에 있어 그 길이·임형袵型과 함께 주목할 부분의 또하나는 소매(수袖)의 형태였다. 여러 문헌들을 살펴 보면 이와 관련된 용어로 대수大袖와 소수小袖, 그리고 광수廣袖와 착수窄袖 등이 나온다. 이들에 대해 연구자들은, 대·소수는 소매 주둥이(수구袖口)의 대·소, 즉 크고 작

---

50) 『東文選』 권4, 五言古詩 「田家四時」.

51) 李如星, 주 46)의 글 73~75쪽.
金東旭, 주 48)의 글 171쪽.
유희경, 주 46)의 글 23쪽.

52) 『고려사』 권94, 列傳7, 姜邯贊傳.

음을 말하며, 광·착수는 소매 넓이의 광·착, 즉 넓고 좁음으로 해석하고, 대수·광수는 신분적·경제적으로 상위에 있는 사람들과 대략 연결되고, 소수·착수는 그 반대일 것으로 이해하였는데,[53] 수긍이 가는 판단으로 생각된다.[54]

한데 고려시기를 다룬 기록들을 조사하여 본즉 대수의大袖衣와 소수의小袖衣, 그리고 착수의窄袖衣만이 눈에 띄었다.[55] 이들중 전2자前二者는 모두 『고려사』 권72, 여복지의 의위조儀衛條와 노부조鹵簿條에 실려 있는바 각종 국가 행사에 동원되는 군사軍士들의 복식으로 언급된 것들이다. 그중 먼저 대수의를 입은 사례로는 대관전大觀殿 조회의장朝會儀仗에서 가서봉哥舒捧을 담당한 군사들이 입각모立角帽를 쓰고 보상화寶祥花 (무늬를 넣은) 대수의를 입었다고한 것과, 법가위장法駕衛仗에서 방패대防牌隊의 공군사控軍士(말을 다루는 군사)들이 입각모에 자보상화紫寶祥花(자주색의 보상화) 대수의를 입었다고 한 것, 법가노부法駕鹵簿에서 은장장도대銀粧長刀隊 군사들이 입각모에 비보상화緋寶祥花(붉은색의 보상화) 대수의를 입었다고 한 것 등이 그것들로, 전체는 24사례를 상회하고 있다. 여기에서 입각모는 모체에 좌우로 달린 각이 위로 올라간 형태를 말하며,[56] 보상화는 불교미술에서 흔히 쓰이는 상상의 꽃으로 인도에서 생겨나 중국을 거쳐 우리나라와 일본에 전해진 것으

53) 李如星, 주 46)의 글 71~75쪽.
金東旭, 주 48)의 글 171쪽.
유희경, 주 46)의 글 22~23쪽.

54) 필자는 얼마 전에 『고려사』 여복지를 역주하면서 소수의를 '소매가 좁은 옷'이라 해설한바 있는데 그것은 잘못이었던 것 같다(박용운, 『고려사 여복지 역주』, 경인문화사, 2013, 123쪽).

55) 조사가 얼마나 철저하게 이루어졌는지 나 스스로도 의심이 없지 않아 앞으로 수정이 불가피할지도 모른다는 점을 지적하여 미리 양해를 구해 둔다.

56) 『국역 고려사』 권17, 志5, 경인문화사, 2011, 246쪽.

로 알려져 있다.[57)]

다음 소수의를 입은 사례로는 대관전 조회의장에서 양산陽傘을 담당하는 군사들이 조사모早紗帽를 쓰고 자소수의紫小袖衣(자주색 소수의)를 입었다고한 것과, 연등위장燃燈衛仗에서 후행마後行馬를 담당하는 공군사控軍士들이 조사모를 쓰고 소수의를 입었다고 한 것, 서남경순행 환궐봉영노부西南京巡幸還闕奉迎鹵簿에서 냉리군사冷里軍士들이 조사모를 쓰고 자주紫紬(자주색 면주)소수의를 입었다고 한 것을 비롯하여 모두 18경우를 찾을 수 있다. 그리하여 이들과 대수의를 입은 인원들을 비교하여 보면 후자들이 쓴 입각모가 전자들이 쓴 조사모 보다 조금은 상급인 듯싶고, 또 전자들이 입은 복식에는 보상화 무늬가 첨가되어 있는데 대해 후자들의 것은 그렇지 않다는 점에서 양자간의 다소간 차이는 엿볼 수 있을 듯싶기는 하다. 그러나 양자가 대체로 상급에 속하는 자주색 옷을 공통적으로 입고 있으며, 무엇보다도 당사자들이 다같이 하급의 군사들이라는 점에서 차이를 논하기에는 주저되는 바가 없지 않다. 그렇지만 이같은 두가지 측면에도 불구하고 옷 색깔 문제는 양자가 모두 국왕이나 황태자를 시위하는 군사들인만큼 그같이 될 수 있다고 생각해 보면 납득의 여지가 없는 것은 아니며, 또 사례의 부족으로 대수의를 입었음직한 상급 직위자들과의 비교가 되지 않아 뚜렷한 차이점이 드러나지는 않았지만 실제로는 대수의와 소수의 사이는 몇가지 면에서 구분이 되는 존재였으리라고 보는게 실정에 가깝지 않을까 싶은 생각이 없지 않다.

이어서 착수의窄袖衣(좁은 소매 옷)의 사례를 찾아 보면 『고려사』에서는 역시 권72의 여복지 의위조에서 법가위장을 담당하는 은골타자대

57) 위와 같음.

銀骨朶子隊의 군사들이 금화모자金畵帽子를 쓰고 자착수의紫窄袖衣(자주색 착수의)를 입었다고 한게 지금으로서는 눈에 띄는 유일한 기록이다. 하지만 이와 표현을 약간 달리하는 경우까지를 염두에 두면 그 사례는 얼마 더 늘어난다. 즉, 『고려도경』에 청포착의靑布窄衣(푸른색 포로 만든 착의)를 입었다는 용호중맹군龍虎中猛軍을[58] 비롯하여 동일한 복장의 군인 두 사례,[59] 비착의緋窄衣(붉은색 착의)를 입은 1사례,[60] 자문라착의紫文羅窄衣(자주색 무늬의 나<비단>로 만든 착의)를 입은 2사례,[61] 자착의紫窄衣를 입은 1사례,[62] 자라착의紫羅窄衣를 입은 2사례,[63] 백저착의白紵窄衣(흰 저포로 만든 착의)를 입은 1사례[64] 등이 찾아지는 것이다. 그런데 이곳의 착의들은 얼핏 보더라도 착수의를 말하는게 아닌가 하는 생각이 많이 든다. 더구나 위에 든 첫째 사례의 경우 「청포착의」와 「백저궁고白紵窮袴」가 잇달아 기술되고 있어서 그것이 아래의 옷인 궁고에 상대되는 웃옷으로서의 착의, 곧 착수의를 뜻하는 것으로 이해될 여지가 많아서 한층 그같은 생각을 하게 된다.

이같이 다양한 착수의의 존재를 긍정할 수 있다면 그에 상대되는 광수의廣袖衣의 존재 역시 긍정하지 않을 수 없을 것 같다. 더욱이 고려가 문반·귀족들이 국가 경영의 중심인 사회였다는 점을 감안하면 광수廣袖의 실례가 찾아지지 않는다는 한계에도 불구하고 그같은 저고리의 형태가 큰 비중을 차지하고 있었으리라는 점만은 인정할 수 있지 않을

58) 『고려도경』 권11, 仗衛1, 龍虎中猛軍.
59) 『고려도경』 권12, 仗衛2, 龍虎上超軍·龍虎下海軍.
60) 『고려도경』 권12, 仗衛2, 千牛左右仗衛軍.
61) 『고려도경』 권12, 仗衛2, 官府門衛校尉·六軍散員旗頭.
62) 『고려도경』 권12, 仗衛2, 左右衛牽龍軍.
63) 『고려도경』 권12, 仗衛2, 領兵上騎將軍·同 권21, 早隷 散員.
64) 『고려도경』 권18, 釋氏 在家和尙.

까 한다. 참고로 바지(고袴)의 경우 위에서 궁고窮袴의 예를 들었지마는 뒤에 소개하듯이 그에 상대되는 관고寬袴의 사례 또한 보이고 있다.

지금까지 살펴본 저고리·웃옷과 동일한 형태의 의복으로 또 삼衫이 있었다는 부분도 간과할 수 없는 대목의 하나이다. 사전적인 용어로는 적삼赤衫 또는 단삼單衫·단의單衣로도 불리는 것으로 윗도리에 입는 홑옷이라 소개되어 있는데, 혹자는 「양복의 상의와 같이 길고 극히 자연스런 깃이 곧고 옷섶이 포개진 것으로서 좁은 반소매가 달려 있다」라고 설명하고[65] 있기도 하다.

이처럼 웃옷의 한 종류였던 이들 삼衫에 대해서는 고려시기를 다룬 기록에서도 적지 않게 보이고 있다. 그중 첫 사례는 이미 몇 차례 언급한바 광종 11년(960)에 정해진 백관百官의 공복公服이 자삼紫衫·단삼丹衫·비삼緋衫·녹삼綠衫과 같이 삼衫의 색깔을 가지고 등급의 고하를 나타내도록한 기사에서이다.[66] 그리하여 이 규정은 이후 경종 원년(976)에 전시과田柴科를 제정하는데 그대로 적용되며,[67] 다시 현종 9년(1018)에 정해지는 장리長吏 공복에서도 고하의 등급이 자삼·비삼·녹삼·심청삼深青衫·천벽삼天碧衫으로 정해짐으로서[68] 유사한 모습을 드러내고 있다. 이어서 문종 25년(1071)에 송나라로 파견하는 김제金悌편에 공물로 황계삼黃罽衫(황색의 계로 만든 삼) 1벌을 보내고도 있는데.[69] 이런 삼衫들은 위에서 언급한바 단순히 웃도리에 입는 홑옷과 같은 류의 옷과는 좀 차이가 있었던 듯하다. 연구자 가운데는 「삼衫 역시 의衣와 마

65) 李如星, 「상대사회와 복식」 『朝鮮服飾考』, 白楊堂, 1947; 범우사, 1998, 67쪽.
66) 『고려사』 권72, 志26, 輿服 公服 - 百官公服·『고려사절요』 권2, 光宗 11年 春3月.
67) 『고려사』 권78, 志32, 식화1, 田制 - 田柴科·『고려사절요』 권2, 景宗 元年 11月.
68) 『고려사』 권72, 志26, 輿服 公服 - 長吏公服 현종 9년.
69) 『고려사』 권9, 세가 문종 26년 6월 甲戌.

찬가지로 두루마기류와 저고리류를 모두 지칭하는 용어로 사용되었다」고 파악하고 있거니와,[70] 저들이 혹 전자에 해당하는 삼衫이 아니었을까 싶은 생각이 든다.

삼衫은 공복으로서만이 아니라 일반 관리들의 복장으로도 널리 이용되었음이 확인된다. 「덕종 3년 정월에 조서를 내려, 직무시의 상복常服으로 자의紫衣를 입는 것은 업무에 도움이 되지 않으니 호종扈從하는 경우가 아니면 모두 조삼皁衫(검은색 삼)을 입도록 하라」고한 것이[71] 그 일례이다. 또 과거 급제자를 발표하는 의식인 동당감시방방의東堂監試放牓儀에서 내시內侍·다방茶房·참상叅上·참외叅外 등의 관리들이 조삼皁衫을 입고 동시에 공손히 절한 뒤에 나누어 서며, 견룡牽龍 등의 호위군사들 역시 공손히 절하고 나누어 선 뒤에 시신侍臣들이 조삼皁衫을 입고 대궐 뜰로 들어가 횡열로 서서 두 번 절한다고 한 것과,[72] 의종 8년 당시 산정도감판관刪定都監判官(권무직權務職)이던 문극겸文克謙이 세 차례에 걸쳐 과거에 응시해 급제하지 못하자 백의白衣(벼슬이 없는 사람)는 10차례나 응시할 수 있는데 자기와 같이 남삼藍衫을 입은 하급 직위자는 왜 세 차례에 그쳐야 하느냐며 2차례를 늘려 5차례로 한정할 것을 요청하여 고치게 했다는[73] 데서도 그점을 볼 수 있다.

이어서 국왕이나 왕태자가 참석하는 국가의 여러 행사 때에 위장衛仗을 담당하는 각 부분의 군사들에게 삼衫을 착용토록 하고 있는 기사도 얼마간 찾아진다. 대관전 조회의장에서의 흑간작자홍라호대黑幹斫子

70) 김문숙, 「저고리류」 『고려시대 원간섭기 일반복식의 변천』, 서울대 박사학위 논문, 2000, 69쪽.
71) 『고려사』 권72, 志26, 輿服 冠服－冠服通制·『고려사절요』 권4, 덕종 3년 정월.
72) 『고려사』 권69, 志22, 禮10, 嘉禮 東堂監試放牓儀.
73) 『고려사』 권73, 志27 選擧1, 科目1 毅宗 8년 5월.

紅羅號隊 군사軍士들과 법가위장에서의 은장장도대銀粧長刀隊 군사 및 연등위장에서의 은간작자홍라호대銀斡斫子紅羅號隊 군사, 팔관위장에서의 은간작자홍라호대 군사, 서남경순행위장西南京巡幸衛仗에서의 백간작자홍라호대白斡斫子紅羅號隊 군사, 서남경순행 회가봉영위장西南京巡幸廻駕奉迎衛仗에서의 은간작자홍라호대 군사, 왕태자 노부王太子鹵簿에서의 은작자대銀斫子隊 군사들이 모두 녹라한삼綠羅汗衫(녹색 나〈비단〉로 만든 한삼)을 입도록 하고 있는게[74] 그 몇 사례들이다. 한삼은 홑으로 만든 저고리의 일종으로 속에 받쳐 입는 땀받이 옷을 말한다.[75]

이와 함께 연등위장에서의 경령전景靈殿 담당 군사들은 자소수난삼紫小袖襴衫을, 그리고 국인國印과 서조보담書詔寶擔을 담당하는 군사들은 소수난삼을 입도록 하고 있는 기사 역시 보인다. 이곳의 난삼에 대해서는 저고리류라기 보다 두루마기류에 속하는 것으로 이해하는 연구자가 있거니와,[76] 스님들의 복식으로 금하고 있는 기사에 백선난삼帛旋襴衫(비단〈백帛〉으로 테를 두른 난삼)이 멸두고韈頭袴(버선이 달린 바지)와 나란히 올라있는 것을 보면[77] 그 견해에 어느 정도 수긍이 간다. 아울러 소수난삼의 소수小袖는 의衣 부분을 다루면서 설명했듯이 수구袖口가 적다는 의미일 것이며, 『동문선東文選』에 실려있는 최자崔滋의 글에서 찾을 수 있는 착삼窄衫이[78] 소매가 좁은 삼衫을 말하는게 아닌가 한다. 『고려도경』에는 금오장위군金吾仗衛軍이 이와 상대되는 자관수삼紫寬袖衫을 입었다는 기록이[79] 보이고 있다.

---

74) 『고려사』 권72, 志26, 輿服 儀衛·鹵簿.
75) 『국역 고려사』 권17, 志5, 경인문화사, 2011, 209쪽.
76) 김문숙, 주 70)의 글 72쪽.
77) 『고려사』 권85, 지39, 刑法2 禁令·『고려사절요』 권3, 顯宗 18年 8月.
78) 『東文選』 권18, 七言排律, 崔滋, 「次李需敎坊小娥詩韻(復次韻)」.
79) 김문숙, 주 70)의 글 70쪽.

이밖에 시어사侍御史에 재임하고 있는 김주정金周鼎이 황색의 배삼背衫, 즉 포삼布衫을 입었다는 기사와,[80] 역시 포삼을 입은 장작서將作署의 기인其人이 땔나무를 지고 궁문宮門으로 들어갔다는 이야기[81] 및 평장사平章事(정2품)를 지내는 김태서金台瑞의 아들로 뒤에 크게 입신하는 김경손金慶孫은 방에 있을 때에도 반드시 조삼早衫을 입고 손님을 대하듯 하였다는[82] 기록 등이 눈에 띈다. 그리고 이들과는 성격이 좀 다르지만 태자부太子府의 내수內竪가 금법禁法을 어기고 조라삼早羅衫을 입은 것을 어사대 서리가 벗기려다가 도리어 갇히게 되었다는 기사와[83] 권신權臣 정중부鄭仲夫의 가노家奴가 금령禁令을 어기고 자라삼紫羅衫을 입었으므로 어사대 서리가 소유所由를 시켜 빼앗자 그 노奴가 소유를 구타하고 도주하였다는[84] 이야기 등도 전해지고 있다.

일반인들의 삼衫 착용에 대해서는 문인文人들의 글에서 심심치 않게 나오곤 하지마는 특히 이규보李奎報가 용도나 성격까지도 내포하는 여러 명칭을 소개하고 있어 눈길을 끈다. 「경삼輕衫에 작은 삿자리로 바람 난간에 누웠다가」의[85] 경삼은 가벼운 재질로 만든 삼을 지칭한 것 같고, 「물 기운 싸늘하여 단삼短衫 엄습하고」의[86] 단삼은 글자 그대로 짧은 삼을, 「10월에 단삼單衫이 겨우 엉덩이만 가리누나」의[87] 단삼은 홑적삼을 말하는 것 같다. 그리고 또 「양삼凉衫의 시절이 점점 다가오

80) 『고려사절요』 권14, 高宗 3年 12月·『고려사』 권129, 列傳42, 叛逆3 崔忠獻傳.
81) 『고려사』 권33, 세가 충선왕.
82) 『고려사』 권103, 列傳16, 金慶孫傳.
83) 『고려사』 권14, 세가 예종 13년 3월 甲辰.
84) 『고려사』 권128, 列傳41, 叛逆2 鄭仲夫傳.
85) 『東國李相國全集』 권2, 古律詩 「夏日卽事 二首」.
86) 『동국이상국전집』 권6, 古律詩 「八月七日黎明…邀僧至船上 相對略話 因題二首」.
87) 『동국이상국전집』 권6, 古律詩 「十月二日 自江南入洛有作 示諸友生」.

누나」의[88] 양삼은 서늘한 여름을 연상케하는 옷이다.

이들 이외에 앞서의 설명에서도 얼마간 논급이 된 사항이지만 나삼羅衫이나[89] 저삼紵衫처럼[90] 순수하게 의료에 따른 명칭과, 백삼白衫[91]·자삼紫衫과[92] 같이 옷 색깔만 가지고 명칭을 삼은 사례 역시 보인다. 그리고 청백한 관원이었음을 칭송하여 겨울철에도 파삼破衫(헤어진 웃옷)을 입었다고 표현하고도 있어[93] 덧붙여 둔다.

(3) 바지(고袴) 및 잠방이(곤褌)와 치마(상裳·군裙)

바지(고袴)는 더 말할 필요도 없이 옷의 아랫도리를 일컫는 용어로서, 그 실례는 이미 윗 대목에서 다룬 의衣와 연결되어 나오는 고袴·면고緜袴·견고絹袴·비견고緋絹袴 등의 몇몇 사례와,[94] 국왕과 왕태자가 참여하는 국가의 각종 행사에서 시위侍衛 등을 담당하는 군사들이 비의緋衣와 한고扞袴(활동을 편리하게 하기 위해 무릎 아래를 묶는 바지)를 착용하는[95] 14경우를 든바 있다. 한데 유사한 사례는 그에 그치지 않고 여럿이 더 찾아진다. 문종 30년 정월에 왕이 담당 관청에 명하여 포袍와 함께 고袴(바지)를 변방으로 출정한 군사 중 가난한 자에게 지급토록

---

88) 『동국이상국전집』 권6, 古律詩「癸酉孟春十七日 與陳翰林澕…文不加點 不容一瞥」.
89) 『고려사』 권22, 세가·『고려사절요』 권15, 高宗 5年 9月.
90) 『동국이상국전집』 권15, 古律詩「七月二十五日 善法寺堂頭設餞 見邀乞詩」.
91) 『고려사』 권85, 지39, 刑法2 禁令·『고려사절요』 권3, 顯宗 18年 8月.
92) 주 89)와 같음.
93) 『고려사절요』 권26, 공민왕 6年 秋7月·『고려사』 권110, 列傳23, 李淩幹傳.
94) 주 40)~44).
95) 주 45).

하고 있는 것과[96] 그에 앞서 18년 8월에 면포緜袍·모관毛冠과 더불어 면고緜袴(솜바지) 각 1,000벌씩을 서북면 변방을 지키는 군사들중 가난한 사람들에게 사여하고 있는게[97] 그것들이다. 그리고 의종 때의 내시內侍 좌·우번左右番 가운데 우번右番에 환고紈袴(비단 바지)를 입은 자제들이 많았다고한 것과,[98] 이규보가 「밀곡주지가 포고布袴를 보내왔으므로 사례하다」에 보이는[99] 환고와 포고 역시 의료에 따른 바지의 사례들이고, 이 포고에 이어서 나오는바 단순히 새 바지를 뜻한 신고新袴 및 영군낭장기병領軍郞將騎兵이 입었다는 흰 바지인 백고白袴와[100] 홑옷을 지칭한 단고單袴의 사례[101] 등도 눈에 띠는 것이다.

이들 고袴와 관련되어 한층 더 우리의 눈길을 끄는 기사의 하나로는, 「용호중맹군龍虎中猛軍은 푸른 베(청포靑布)로 만든 좁은 옷(착의窄衣=소매가 좁은 상의)에 흰 저포(백저白紵)로 만든 폭이 좁은(=통이 좁은) 바지(궁고窮袴)를 입었다고 한[102] 것이다. 당해자들이 군인인만큼 활동에 착의·궁고가 좀더 편리하고 또 어울리기도 했을 것이므로 이같은 복장을 하게 되지 않았나 생각되지마는 신분면에서 지위가 높지 못했다는 점 역시 고려된 결과가 아닐까 싶다. 한데 귀부인貴婦人들은 이와 달리 「무늬있는 (고급) 비단(문릉文綾)으로 통이 넓은 바지(관고寬袴)를 만드는데 생초生綃(생사生絲로 만든 평직平織의 비단)로 안감을 댄다. 넉넉하게 여유가 있도록 만들어 몸에 붙지 않는다」라고[103] 보인다. 역

96) 『고려사』 권81, 志35 兵1 兵制·『고려사절요』 권5, 문종 30년 정월.
97) 『고려사』 권81, 志35 兵1 兵制·『고려사절요』 권5, 문종 18년 5월.
98) 『고려사』 권18, 세가 의종 19년 夏4月.
99) 『東國李相國全集』 권12, 古律詩 「謝密谷住老 寄布袴」.
100) 『고려도경』 권12, 仗衛2, 領軍郞將騎兵.
101) 『고려사절요』 권26, 공민왕 6年 秋7月·『고려사』 권110, 列傳23, 李凌幹傳.
102) 『고려도경』 권11, 仗衛1, 龍虎中猛軍.
103) 『고려도경』 권20, 婦人-貴婦.

시 신분이 높은 사람의 부인들은 의료가 훨씬 좋고 형태도 폭이 넓은 넉넉한 바지를 만들어 입었음을 알 수 있다.

여기에서 고려 때의 여자들이 바지(고袴)를 입었음이 자연스레 확인되는 셈인데, 일찍이 연구자들은 『삼국사기』 권33, 잡지雜志 제2, 색복조色服條에 실려있는바 홍덕왕興德王이 그의 즉위 9년(834)에 복식금제服飾禁制를 내리는 가운데 부인 의복에 고袴(바지)가 포함되어 있다는 점 등을 들어 이미 신라 때에는 여성들이 바지를 착용하였음을 지적하였다. 그리하여 당시의 여인들은 평상시에 바지만을 입는게 보통이었다고 파악하여 왔거니와,[104] 그같은 풍습이 고려조에도 그대로 이어져 왔다고[105] 이해되는 것이다.

바지에는 위에 든 궁고窮袴나 관고寬袴와 유사한 의미로 세고細袴와 대구고大口袴 등의 명칭도 사용되었던 모양인데, 고려시기를 다룬 기록에서는 아직 눈에 띄지가 않았다. 대신에 버선이 달린 바지를 일컬은 것으로 짐작되는[106] 멸두고韈頭袴라는 명칭이 보이며,[107] 얼마 뒤에는 흰 비단(백릉白綾)으로 만든 말고襪袴라는 칭호도 찾아지는데[108] 이 역시 위의 멸두고와 유사한 의미를 지닌 명칭인지, 아니면 글자 그대로 단순히 버선과 바지를 뜻했는지, 그점은 분명치가 않다.

---

104) 李如星, 「상대 복식의 기본형－고袴(바지)」 『朝鮮服飾史』, 白楊堂, 1947; 범우사, 1998, 78쪽.
金東旭, 「바지·고이(袴)」 『李朝前期 服飾構造』, 韓國硏究院, 1963; 아세아문화사, 1973, 175쪽.
유희경, 「袴·褌」 『한국복식사 연구』, 이화여대출판부, 1975, 25쪽.

105) 김문숙, 「치마·바지류－바지류」 『고려시대 원간섭기 일반복식의 변천』, 서울대 이학박사학위 논문, 2000, 97쪽.

106) 김문숙, 위의 글 98쪽.

107) 『고려사』 권85, 지39, 刑法2 禁令·『고려사절요』 권3, 顯宗 18年 8月.

108) 『고려사』 권14, 세가 예종 13년 3월.

이들 고袴의 일종이면서 약간 형태를 달리하는 곤裈(잠방이)이라 불리운 바지도 그냥 지나칠 수 없는 대상의 하나이다. 그것은 가랑이가 무릎까지 내려오게 만든 길이가 짧은 바지로서 주로 일반 백성들이 노동을 하거나 집에서 편하게 지낼 때에 입었던 것으로 보이는데,[109] 인종조의 관원으로서 효자로 널리 알려진 최루백崔婁伯의 처 염경애廉瓊愛가 불우하게 세상을 떠난 시아버지의 제삿날에 「친히 길쌈하여 그것을 모아서 손수 저고리 한 벌(일의一衣)이나 또는 잠방이 한 벌(일곤一裈)을 지어」 바쳤다는 것에서[110] 그 한 사례를 찾을 수 있다. 그리고 이규보도 그가 지은 시에서 「장대에 쇠코잠방이(독비곤犢鼻裈)가 걸려 있네」라고[111] 읊거나, 또 「술 취한 나무꾼」에서는 「쇠코 삼베잠방이(독비마곤犢鼻麻裈)에 흰 칡베 옷(백갈의白葛衣) 입고」라[112] 읊고 있는 데서 그 일 면모를 살필 수 있다.

그러면 다음으로 바지·잠방이의 상대방인 치마(상裳·군裙)에 대해 알아보기로 하자. 그럴 때에 먼저 치마를 왜 상과 군으로 각각 나누어 표기했을까 하는 의문이 드는데 그에 대해서는 「상裳은 군裙의 원형이고, 군은 상보다 치마폭을 더해서 한층 미화美化한 것」이라는게 여러 문헌을 검토한 연구자들의 이해로서[113] 양자 사이에 커다란 차이가 있었던 것은 아닌 듯하다.

그리하여 고려시기에도 두 가지 표현이 다같이 두루 쓰이고 있거니

---

109) 李如星, 주 104),의 글 77쪽.
김문숙, 주 105),의 글 99쪽.
110) 『고려묘지명집성』 94쪽, 崔婁伯妻 廉瓊愛墓誌銘.
111) 『동국이상국전집』 권5, 古律詩 「卜居鷺溪 偶書草堂閑適…梁閣校」.
112) 『동국이상국전집』 권16, 古律詩 「醉樵人」.
113) 李如星, 「상대 복식의 기본형 – 상裳(치마)」 『朝鮮服飾史』, 白楊堂, 1947; 범우사, 1998, 82쪽. 이후의 연구자들도 대략 이와 견해를 같이하고 있다.

와, 그중 하상下裳은 상의上衣와 하나의 용어처럼 되어 있어서 특히 백관百官들은 제복祭服으로서 태상경(정3품) 등의 경우에 현의玄衣와 훈상纁裳을, 태축太祝(정9품)·태상박사太常博士(종7품) 등의 경우에는 의衣·상裳을 착용하도록 제도화되어 있었다고 소개한바 있다.[114] 한데 이에 따르면 고려시기의 남성들은 치마도 입었다고 할 수 있다. 그리고 이는,「저상紵裳의 제도는 겉과 안이 6폭으로 허리에는 가로 두른 깁(횡백橫帛)을 쓰지 않고 2개의 띠를 매었다. 3절三節의 모든 거처에 각각 저의紵衣를 마련해 두어 목욕할 때 쓰도록 하였다」라고[115] 하여 목욕시에 모시 치마(저상紵裳)를 이용한 사실에 의해서도 다시 확인된다. 이 문제와 관련하여 논자 중에는 의衣·상裳이 연결된 중국식 양식의 영향을 받아 고려의 귀족·관리·독서계급 남자들이 우월감에서 치마를 입기도 했다는 견해를 내기도 하였다.[116] 하지만 남자들이 치마를 입은 실례는 위에 소개했듯이 제복祭服과 같은 관복官服이나 특별히 목욕 때에 사용했다는 기록 이외에는 아직까지 잘 눈에 띄지 않는다. 여자들이 바지를 입었던 것과는 달리 일반인 남성들이 일상적으로 치마를 입지는 않지 않았나 싶은 것이다.

그러면 이 문제는 그 정도로 접고 여자들이 착용한 치마를 상裳이라 표기한 사례부터 좀더 찾아 보면 우선 다음의 기사가 주목된다. 즉,「옛 풍속에 여자의 의복은 흰 모시 (저고리) 노랑 치마(백저황상白紵黃裳)로서, 위로는 공족公族(왕족)과 귀가貴家(귀족)로부터 아래로는 민서民庶의

114) 주 39), 151쪽.

115) 『고려도경』 권29, 供張2, 紵裳.

116) 金東旭,「치마(裳·裙)」『李朝前期 服飾構造』, 한국연구원, 1963; 아세아문화사, 1973, 176·177쪽.
유희경,「裳·裙」『한국복식사 연구』, 이화여대출판부, 1975, 28쪽.

처첩妻妾에 미치기까지 한가지여서 구분이 되지 않았다」고한 것이 그 하나로서[117] 상·하층의 구분없이 모두가 흰 모시 저고리에 노랑치마를 입었다고 설명하고 있다. 언급은 없지만 굳이 덧붙인다면 상·하의 신분에 따라 만든 의료衣料에 차이가 났을 것이다. 한데 다음의 기사에는 그 설명이 좀더 자세하다. 즉, 「가을과 겨울용의 치마(추동지상秋冬之裳)는 간혹 노랑 비단(황견黃絹)을 사용하는데 (색이) 혹 짙거나 혹 옅다. 공경대부公卿大夫의 처妻이든 사민士民이나 유녀游女(창부倡婦)이든 그 복장에 차별이 없다. 혹은 이르기를 왕비나 부인夫人들은 홍색을 고상하게 여기면서 그림을 그리거나 수를 더 놓기도 하지만 국관國官과 서민은 감히 그렇게 할 수 없다고 한다」라고 보이거니와,[118] 역시 상·하층의 여인들이 치마의 제작에 모두 황견을 쓴 듯 기술하고 있으나 실제로는 차이가 없지 않았을 것으로 짐작되며, 또 여기에 명시되어 있듯 그의 색깔이나 무늬 등에 차별을 두기도 했음을 알 수 있다. 그밖에 「저 왕손王孫과 공자公子들이 호탕한 벗들과 꽃구경하며, 뒷수레에 기생을 태웠는데 진홍색 저고리(천메茜袂)에 붉은 치마(홍상紅裳) 차림이다」라는 기록이 눈에 띄며,[119] 「술을 사려 비단 치마(나상羅裳)를 벗고, 그대 부르려 옥 같은 손 흔든다」는 시구詩句 등도 보이는[120] 것이다.

그러면 지금부터는 이어서 군裙의 사례에 대해 살피기로 하는데, 다음의 기사가 비교적 구체적이다. 부인婦人들은 「역시 두르는 치마(선군旋裙)를 입는데 8폭으로 만들었으며 겨드랑이에까지 끌어 올려 높이 묶는다. 무수하게 여러 겹으로 휘감는데 많을수록 고상하게 여겨서 부귀

117) 『고려도경』 권20, 婦人.
118) 『고려도경』 권20, 婦人 - 貴婦.
119) 『동국이상국전집』 권1, 古賦六首 「春望賦」.
120) 崔滋, 『補閑集』 卷下, 「動人紅 彭原倡妓也」.

한 집안의 처첩妻妾들은 치마(군裙)를 만드는데 7~8필匹까지 사용한다」고 전하고 있다.[121] 이와 비슷한 시기인 인종조의 관원인 최루백崔婁伯과 그의 처 염경애廉瓊愛 사이의 대화에서도 치마 이야기가 나오는데, 인종 23년(1145)에 남편이 간관諫官인 우정언右正言(정6품)에다 지제고知制誥직을 제수받자 부인이 얼굴에 기쁜 빛을 띠면서, 이제 「우리의 가난이 가시려나 봅니다」라고 말하자 남편이 그 말을 듣고는 「간관은 녹祿이나 지키는 자리가 아니오」라고 응답하고 있다. 이에 부인이 다시 「문득 어느 날 그대가 궁전의 섬돌에 서서 천자와 더불어 옳고 그른 것을 쟁론하게 된다면, 비록 가시나무 비녀에다 베 치마(포군布裙)를 입고 삼태기를 이고 살아가게 되더라도 또한 달게 여길 것입니다」라고 말하고 있다.[122] 이곳의 포군布裙은 대화의 내용으로 미루어 마포麻布나 갈포葛布 등 하급의 의료로 만든 치마를 이른 것인데, 당시의 백정농민을 비롯한 민인民人들이 흔히들 입었던 모양이다. 이들 이외에 여자들이 군裙을 입은 사례를 이규보의 문집에 보이는 것 가운데 몇몇개를 더 소개하면, 「개울물 터졌는데 비는 보실거리네, 농사짓는 아낙네(전부田婦) 흰 갈포치마(백갈군白葛裙) 입고, 사내 농부(전부田夫)는 푸른 삼베옷(녹마의綠麻衣) 입었네, 서로 이끌어 밭두덕에서 불러, 호미 메고 구름처럼 모였네」에서[123] 농가農家 부인이 백갈군을 입고있는 실례에 접하게 된다. 이어서 「이군李君 중민中敏이 치마 꿰맨 것(봉군縫裙)을 희롱하다」는 시제詩題에서 「고운 비단의 눈빛색깔 치마(설색군雪色裙) 밟아 터졌네」라고 읊고 있으며, 다시 「이군의 화답에 차운하다」에서는 「비단 저고리(나유羅襦)에 잔주름 치마(세접군細摺裙) 새로 입었으니」라고 읊고

---

121) 『고려도경』 권20, 婦人 賤使.
122) 『고려묘지명집성』 94쪽, 崔婁伯妻 廉瓊愛墓誌銘.
123) 『동국이상국전집』 권2, 古律詩 「遊家君別業西郊草堂」 二首.

있고,[124] 또 다른 시에서는「요즘은 술에 곯고, 또 온갖 시름에 빠져, 홍군紅裙=裠(붉은 치마를 입은 미인)만 보면 눈이 번쩍 뜨여, 바짝 앉아 갖은 아양 감상하네」라고 읊고 있기도 하다.[125] 실례상으로도 각종 치마(군裙)를 여러 신분계층의 여인들이 착용한 상황을 살필 수 있다고 하겠다.

(4) 두루마기(포袍·도포道袍·겉옷)

두루마기(포袍)는 저고리와 바지 위에 입는 겉옷으로 발목까지 내려오는 긴 외투의 형상을 한 것을 말한다.[126] 이같은 겉옷의 착용은 누구나 쉽게 알 수 있듯이 추위를 막기 위한 것이라는데 목적의 일면이 있었으나 다른 한편으로는 외출할 때에 챙겨 입는 것처럼 의례적인 측면에서 더 많은 의미를 가지는 복식이기도 하였다.[127] 이 후자의 측면에서는 도포道袍라는 호칭이 더 어울릴 듯싶기도 하지마는, 어떻든 포袍는 국왕과 신료들의 공복과 일상복으로서 뿐 아니라 군사들의 제복 및 농상인農商人·공기工技·여인들에 이르는 민서民庶들까지 두루 입는 옷의 하나였던 것이다.

---

124)『동국이상국전집』권5, 古律詩.

125)『동국이상국전집』권12, 古律詩「徐學錄見和 復次韻答之」.

126) 李如星,「상대 복식의 기본형－포袍(두루마기)」『朝鮮服飾史』, 白楊堂, 1947; 범우사, 1998, 80·81쪽.
金東旭,「두루막(袍)」『李朝前期 服飾構造』, 한국연구원, 1963; 아세아문화사, 1973, 165쪽.

127) 李如星, 위의 글 81·82쪽.
金東旭, 위의 글 167쪽.
유희경,「袍」『한국복식사 연구』, 이화여대출판부, 1975, 30쪽.

그런 관계로 하여 이들에 대해 대략적이나마 알아볼 수 있는 자료들이 얼마간 전하는데 그 몇몇을 소개하면,

㉣-⑭ 왕은 상복常服으로서 검은 깁으로 된 모자(오사고모烏紗高帽)에 소매가 좁은 담황색 포(착수상포窄袖緗袍)를 입는다.……혹 듣기로는 평상시 쉴 때인즉 검은 두건(조건皁巾)에 흰 모시로 된 포(백저포白紵袍)를 입어 일반 백성(민서民庶)과 더불어 다르게 없었다 한다.[128)]

라고 하여 우선 왕이 일상복으로는 착수상포를 입었다고한 대목이 주목되는데, 원래 국왕을 비롯한 고위직에 있는 사람들이 공식적으로 착용하는 포袍는 착수窄袖가 아니라 광수廣袖였다. 아마 일상복이어서 편의를 위해 착수로 제작되었던 듯싶은데, 원종元宗이 태자로써 중국으로 들어가 처음 홀필렬忽必烈을 상면할 때에는 연각오사복두軟角烏紗幞頭를 쓰고 광수자라포廣袖紫羅袍를 입었었다.[129)] 그런가하면 왕태자의 관례冠禮를 행하는 의례儀禮 때 그가 입은 옷은 치황의梔黃衣와 자라착수포紫羅窄袖袍였다.[130)] 아마 경우에 따라 착수포를 착용하기도 했던 것 같다. 이 부분과 함께 위 기사의 또하나는 국왕도 평상시에 편안하게 쉴 때는 민서民庶와 마찬가지로 백저포를 착용했다는 언급이다. 이는 결국 일반 백성들도 백저포를 통상적으로 입었다는 이야기라고 할 수 있겠거니와, 이점은 다음의 기사에 좀더 분명하게 드러나 있다. 즉,

㉣-⑮ 농업과 상업에 종사하는 사람들의 경우……모두 흰 모시로

128) 『고려도경』 권7, 官服 王服.
129) 『고려사』 권25, 세가 원종 元年 3월 丁亥.
130) 『고려사』 권66, 志20, 禮8, 嘉禮 王太子加元服儀-麗正宮陳設.

된 포(백저포白紵袍)를 입으며, 네 가닥 띠가 있는 검은 두건(오건烏巾)을 쓰는데 다만 베(포布)의 곱고 거친 것으로만 구별한다. 국관國官과 귀인貴人들도 퇴근하여 자기 집(사가私家)에서 생활할 때는 역시 그것을 입는다.[131)]

라고 하였듯이 농민과 상인들도 백저포를 착용하였으며, 국가의 중요한 직위에 있는 사람들 역시 직무를 마치고 집에 돌아와 생활할 때는 국왕과도 유사하게 편안한 백저포를 입었다는 것이다. 나아가서 국가의 공공기관에 소속하여 필요한 물품을 생산하는 기술자들의 경우도 유사하였음은,

㉣-⑯ 고려의 공장(工匠·匠人)들 기술은 매우 정교한데, 그 뛰어난 재주를 가진 이는 모두 공공기관에 소속하였으니 복두소幞頭所와 장작감將作監 같은게 곧 그곳들이다. 통상 백저포를 입고 검은 두건(조건皂巾)을 썼으나 다만 역役을 맡아 일을 할 때에는 관官에서 자주색 포(자포紫袍)를 지급해 준다.[132)]

라고 하여 복두소나 장작감에 소속되어 있는 장인匠人들은 일상 생활을 하는 때에 백저포를 착용하였으며 역役을 담당하는 기간에는 국가로부터 자포紫袍를 지급받기도 했던 것이다. 이곳의 복두소는 국왕 이하 관원들이 쓰는 복두를 관장하는 기구이며,[133)] 장작감은 토목土木과 영선營繕을 관장하는 기구였다.[134)] 그렇다면 여자들의 경우는 어떠했

131) 『고려도경』 권19, 民庶 農商.
132) 『고려도경』 권19, 民庶 工技.
133) 박용운, 「고려시기의 幞頭와 幞頭店」 『韓國史學報』19, 2005년 3월; 『고려시기 역사의 몇 가지 문제』, 일지사, 2010.
134) 『고려사』 권76, 지30, 百官1, 繕工寺(將作監).

을까. 이들에 대해서도 역시,

> ㉣-⑰ 부인婦人들은 (몸을) 꾸밈에 있어 화장을 탐탁하게 여기지 않는다. ……흰 모시로 포를 만들어(백저위포白紵爲袍) 입는데 남자 것과 대략 비슷하다.[135]

고 하여 여성들도 남자들과 마찬가지로 백저포를 제작하여 착용하였음을 확인할 수 있다.

한데 구체적인 개별 사례들을 찾아 보면 대부분이 공적인 생활과 관련된 경우들이다. 그 가운데에서 먼저 국왕·왕실과 연결된 사례부터 보면 일찍이 태조가 장자인 무武를 태자로 삼으려 하면서도 그의 모후母后인 오씨吳氏가 측미側微하여 어려움이 따를까 염려해 미리 자황포柘黃袍를 내려 무장 박술희朴述熙의 도움을 받도록한 경우를[136] 들 수 있다. 이 자황포(적황색赤黃色의 도포)는 이미 국초國初에 국왕의 시조복視朝服으로 제정된바 있었다.[137] 그후 의종조에 이르러서는 신정이나 동지의 조정 하례와 대관전에서 큰 연회가 열릴 때 등에는 국왕이 자황포赭黃袍(주황색 도포)를 입도록[138] 제도가 바뀌고 있다. 이어서 장수를 출정시키는 의례에서는 국왕이 강사포絳紗袍를 입고 대전에 나가 임하며,[139] 공양왕이 공민왕의 정비定妃를 왕태후로 책봉하면서도 역시 강사포와 원유관遠遊冠 차림으로 대전에 임하였다고 전하고 있다.[140] 그

135) 『고려도경』 권20, 婦人-貴婦.

136) 『고려사절요』 권1, 태조 4年 12月·『고려사』 권88, 列傳1, 太祖 莊和王后吳氏·같은 책 권92, 列傳5, 朴述熙傳.

137) 『고려사』 권72, 志26, 輿服 冠服-視朝之服.

138) 위와 같음.

139) 『고려사』 권64, 지18, 禮6, 軍禮 遣將出征儀.

140) 『고려사』 권65, 지19, 禮7, 嘉禮 册太后儀 공양왕 2년 4월.

리고 충렬왕이 즉위식에서 황포黃袍를 입었다는 기사가[141] 눈에 띠며, 다시 충선왕이 부왕父王을 대신하여 즉위함에 미쳐서 자신은 자포紫袍를 착용하고 태상왕太上王으로 올린 부친은 黃袍를 착용토록한 기록 역시 보인다.[142] 황포가 자포 보다는 상급이었음을 알 수 있거니와, 그같은 사정은 복위한 충렬왕이 원나라와의 관계를 고려하여 지황芝黃으로써 자포赭袍를 대신케 했다가 얼마 뒤에 황포로 바꾼 사실에[143] 잘 드러나 있다. 그뒤 공민왕이 태후전太后殿에 거동하여 옥책玉册과 금보金寶(인장)를 올릴 때에 황포를 착용한 사실이[144] 거듭 확인된다.

다음은 관원官員들이 착용하는 두루마기(도포)의 사례인데, 자주색 무늬가 있는 비단(나羅)으로 만든 포(자문라포紫文羅袍)와 비색 무늬가 있는 비단(나羅)으로 만든 포(비문라포緋文羅袍) 등 크게는 두 종류로 나뉘어 소개되고 있다. 그리하여 전자, 즉 자문라포는 영관복令官服으로서 태사太師(정1품)·태위太尉(정1품)·중서령中書令(종1품)·상서령尙書令(종1품) 등이 착용하였고,[145] 또 국상복國相服으로서 시중侍中(종1품)·중서시랑평장사中書侍郎平章事(정2품)·문하시랑평장사門下侍郎平章事(정2품)·참지정사叅知政事(종2품)·추밀사樞密使(종2품) 등이,[146] 근시복近侍服으로서 左右常侍(정3품)·어사대부御史大夫(정3품)·6상서六尙書(정3품) 등이,[147] 종관복從官服으로서 어사중승御史中丞(종4품)·급사중給事中(종4

---

141) 『고려사』 권28, 세가 충렬왕 즉위년 8月 己巳.
142) 『고려사절요』 권22, 충렬왕 24年 忠宣 春正月.
143) 『고려사』 권72, 志26, 輿服 冠服－視朝之服 충렬왕 27년 5월·같은 책 권32, 세가 충렬왕 30년 2월·『고려사절요』 권22, 충렬왕 30년 2월.
144) 『고려사』 권65, 지19, 禮7, 嘉禮 册太后儀 .
145) 『고려도경』 권7, 官服 令官服.
146) 『고려도경』 권7, 冠服 國相服.
147) 『고려도경』 권7, 冠服 近侍服.

품) 등이[148] 착용하였다. 이어서 후자, 즉 비문라포는 경감복卿監服으로서 6시寺의 경(정3품)과 감(정3품) 등이,[149] 그리고 조관복朝官服으로서 국자감國子監의 사업司業(종4품)·박사博士(정7품) 등이[150] 착용하였던 것이다.

군인들이 입는 포袍(겉옷) 역시 몇 종류가 눈에 띄는데, 흥위좌우친위군興威左右親衛軍은 붉은 무늬가 있는 비단(나羅)으로 만든 포(홍문라포紅文羅袍)를, 공학군控鶴軍은 자주빛 무늬가 있는 비단(나羅)으로 만든 포(자문라포紫文羅袍)를 입도록 되어 있었다.[151] 그리고 둥근 무늬가 있는 비단(금錦)으로 만든 포(구문금포毬文錦袍)는 용호좌우친위기두龍虎左右親衛旗頭와 용호좌우친위군장龍虎左右親衛軍將 및 신호좌우친위군神虎左右親衛軍이 공통적으로 착용하였다.[152] 이밖에 문종 18년에 면고緜袴(솜바지)와 더불어 면포緜袍 1,000벌을 서북면 변경을 지키는 군사중 가난한 사람들에게 나누어주고 있으며,[153] 또 왕 30년에도 국왕이 담당 관청에 명하여 고袴와 함께 포袍를 변방으로 출정한 군사들중 가난한 자에게 지급하고 있는 기사도[154] 찾아지거니와, 후자의 경우 어떤 종류의 포袍인지는 알 수 없으나 두 사례는 모두 추위에 대비토록 하기 위해 국가에서 겉옷을 사여한 것으로 이해된다.

일반 민인民人들이 포袍를 착용한 사례도 얼마간 찾아진다. 이규보가

148) 『고려도경』 권7, 冠服 從官服.
149) 『고려도경』 권7, 冠服 卿監服.
150) 『고려도경』 권7, 冠服 朝官服.
151) 『고려도경』 권11, 仗衛1 興威左右親衛軍 및 控鶴軍.
152) 『고려도경』 권11, 仗衛1 龍虎左右親衛旗頭·龍虎左右親衛軍將·神虎左右親衛軍.
153) 『고려사』 권81, 志35 兵1 兵制·『고려사절요』 권5, 문종 18년 5월.
154) 『고려사』 권81, 志35 兵1 兵制·『고려사절요』 권5, 문종 30년 정월.

그의 시詩 가운데에서, 「바람을 따를 기개 펼 곳 없구나, 베로 된 포(포포布袍)를 입은 동자童子 끌고서 가니, 푸른 풀 흘끔거리며 어이 그리 더딘가, 화공이 이 그림 뜻 없이 그렸을까」라고 읊은 데에 나오는 포포동자布袍童子가[155] 그 하나의 사례이다. 그리고 여말에 고위직까지 지내는 이인복李仁復이 과거科擧를 보러 갔을 때 그 광경을 읊기를, 「높은 당堂 위에서 굽어보니 연못의 고기처럼 줄지어 섰네, 흰 포(백포白袍)가 앞에 그득한데 읊는 소리 휘파람 소리」라고 하여[156] 백포를 입은 응시생들이 늘어선 모습을 그리고 있는 것 역시 마찬가지이다. 다만 이곳의 응시생들이 입은 백포를 혹자는 과거에 응시하는 선비들을 지칭하는 용어라 설명하고 있지마는,[157] 이들이 과거 응시생인 것은 틀림이 없지만 그렇다고 백포가 그들을 지칭하는 용어로 쓰였다기 보다는 단지 아직 벼슬길에 나가지 못한 일반 선비들을 일컫는 통상적인 명칭으로 이해하는게 옳지 않을까 한다. 사례 가운데는 새로 급제한 사람들에게 국왕이 특별히 장차 벼슬길에 나갈 것임을 의미하는 남포藍袍를 사여하고 있는 기사도[158] 보이는 것이다. 요컨대 포袍는 첫머리에 밝혔듯이 방한防寒이나 의례상儀禮上의 필요에서 저고리와 바지 위에 착용했던 복식으로 위로는 국왕과 왕실·상하의 관원들로부터 아래로는 민서民庶에 이르는 모든 인원들이 입는 기본 복식의 하나였음을 확인할 수 있었다고 하겠다.

155) 『동국이상국전집』 권9, 古律詩 「閔常侍令賦雙馬圖」.
156) 『동문선』 권7, 七言古詩 「己酉五月十二日 入試院作」 李仁復 .
157) 김문숙, 「기타 두루마기류 - 포袍」 『고려시대 원간섭기 일반복식의 변천』, 서울대 이학박사학위 논문, 2000, 59쪽.
158) 『고려사』 권74, 志28 選擧2, 科目2 凡崇奬之典, 충목왕 3년 10월.

(5) 갖옷(구구裘)과 배자背子·반비半臂·질손質孫

위에서 살펴본 저고리와 바지·치마 및 두루마기가 기본적이요 일반적인 복식인데 비해 이들 보다 중요성이나 이용면에서 조금은 떨어진다 하더라도 고려시기 사람들이 아끼던 옷의 하나로 갖옷(구裘)이 있었다. 이 구裘는 본래 호백구狐白裘·호구虎裘·초구貂裘·견구犬裘·양구羊裘처럼 동물의 가죽을 의료로 하였으나 뒤에는 직물로 제작되기도 하였는데, 이들은 재료에서 짐작되듯이 주로 방한防寒을 목적으로한 것으로서 상급 의복에 속하는 편이었다.[159]

구裘가 겨울에 대비한 방한복이었음을 말해주는 기사는 여러 곳에서 찾아진다. 여말의 신료였던 이숭인李崇仁이, 「득실과 이해는 그 오는 것이 일정한 때가 없으므로 군자는 처處하기를 편안히 하나니, 마치 겨울이 추우면 갖옷 입고(동한이구冬寒而裘) 여름이 더우면 갈옷 입듯이(하서이갈夏暑而葛), 오직 만나는대로 할 따름이요, 일찍이 털끝만큼도 부자연한 기색을 두지 않는다」고한 것에서[160] 잘 볼 수 있다. 그리고 충혜왕이 원나라로 잡혀가는 불상사를 당하여 그의 후비后妃중 한 사람이던 은천옹주銀川翁主가 「왕이 단지 예복禮服만 입고 겹갖옷(두터운 가죽옷; 중구重裘)을 입지 않았는데 지금 추위가 심하니 바라건대 왕에게 갖옷(구裘)을 올리게 하여 주시오」라고 울며 애원했다는 기사도[161] 또다른 대표적 사례의 하나이다. 그 이외에 「고종 13년 6월 병신丙申(병신일)에는 바람이 불고 추워서 갖옷(구裘)을 꺼내 입는 사람까지 있었다」

159) 김문숙, 「두루마기류－구裘」『고려시대 원간섭기 일반복식의 변천』, 서울대 이학박사학위 논문, 2000, 40쪽.
160) 『동문선』 권88, 「送李侍史知南原序」.
161) 『고려사』 권89, 列傳2, 后妃2, 충혜왕 銀川翁主林氏.

고한 것과[162] 「충렬왕 3년 5월 무오戊午(무오일)에는 날씨가 차서 혹 갖옷을 꺼내 입은 사람도 있었다」고한 것,[163] 충렬왕이 19년 12월 「신묘辛卯(신묘일)에 무녕현에서 머무룸에 세자가 장군 유비柳庇를 보내 자위구紫韋裘(자주색 가죽으로 만든 갖옷) 1벌과 난모暖帽 2개를 올렸다」 고한 것[164] 등에서도 동일한 내용을 읽을 수 있다. 아울러 「겨울 옷(동구冬裘)은 자애로운 어머니가 꿰멘 실이요」라는 시구詩句에 나오는 동구冬裘와[165] 「추위에도 중구重裘를 입지 않았다」는 윤해尹侅에 관한 이야기[166] 및 이색李穡의 「섭공소와 함께 짓는 한풍寒風 3수」와[167] 배정지묘지명裵廷芝墓誌銘에 보이는 중구重裘(겹갖옷; 두터운 가죽옷)에서도[168] 그같은 면모를 엿보기 어렵지 않다.

이규보 역시 몇몇 시구詩句에서 구裘에 대해 언급하고 있다. 즉, 아내가 「봄인 삼월 11일에, 아침 거리가 없어, 갖옷(구裘)을 저당 잡히려 하기에, 처음엔 내 나무라며 말렸네. 만약에 추위가 아주 갔다면, 누가 그것을 잡겠으며, 만약 추위가 다시 온다면, 난 오는 겨울 어찌하랴느냐」고. 이에, 「아내 대뜸 불멘소리로, 당신은 왜 그리 미련하오, 그리 좋은 갖옷은 아니지만, 제 손수 지은 것으로, 당신보다 더 아낀다오, 허나 구복이 더 급한 걸요」라고 하면서 하인을 불러 그대로 실행하고자 했으나 일이 제대로 되지 않았다고 적고 있는 것이다.[169] 그리고 「새벽 추위 이불 속에서 머리 들기도 겁나더니, 화롯가로 다가가니 손발이 녹

162) 『고려사』 권53, 志7 五行1, 水 恒寒.
163) 『고려사』 권53, 志7 五行1, 水 恒寒.
164) 『고려사』 권30, 세가 충렬왕 19년 12月.
165) 『동문선』 권10, 五言律詩, 權輿 作 「寄鄭進士」.
166) 『고려묘지명집성』 605쪽, 尹侅墓誌銘.
167) 『동문선』 권5, 五言古詩, 「寒風三首葉孔昭同賦」.
168) 『고려묘지명집성』 444쪽, 裵廷芝墓誌銘.
169) 『동국이상국전집』 권12, 古律詩 「典衣有感 示崔君宗藩」.

네……갖옷 홀홀 벗어주고 술 마신 일 생각난다」거나,[170] 「초겨울엔 지기地氣가 폐장되었으니, 눈이 내려야할 때에 도리어 비가 내리누나……화로를 갖옷 한벌 대신하여 끼고」라고한 기사[171] 등도 보인다.

고려시기의 구裘에 관한 기록중에 의료까지 밝힌 사례를 보면 초구貂裘(초서구貂鼠裘; 담비가죽 갖옷)가 가장 많다. 구체적으로 한언공韓彦恭의 직언直言에 감동한 목종이 그에게 초서구를 하사하고 있는 것을[172] 비롯하여 정가신鄭可臣의 답변에 탄복한 원 황제가 융숭한 대우를 하면서 날씨가 차다고 초구를 내리고 있는 것과,[173] 부원세력附元勢力인 기철奇轍 일파를 제거한 공민왕이 원나라의 도발을 염려하여 염제신廉悌臣을 서북면도원수로 삼아 파견하면서 초구를 하사하고 있는 것,[174] 이제현李齊賢이 「강 하늘의 저녁 눈」에서 「천금千金 가는 준마 타고 담비 갖옷 두르고 있는 것이」라고 읊고 있는 것과[175] 이인복李仁復이 「하남 곽검교영석을 9주로 보냄」에서 「눈雪이 무거운데 담비 갖옷을 따뜻하고」라고 읊고 있는 데서[176] 나오는 초구貂裘 등이 그것들이다. 그런 가운데 이첨李詹이 「어의주를 받고 사례하여 올린 글」에 「친밀한 말씀을 내리고 겸하여 특수한 물품을 보내시니, 옥 항아리중의 아황주는 홀연한 천리의 봄바람이요, 보배 상자 속의 호백구狐白裘는 참으로 하루 아침의 아름다운 선물이라, 이미 권장함을 받았으니, 이에 스스로 돌아보고 명심하옵니다」라고 한데서 보이는 호백구(여우의 겨

170) 『동국이상국전집』 권2, 古律詩 「枕上作」.
171) 『동국이상국전집』 권6, 古律詩 「十月十九日有所訪 以雨未果偶成」.
172) 『고려사절요』 권2, 목종 7년 6월·『고려사』 권93, 列傳6, 韓彦恭傳.
173) 『고려사』 권105, 列傳18, 鄭可臣傳.
174) 『고려사』 권39, 세가 공민왕 5년 9月·같은 책 권111, 열전24 廉悌臣傳.
175) 『益齋亂藁』 권10, 長短句 「江天暮雪」.
176) 『동문선』 권10, 五言律詩, 「送河南郭檢校永錫九疇」.

드랑이에 있는 흰털을 모아 만든 고급 갖옷)는[177] 그렇게 흔하지 않은 갖옷의 사례이다.

『졸고천백拙藁千百』의 저자이기도한 최해崔瀣는 고시古詩에서 다음과 같은 시구詩句를 남기고 있다. 즉, 「내가 온포縕袍(모시로 만든 포)를 입을 때 남들은 경구輕裘(가벼운 갖옷) 입고, 남이 화려한 집에 살 때 나는 오두막집에 살았다」고.[178] 이곳의 경구는 위에서 언급한 중구重裘의 상대적인 의미를 지니는 갖옷으로 생각되거니와, 일면 그것이 온포보다 상급에 속하는 의복임을 암시하고도 있어 눈길이 간다. 또한 경복흥慶復興의 죽음에 즈음하여 창왕昌王이 제문祭文을 내려 그를 추모하는 가운데, 「경은 직위가 신하 중에 으뜸이었는데도 수도 근방에 1무畝의 땅도 없고 집의 항아리에는 한 말의 곡식도 없었다. 도시락 밥에 물을 마시면서 헤어진 갖옷을 입고 여윈 말을 탓으니, 천년간에서 찾아본들 경만한 사람이 얼마나 되겠는가」라고 말하고 있는데,[179] 갖옷이 대표적인 의복으로 지적되고 있음도 본다. 우왕이 14년 정월에 불법적으로 심한 고초를 겪고 있는 조반趙胖과 그의 식구들을 석방하고 의약과 구裘를 내려주고 있는 것은[180] 갖옷에 대한 또다른 사례이다.

이상은 갖옷의 본래 의료인 모피毛皮로 제작된 구裘의 사례들을 살핀 것인데, 그렇다면 직물에 의한 갖옷의 경우는 어떠했을까. 이들 역시 많지는 않지만 몇몇 사례가 전하거니와, 도사道士들이 우의羽衣(새깃털로 만든 옷)를 입지 않고 백포로 만든 갖옷(백포위구白布爲裘)을 사용하였다는게 그 하나로서, 백성들의 옷과 비교할 때 소매는 좁고 옷자락이

177) 『동문선』 권38, 表箋, 「謝御衣酒箋」.
178) 『동문선』 권6, 七言古詩, 「上元會浩齋得漏字」.
179) 『고려사절요』 권34, 창왕 元年 9월·『고려사』 권111, 列傳24, 慶復興傳.
180) 『고려사절요』 권33, 우왕 14年 春正月.

넉넉한게 그의 특징이었다고 한다.[181] 다음은 진사進士들로서 4대문라건四帶文羅巾에 검은 명주로 된 갖옷(조주위구皁紬爲裘)을 입었으며,[182] 민장民長들 역시 문라건文羅巾에 검은 명주로 된 갖옷(조주위구皁紬爲裘)을 착용하였다고[183] 전하고 있다. 이규보의 시구詩句에서도 한 사례를 볼 수 있는데,「이별을 생각하니 서운한 마음 거두기 어렵네, 다시 술집을 바라보고, 자주빛 비단 갖옷(자기구紫綺裘)을 던졌네」의 자기구가 그것이다.[184] 면밀한 자료 검토가 이루어지지 못한게 한 큰 원인이겠지만 이 방면의 사례가 그렇게 많이 찾아지지는 않는다.

그러면 끝으로『고려사』등에 드러나 있는 배자背子와 반비半臂·질손質孫에 대해 잠시 살피기로 하자. 그중 배자는 섶·고름이 없는 등걸이 조끼 모양을 하고 있으면서도 비교적 길이가 길고 반소매로 되어있는 웃옷인데 대개 의위복儀衛服으로 사용되고 있다.[185] 구체적으로 이들 가운데 홍배자紅背子는 대관전大觀殿 조회의장朝會儀仗에서의 흑간작자홍라호대黑斡斫子紅羅號隊에 소속한 군사軍士들과 상원연등위장 및 중동팔관위장·서남경순행 회가봉영위장西南京巡幸廻駕奉迎衛仗에서의 은간작자홍라호대銀斡斫子紅羅號隊에 소속한 군사, 그리고 서남경순행위장에서의 백간작자홍라호대白斡斫子紅羅號隊에 소속한 군사들이 착용하였고, 비라배자緋羅背子는 법가위장에서의 은작자홍라호대에 소속한 군사와 왕태자노부王太子鹵簿에서의 은작자대銀斫子隊 소속의 군사들이

181)『고려도경』권18, 道敎 道士.
182)『고려도경』권19, 民庶 進士.
183)『고려도경』권19, 民庶 民長.
184)『동국이상국전집』권15, 古律詩「皇甫書記見和壽量寺留題 復用前韻」.
185) 김문숙,「단수의短袖衣류－배자背子」『고려시대 원간섭기 일반복식의 변천』, 서울대 이학박사학위 논문, 2000, 92~94쪽.
『국역 고려사』권17, 지5, 경인문화사, 2011, 246쪽.

착용하고 있는 것이다.[186)]

다음 반비半臂는 역시 반소매로 된 길이가 짧은 옷으로[187)] 공민왕 15년에 광주廣州 천왕사天王寺의 사리舍利를 왕륜사王輪寺로 옮겨옴에 왕과 백관들이 나아가 참관하는데 재추宰樞 이하 백관들은 관대冠帶를 정제하고 뜰에 섰으나 신돈은 질손(『절요節要』에는 반의半衣) 옷차림에 둥근 부채를 들고 왕 곁에 앉아 있었다고한 기사[188)] 등에 보인다. 그리고 질손質孫은 원나라 특유의 일색복一色服을 말하는데,[189)] 충렬왕이 원의 상도上都에 갔을 때 일색의一色衣(지손의只孫衣)를 입고 참여하는 지손연只孫宴을 성대하게 베풀고 그 자리에 왕도 참석토록 했다는 것과,[190)] 현재 전해지는 당대의 명신 안향安珦의 초상화에 그려있는 옷이 질손이라는 점 등을 들어 이것이 고려의 신료들에게도 어느 정도 착용되지 않았을까 짐작하고 있다.[191)]

---

186) 『고려사』 권72, 志26, 輿服 儀衛·鹵簿 해당 항목.

187) 김문숙, 「단수의短袖衣류－반비半臂」 『고려시대 원간섭기 일반복식의 변천』, 서울대 이학박사학위 논문, 2000, 90~92쪽.

188) 『고려사』 권132, 列傳45, 叛逆6, 辛旽傳 공민왕 15년·『고려사절요』 권28, 공민왕 15년 夏4月.

189) 유희경, 「服飾의 變遷－蒙古 服飾 影響期」 『한국복식사 연구』, 이화여대출판부, 1975, 149~150쪽.

190) 『고려사』 권31, 세가 충렬왕 26년 6月. 이 부분에 대해서는 김문숙, 「첩리帖裏·답호搭護－질손質孫」 『고려시대 원간섭기 일반복식의 변천』, 서울대 이학박사학위 논문, 2000, 56~58쪽 참조.

191) 유희경, 「高麗王朝社會의 服飾－男子 服飾」 『한국복식사 연구』, 이화여대출판부, 1975, 171~174쪽.

(6) 띠(대帶)

띠(대帶)는 군요裙腰(치마 허리띠)의 예처럼[192] 저고리나 치마·두루마기 등을 고정시키는데 사용되던 것으로 의복식衣服飾의 한 중요 요소로 기능하였다.[193] 그러므로 의복식을 설명할 때는 대체적으로 관모冠帽와 함께 의衣·대帶를 묶어서 소개하는 형식을 취하였던 것이다. 그 대표적인 사례가 『고려사』 권72, 여복지의 의위조儀衛條로서 국가의 중요 행사에 동원되는 많은 신료와 군사들의 복식에 대한 소개가 대부분이 양식을 따르고 있다. 그리하여 여기서는 뒷 사람의 복식이 앞 사람과 동일할 경우 「의대 동전衣帶同前」 또는 「의대 동상衣帶同上」이라 표기하고도 있거니와,[194] 관복冠服-공복조公服條의 도호都護·목판관牧判官·지주사知奏事 이상以上에서 「의衣·대帶·어魚는 본품本品을 따른다」 고한 대목[195] 역시 유사한 표현이라 할 수 있을 것 같다.

물론 단편적인 기사에서는 「대를 띠었다(속대束帶)」던가,[196] 「검은 띠(흑대黑帶)」를 띠었다,[197] 또는 「띠(대帶)」를 보냈다는[198] 등 띠가 단독으로 언급된 사례를 어렵지 않게 대할 수 있다. 반면에 「의·대衣帶를 사여하였다」는 기사가 여전히 여럿 찾아지며[199] 「관·대冠帶」에 대한

192) 『고려사』 권2, 세가 惠宗 2년 첫머리.

193) 李如星, 「상대 복식의 기본형-대帶(띠)」 『朝鮮服飾考』, 白楊堂, 1947; 범우사, 1998, 85~87쪽.

194) 『고려사』 권72, 志26, 輿服-儀衛 朝會儀仗, 罕·畢 軍事·中禁班 行首.

195) 『고려사』 권72, 志26, 輿服-冠服 公服, 都護·牧判官·知奏事 以上.

196) 『고려도경』 권12, 仗衛2. 陸軍散員旗頭.

197) 『고려도경』 권19, 民庶 進士.

198) 『고려사절요』 권17, 고종 40年 9月.

199) 『고려사절요』 권4, 문종 6년 6월·『고려사』 권12, 세가 예종 원년 12월·같은 책 권127, 열전 40, 叛逆1, 李資謙傳.

기록도 몇몇 보인다.[200] 이들을 통해서도 대(띠)에 관한 이해를 좀더 높일 수 있지 않을까 싶다.

한데 이들 띠의 실제적인 내용에 대한 설명은 『고려도경』에도 얼마가 전하지만 대부분은 『고려사』 권72의 여복지에서 찾아볼 수 있다. 따라서 그 대상도 대부분이 국가의 공직에 종사하는 관리들의 직위와 연결시켜 복식에 차별을 두었듯이 띠(대帶)도 어떠하였는가 하는 점에 주안점이 맞추어져 있는 것이다. 그 제도적인 면은 관복조冠服條에, 실제 사례의 한 면은 의위조儀衛條에 포괄적으로 드러나 있거니와, 먼저 관복조의 관복 통제冠服通制(관복에 관한 일반규정) 항목에, 성종成宗 8년(989) 3월에 동·서북면의 병마사에게 옥대玉帶를 띠도록 하였다는게[201] 시기상으로 처음 보이는 기사이다. 이어서 제복祭服 항목에는 의종조毅宗條(1147~1170)에[202] 상정詳定되었다는 국왕제복의 현의玄衣(붉은색의 상의)와 훈상纁裳(분홍색 하의)에 혁대革帶와 대대大帶·주록대朱綠帶를 띠었다 하며, 백관제복百官祭服에서도 유사한 내용을 살펴볼 수 있다.

그러나 좀더 구체적인 내용은 공복公服 항목에 언급되어 있다. 이 역시 의종조에 상정된 것으로, 세 분야로 나누어 처음에는 일반 복식을, 이어서 대帶와 홀笏에 대해 차례로 소개하고 있는데 지금 우리들이 살피고 있는 주제는 첫 번째와 두 번째 부분에 설명되어 있다. 즉, 첫 번째 일반 복식에서,

---

200) 『고려사』 권1, 세가·『고려사절요』 권1, 太祖 元年 夏6月·『고려사』 권92, 열전5 王儒傳·『고려사절요』 권28, 공민왕 15年 夏4月·『고려사』 권132, 열전45, 叛逆6 辛旽傳.

201) 이 내용은 『고려사』 권77, 百官志2, 外職 兵馬使條에도 실려 있다.

202) 논자들은 이곳의 의종조로 표기된 시기를 왕 15년(1161)으로 추정하고 있다. 이에 대해서는 박용운, 『고려사 여복지 역주』, 경인문화사, 2013, 27쪽 참조.

㉮-①-① 문관 4품 이상……자주색 옷을 입고(복자服紫), 붉은 가죽띠(홍정紅鞓)를 띠며 금어金魚를 찬다.

㉮-①-② 상참常叅 6품 이상……진홍색 옷을 입고(복비服緋), 붉은 가죽띠(홍정紅鞓)를 띠며 은어銀魚를 찬다. 관위가 이에 이르지 못했더라도 특별히 사여받은 자는 이 예에 구애되지 않는다.

㉮-①-③ 9품 이상……녹색 옷을 입는다(복록服綠). 각문閣門과 반열班列이 무신이면 모두 자주색 옷을 입으나 어대魚袋는 차지 않으며(이하 생략).

㉮-①-④ 서경유수西京留守는 상서尙書에 준하고(중략), 도호부·목의 판관과 지주사知州事 이상의 의衣·대帶·어魚는 본품本品에 따르되, 자紫·비緋를 차대借貸한 자는 어대를 차지 못하며, 지주知州의 부사副使 이하로 자紫·비緋의 옷을 입은 자는 홍정紅鞓을 착용하지 못한다.

고 규정하고 있다. 다음 두 번째는 띠(대帶) 항목으로서,

㉮-②-① 공公·후侯·백伯……통서通犀(순색純色의 무소뿔)·금金·옥玉·반서斑犀(알록달록한 무소뿔)의 (띠를 쓰고) 어대魚袋는 차지 않는다.

㉮-②-② 재신宰臣·추밀樞密……금·옥·반서 및 모나고 둥근 구로(방단구로方團毬路) 대帶를 띤다.

㉮-②-③ 문관 8좌文官八座·좌우상시左右常侍·어사대부御史大夫·한림학사승지翰林學士承旨·시신侍臣 3품 이상·무관 상장군上將軍 이상……금·반서(대)를 띤다.

㉮-②-④ 문·무3품 및 시신으로 급사중·중서사인·어사중승(급사중승給舍中丞) 이상……반서·금도은金塗銀(도금한 은) (대)를 띤다.

㉮-②-⑤ 문·무4품 이하·상참관常叅官……금도은서金塗銀犀(도금한 은·무소뿔) 대帶를 띤다.

㉮-②-⑥ 각문통사사인閣門通事舍人 이하 지후祗候 이상……금도은金塗銀(도금한 은) 대帶를 띤다.

㉤ − ② − ⑦ 참외관叅外官……서대犀帶를 착용하지 못한다.

㉤ − ② − ⑧ 양부兩府 및 승제承制, 문·무3품 이상과 4품 지제고知制誥, 한림翰林·동궁東宮의 시강학사侍講學士와 시독학사侍讀學士, 보문각寶門閣의 직학사直學士와 대제待制, 정4품의 지각문知閣門과 내시內侍로 항두원行頭員인 자, 다방茶房으로 시랑侍郞 이상인 자……조삼早衫에 홍정紅鞓을 띤다. 관위가 이에 이르지 못했더라도 특별히 사여받은 자는 이 예에 구애받지 않는다.

고 규정하고 있다. 보다시피 ①은 공복公服의 복식 일반을 취급한만큼 자복·비복·녹복을 중심으로 대帶·어대魚袋에 대해서도 함께 언급하고 있는데, 그중 대帶만을 간추리면,

○ 1품 이하 상참관 6품 이상……홍정을 띤다.
○ 지방관들은 본품本品에 따른다.

로 요약된다. 이에 비해 ②는 대帶 항목이므로 구체적인데,

○ 공작·후작·백작 등 최고위 작위爵位를 지닌자와 2품 이상관인 재신과 추밀은……금대·옥대·서대(통서대 및 반서대)를 띤다.
○ 행정 책임자인 8좌(정3품인 6상서 및 정2품인 좌·우복야)와, 그의 감독을 담당하는 상시와 어사대부(정3품) 및 한림원의 학사승지(정3품), 3품 이상의 시신侍臣, 무반의 최고직인 상장군(정3품) 등 중요한 국정의 담당자……금대와 반서대를 띤다.
○ 이상에 들지 못한 문·무3품관과 4품이면서도 시신으로서 중요한 일을 담당했던 급사중·중서사인·어사중승 이하 상참관……금도은대와 반서대 내지 서대를 띤다.
○ 조회朝會의 의례儀禮를 담당하는 각문의 통사사인(정6품) 이하 지후(정7품) 이상……금도은대를 띤다.
○ 참외관……서대의 착용을 허락하지 않는다.

○ 이상에서 제외된 문·무 3품 이상관과 좀 특수직이라고할 지제고·동궁 시강학사와 시독학사, 보문각 직학사, 내시 항두원, 다방 시랑 등……홍정을 띤다.

로 정리된다.[203] 요컨대 2품 이상관은 특별히 금대·옥대와 함께 품질이 뛰어난 서대(통서대·반서대)를, 중요직을 맡은 3품관은 금대와 반서대, 그리고 일반직의 문·무 3품관과 함께 4품 이하로부터 상참관(6품 이상)까지, 다시 7품이면서도 참내관이던 각문지후 이상은 금도은대와 반서대 내지 서대를 띠었음을 알 수 있다. 각문지후의 경우 서대에 대한 언급이 없으나 참상관이었음을 감안할 때 그같은 추정이 가능하다고 생각된다. 여기에 좀 특수한 직위를 맡고있는 6품관 이상이나 지제고·내시·다방 등 직품이 분명치 않으면서도 6품관 이상에 해당하는 직위를 담당하고 있는 관원들은 홍정을 띠었음도 밝혀져 있다. 공복을 입은 참상관(6품관) 이상 관원들은 일반적으로 서대(통서대·반서대 포함)와 홍정대를 띠었던 것이며, 최고 직위에 임했던 인원들은 특별히 옥대와 금대를 띨 수 있도록 하는 제도였다고 하겠다.

이와 유사한 규정은 아마 그전부터도 있었을 것이다. 그러다가 의종조에 이르러 상정詳定되기에 이른 듯 싶거니와, 그리하여 이 제도는 대체적으로 고려 전시기에 걸쳐 거의 그대로 시행된 것 같다. 먼저 옥대의 경우 위에서 소개한바 성종 8년(989)에 정3품인 동·서북면의 병마사에게 그것을 띠도록 한 것은 초기의 특별한 상황이고, 인종조의 기록인 『고려도경』에는 국왕과 태위太尉·중서령 등 국관國官들이 띤 것으로

203) 이상에서 언급된 공公·후侯 등의 작위와 상참常叅이나 8좌八座 및 재신宰臣·추밀樞密 이하 각종 관직들에 대해서는 박용운, 『고려사 백관지 역주』, 신서원, 2009, 해당 항목에 설명되어 있다.

나타나 있다.[204] 그후 충렬왕 때에 이르러 새삼스레 재추 이상만이 옥대를 띠도록 정하고 있는 규정도 보이며,[205] 충혜왕은 지공거知貢擧를 맡았던 안문개安文凱(당시 재신)에게,[206] 그리고 공민왕은 이방실李芳實(당시 추밀)에게[207] 각각 옥대를 사여하고 있고, 또 공양왕은 연산의 개태사에 있는 태조 진전眞殿에 제를 올리면서 의衣와 함께 옥대를 바치고 있는 기사도[208] 눈에 띈다.

다음 금대의 경우로 문종 때 송나라에 보낸 진봉물進奉物 가운데 금요대金腰帶·금속대金束帶가 보이는데[209] 아마 이것이 금대의 정식 명칭이 아니었을까 짐작된다. 그후 숙종이 삼각산 승가굴에 행차하여 금대를 시납하고 있는 기사가 찾아지며,[210] 인종조의 기록에는 국상國相이 구문금대毬文金帶(둥근 무늬가 있는 금대)를 띠었고,[211] 근시近侍와 종관從官은 어선금대御仙金帶(어선화를 새긴 금대)를 띠었다는[212] 사실도 밝혀져 있다. 이어서 한참 시기가 지난 충목왕 때에는 원나라에서 어향御香을 가지고 온 백안첩목아伯顏帖木兒에게 왕이 금대를 사여하고 있고,[213] 공민왕이 서북면도원수의 직임을 맡게된 염제신廉悌臣과[214] 전공이 많은 이성계李成桂,[215] 그리고 역시 원나라의 사절로 온 이가노李

204)『고려도경』 권7, 冠服, 王服·令官服.
205)『고려사』 권72, 志26, 輿服, 冠服－冠服通制 충렬왕 원년 7월.
206)『고려사』 권36, 세가 충혜왕 즉위년 冬10月.
207)『고려사』 권39, 세가 공민왕 9년 夏4月.
208)『고려사』 권46, 세가 공양왕 3년 5月.
209)『고려사』 권9, 세가 문종 26년 6月 甲戌.
210)『고려사』 권11, 세가 숙종 4년 閏9月.
211)『고려도경』 권7, 冠服－國相服.
212)『고려도경』 권7, 冠服－近侍服·從官服.
213)『고려사』 권37, 세가 충목왕 2년 12月.
214)『고려사』 권39, 세가 공민왕 5년 9月·같은 책 권111, 열전24, 廉悌臣傳.
215)『고려사』 권40, 세가 공민왕 13년 2月.

家奴 등에게[216] 동일한 조처를 취하고 있다. 공로가 많은 중신이나 외국 사절들에게 금대를 내리고 있는 것이다. 이같은 상황 속에서 김지金摯 같은 이는 금대·은대를 금지하여 검약할 것을 상소하고 있지마는,[217] 공양왕이 이성계와 심덕부沈德符에게 여전히 금대를 사여하는 등[218] 관련 기사는 더 눈에 띈다. 명종 때의 일이지만 왕이 양계兩界 지역 성城의 상장上長과 도령都領들을 인견하는 자리에서 후자인 도령들에게 금의錦衣와 함께 금대金帶도 내리고 있지마는[219] 이는 이들 국경지대의 동요를 우려하여 회유하는 뜻에서 특별히 사여한 경우로서 본래의 제도를 벗어난 조처였다.

금대는 3품관 가운데서도 요직을 담당한 일부의 관원들에게 허용되었지만 그렇지 않은 3품관들로부터 정7품이면서도 참내직叅內職이었던 각문지후 같은 직위를 포함하여 참상관叅上官(대부분 6품 이상)들은 금도은대金塗銀帶(도금한 은대)와 반서대斑犀帶 내지 서대를 띠었고, 지제고와 보문각 직학사 등의 특수직들은 홍정대紅鞓帶를 띠었는데 그 사례들도 상당수가 찾아진다. 그중 은대는 바로 위에서 소개한바(주 217), 창왕 원년에 김지가 검약을 강조하면서 금대와 함께 은대도 금지시킬 것을 상소하고 있는 데서 볼 수 있으며, 또 희종이 노인사설의를 베풀고 선물로 요대은腰帶銀을 내리고 있는데[220] 이 역시 은대 제작에 소요

216) 『고려사』 권40, 세가 공민왕 12년 秋7月.
217) 『고려사』 권137, 列傳50, 창왕 원년 8월.
218) 『고려사절요』 권34, 공양왕 2年 夏4月. 이들 금대金帶가 우왕 13년 6월에 원나라 것을 명나라 제도로 바꾸면서 설치했다는 삽화금대鈒花金帶·소금대素金帶(『고려사』 권72, 志26, 輿服, 冠服－冠服通制)와 어떤 연관이 있는지의 여부는 잘 알 수가 없다.
219) 『고려사』 권19, 세가 명종 8년 11月.
220) 『고려사』 권68, 志22 禮10, 嘉禮 老人賜設儀 희종 4년 10월.

되는 물품으로 생각된다. 그리고 용호좌우친위기두와 용호좌우친위군장 및 신호좌우친위군이 띤 도금속대塗金束帶[221] 역시 도금한 은대로 이해하는게 옳을 것 같다.

다음은 반서대와 서대의 사례인데, 전자는 예종 4년에 사절로 간 이여림李汝霖에게 요나라에서 반서대 일요一腰(1벌)를 내린 사실을[222] 들 수 있다. 그리고 인종 10년에는 경연經筵에서 강경講經한 정항鄭沆·윤언이尹彦頤·정지상鄭知常에게 각각 화서대花犀帶 하나씩을 내리고 있는데[223] 이 역시 반서대와 유사한 띠로 생각된다. 한편 일반적으로 널리 쓰이던 후자의 사례도 적지 않아서, 예종이 천수사天壽寺 건립의 감독을 맡았던 평장사(정2품) 윤관尹瓘에게 서대 하나를 사여하고 있는 것을[224] 비롯하여 최충헌이 작위를 받고 입부立府하는 행사에 즈음하여 책사册使로 온 사람[225] 및 충목왕이 과거에 급제한 사람에게 특별히 서대를 내리고 있는 것과[226] 충렬왕이 6품 이상관만 서대를 띨 수 있도록 정하고 있는 것[227] 등 여러 경우를 접할 수 있다. 그런가 하면 호칭은 좀더 다양하여 홍정서대紅鞓犀帶(붉은 가죽으로 장식한 서대)가[228] 눈에 띄고, 색깔과 함께 쓴 오서대烏犀帶와[229] 흑서속대黑犀束帶도 보이며,[230] 또 서홍정대犀紅鞓帶,[231] 서홍정犀紅鞓,[232] 서정犀鞓[233] 등이 찾

---

221) 『고려도경』 권11, 仗衛1 龍虎左右親衛旗頭·龍虎左右親衛軍將·神虎左右親衛軍.

222) 『고려사』 권13, 세가 예종 4년 2月.

223) 『고려사』 권16, 세가·『고려사절요』 권10, 인종 10年 夏4月.

224) 『고려사』 권12, 세가 예종 元年 9月.

225) 『고려사』 권127, 열전40, 叛逆1 崔忠獻傳.

226) 『고려사』 권74, 志28 選擧2, 科目2 凡崇奬之典, 충목왕 3년 10월.

227) 『고려사』 권72, 志26, 輿服, 冠服－冠服通制 충렬왕 원년 7월.

228) 『고려도경』 권7, 冠服 卿監服.

229) 『고려사』 권13·14, 세가 예종 4년 3월·13년 3월.

230) 『고려도경』 권11, 仗衛1 興威左右親衛軍.

아지는데 모두가 서대 내지는 그에 가까운 띠(대)들로 이해해도 무방하지 않을까 한다.

이처럼 서대는 참상관 이상 모두에게 두루 쓰인 띠였음을 알 수 있는데, 이것에는 조금 미치지 못하는 듯 싶으면서도 역시 참상관 이상에게 두루 쓰인 띠로 또 홍정대가 있다. 그에 대해서도 위에서 소개했듯이 의종조 상정詳定의 공복公服 항목 일반 복식에 관한 규정에 문관 4품 이상 및 상참 6품 이상은 홍정을 띠도록 되어 있고, 또 띠(대帶) 규정에도 양부兩府와 승제承制, 문·무 3품 이상 및 4품 지제고 등 특수직자들 역시 홍정을 띠도록 하고 있는 것이다. 한데 실제 사례들을 보면 자료의 한계에 따른 결과인지는 몰라도 대부분이 의종조 보다 얼마 뒤부터 나타나고 있다. 즉, 명종 13년조에 보이는 홍정공紅鞓工의 존재로부터[234] 희종조의 노인사설의에서는 홍정피紅鞓皮가 주어지고 있으며,[235] 고종 12년에는 내시·장군인 송서宋愲에게,[236] 18년에는 대집성大集成,[237] 44년에는 내시·소경少卿인 선인렬宣仁烈에게[238] 각각 홍정이 사여되고 있는 것이다. 이어서 유사한 경우가 원종조에 3사례,[239] 충렬왕조에는 5사례가 눈에 띄며,[240] 또 충선왕도 박전지朴全之·오한경

231) 『고려사』 권18, 세가 의종 11년 5月.
232) 『고려사』 권20, 세가 명종 10년 冬10月.
233) 『고려사』 권25, 세가 원종 원년 3月.
234) 『고려사절요』 권12, 명종 13年 8月.
235) 『고려사』 권68, 志22 禮10, 嘉禮 老人賜設儀 희종 4년 10월.
236) 『고려사』 권22, 세가 고종 12년 冬10月.
237) 『고려사절요』 권16, 고종 18年 秋7月.
238) 『고려사』 권24, 세가 고종 44년 9月.
239) 『고려사』 권26, 세가 원종 5년 12月 丁卯·同 6년 3월·『고려사』 권27, 세가·『고려사절요』 권11, 원종 14年 6月.
240) 『고려사』 권29, 세가 충렬왕 5년 夏4月 辛卯·同 권30, 세가 충렬왕 11년 11月 丁卯·同 권123, 열전36, 嬖幸1, 權宜傳·『고려사절요』 권21, 충렬왕 20年 11

吳漢卿·이진李瑱·권영權永에게,[241] 충숙왕 역시 최원무崔元茂·윤신걸尹莘傑·백원항白元恒 등에게[242] 각각 홍정을 내리고 있는 기사가 찾아진다. 다음 공민왕조에 이르러서는 제주의 성주星主가 와서 말을 바치자 그에게 역시 홍정을 하사하고 있으며,[243] 상홀象笏이나 홍정紅鞓·조정早鞓 등은 우리나라의 생산물이 아니니 이후로 시신侍臣 이외의 5품 이하관은 사용하지 말라고 하는 교서를 내리고 있기도 하다.[244] 어떻든 이같은 여러 상황을 참작할 때 홍정대도 서대와 함께 6품 이상의 상참관들에게 널리 이용되는 띠였음을 이해할 수는 있을 것 같다.

지금까지 소개한 각종 띠(대)들 이외에 홍혁동대紅革銅帶도 눈에 들어온다. 이것은 용호하해군龍虎下海軍이 띠었다는 것인데[245] 그들 직위가 어느 정도 였는지는 분명치가 않다. 또 흑정각대黑鞓角帶는 조관朝官들이 띠었다는 것으로[246] 미루어 상당한 직위에 있는 관원들이 썼던 것 같고, 흑각속대黑角束帶는 천우좌우장위군千牛左右仗衛軍과 민장民長이 띠었다고 했으니[247] 역시 일정한 직위에 있는 사람들이 쓰던 띠 였음이 짐작되나 분명치 않기는 마찬가지이다. 위에서 소개한 일이 있는 조복朝服 항목의 공민왕 21년 11월 교教에 의하면 각대角帶는 동·서반東西班 5품 이하의 관원들이 사용하도록 정하고 있다.[248] 한데 우왕 13년에 원나라 복식을 혁파하고 명나라의 제도를 따르도록 하면서 각대

月·『고려사』 권31, 세가 충렬왕 21년 春正月 甲戌.
241) 『고려사』 권109, 열전22, 朴仝之傳.
242) 『고려사』 권34, 세가 충숙왕 5년 春正月 丙子.
243) 『고려사』 권39, 세가 공민왕 6년 秋7月 壬寅.
244) 『고려사』 권72, 志26, 輿服, 冠服－朝服 공민왕 21년 11월.
245) 『고려도경』 권12, 仗衛2 龍虎下海軍.
246) 『고려도경』 권7, 冠服 朝官服.
247) 『고려도경』 권12, 仗衛2 千牛左右仗衛軍.
248) 『고려사』 권72, 志26, 輿服, 冠服－朝服.

는 참외관叅外官과 외방外方의 현령縣令·감무監務들이 띠는 것으로 고치고 있다.249) 각대를 띠는 부류는 시기에 따라 일정하지 않았던 것 같다. 또 흑대黑帶의 경우도 충렬왕은 7품 이하가 띠도록 정하고250) 있으나 그 이전에는 진사進士 대열에 들어갔으면서도 아직 급제하지 못한 인원들이 띠는 것으로 기록되어 있다.251)

이상은 민장과 진사처럼 반관 반민과 같은 위치에 있는 사람들을 제외하면 모두가 관원·군사들의 띠에 대해 살펴온 셈인데, 이에 비하면 민서民庶들의 띠에 관한 자료는 극히 드물어 파악에 어려움이 따른다. 그런 가운데 역시 좀 특수한 위치에 있는 스님들의 경우 능라륵綾羅勒(비단 허리띠)을 금한다고 보이는데252) 혹 이것이 좀 도움이 될지 모르겠다. 그 얼마후인 인종 때에는 또 노예가 혁대革帶를 띠는 것을 금한다고 했는데,253) 금지하는 대상을 노예로 한정시킨 것을 감안할 때 일반 민인들은 그것이 가능했으리라 짐작된다. 그리고 스님이 아니면서도 사원에 붙어 지내는 재가화상在家和尙들은 백저白紵(흰 모시)로 된 소매가 좁은 옷(착의窄衣)을 입고 검은 비단으로 허리띠를 두른다(속요조백束腰皁帛)고 하였은즉254) 검은 허리띠의 존재도 확인된다. 그런 한편 실제로 어느 정도까지 시행되었는지 좀 불분명한 제도의 하나로 우왕이 그의 즉위 13년 6월에 호복胡服(원나라 복식)을 혁파하고 명나라 제도를 채택하는 가운데 성균생원成均生員과 경·외京外의 학생·권무權務 및 직職이 없는 사인士人과, 백성은 비록 유직자有職者라도 사대絲帶

249) 『고려사』 권72, 志26, 輿服, 冠服－冠服通制 辛禑 13년 6월.
250) 『고려사』 권72, 志26, 輿服, 冠服－冠服通制 충렬왕 원년 7월.
251) 『고려도경』 권19, 民庶－民長.
252) 『고려사』 권85, 지39, 刑法2 禁令·『고려사절요』 권3, 顯宗 18年 8月.
253) 『고려사』 권85, 지39, 刑法2 禁令·『고려사절요』 권9, 仁宗 9年 5月.
254) 『고려도경』 권18, 釋氏 在家和尙.

를 띠도록 했다고255) 보인다. 이 규정중에는 또 동·서반 7품 이하도 사대를 띠도록 했음이 밝혀져 있지마는, 어떻든 위에서 지적했듯이 실제 상황을 잘 알 수 없음에도 이를 통해 민인民人(백성)들의 띠에 대한 윤곽을 파악하는데 다소나마 도움을 받을 수 있지 않을까 싶다.

(7) 두의頭衣(머리쓰개류) - 관冠·모帽·립笠·건巾·책幘

논자에 따라 두의頭衣 또는 머리쓰개류 등으로 불리우는 고려시대 사람들의 모자帽子에 대해 이해하는 데는 다음의 기록이 많은 참고가 된다.

> ㉤-③ 고려의 두건頭巾은 특히 무늬가 있는 나羅(문라文羅)로 만든 것을 중히 여겼다. (한데) 하나의 건(두건) 값이 쌀 한섬(일석一石)에 해당하여 가난한 백성(세민細民)들은 재물이 없어 마련할 수 없었는데, 맨 머리(노두露頭)는 죄수와 구별이 되지 않아 수치스럽게 여겼으므로 죽관竹冠을 만들어 썼다. (죽관의 모양은) 혹 모나기도 하고 혹 둥굴기도 하여 처음에는 일정한 규격이 없었다.256)

여기에서 우리는 먼저 고려시기 사람들이 모자를 쓰는 것을 매우 중시했음을 알 수 있다. 당시의 제도가 죄수들은 맨 머리(노두露頭)였으므로 이들과 구별이 되지 않아 수치를 당할까바 그러했다는 이유의 하나도 제시되어 있지마는, 태조 때 내군장군內軍將軍이 된 은부는 어려서

255) 『고려사』 권72, 志26, 輿服, 冠服-冠服通制 辛禑 13년 6월.
256) 『고려도경』 권19, 民庶 舟人.

머리를 깎이고 목에 칼을 씌우는 형벌을 받았다거나,[257] 공민왕조에 이귀수李龜壽 등이 머리를 깎이우고 절에 유폐되었다가 신돈에 의해 죽임을 당했다는[258] 기사 등을 통해 그점은 실제로 확인이 된다. 아울러 성종은 남자로 10세 이상은 모자를 착용하도록(착모着帽) 명령을 내리고 있어서[259] 이 시기의 습속을 짐작하기 어렵지 않거니와, 그런 관계로 당시인들은 상하를 막론하고 모자를 썼겠는데 가장 선호하는 물품은 문라두건文羅頭巾이었다고 지적되어 있다. 한데 그 값이 너무 높아 가난한 백성들은 마련하기가 어려웠다고 한 것을 보면 그것은 경제력이 있는 상층인들의 취향이었던 것 같다. 그렇다면 민서民庶들은 아마 의료衣料의 질이 낮아 저렴한 두건을 사용했을 듯싶은데, 그와 함께 죽관竹冠을 만들어 썼다고도 언급되어 있다.

우리들이 전근대前近代의 쓰개류를 지칭할 때 흔히들 관冠·모帽라고 써 왔다. 이들의 위상이 높았기 때문일 것 같다. 그리하여 그중에서도 관冠이 주목을 끌었고 그때에 얼핏 떠오르는 것이 면류관冕旒冠·원유관遠遊冠 같은 국왕이 쓰는 것들이었다고 생각된다. 물론 고려 때에도 왕들이 공식 행사에서는 이들을 썼고, 따라서 『고려사』 등의 사서에 그들 명칭이 자주 등장한다. 하지만 관冠중에는 방금 소개한 것처럼 대나무로 만들어 민인民人들이 착용한 죽관도 있었던 것이다. 그리고 과거科擧를 관장하는 고원誥院의 학사學士들을 유관儒冠을 쓴 사람들이라고 지칭한 대목이 눈에 띄며[260] 또 문종은 그의 18년 8월과 12월 두 차례에 걸쳐 변방에 나가있는 군사(병졸)들에게 모관毛冠(털모자)을 사여하

257) 『고려사』 권1, 세가 태조 원년 夏6月.
258) 『고려사절요』 권28, 공민왕 15年 8月.
259) 『고려사』 권85, 지39, 刑法2 禁令·『고려사절요』 권2, 成宗 元年 夏4月.
260) 『동국이상국집』 권25, 古律詩「次韻吳東閣世文 呈誥院諸學士三百韻詩」.

고 있는 기사도[261] 보인다. 뿐 아니라 국가의 중요 행사에 참여하는 국왕 등의 의위儀衛와 노부鹵簿를 담당하는 군사들－대관전大觀殿 조회의장朝會儀仗에서의 흑간작자홍라호대黑簳斫子紅羅號隊 소속 군사 및 법가위장에서의 은작자홍라호대銀斫子紅羅號隊 소속 군사와 어로御輅 담당 공학군拱鶴軍, 연등위장에서의 은작자홍라호대 소속 군사, 서남경순행위장西南京巡幸衛仗에서의 백간작자홍라호대白簳斫子紅羅號隊 소속 군사와 어련御輦 담당 공학군, 서남경순행 회가봉영위장西南京巡幸廻駕奉迎衛仗에서의 은간작자홍라호대銀簳斫子紅羅號隊 소속 군사, 왕태자 노부鹵簿에서의 은작자대銀斫子隊 소속 군사들은 각각 자관紫冠 내지 자라관紫羅冠·무변관武弁冠을 쓰도록[262] 제도화되어 있기도 했던 것이다. 관冠을 칭한 사례는 이밖에도 여러 종류가 더 찾아지거니와,[263] 그에 따라 혹자는 관冠이 「한가지 유형의 쓰개를 지칭하는 용어가 아니라 쓰개 일반을 지칭하는 용어로 사용되었다」고[264] 말하고 있는데 타당한 이해라 생각된다.

이 관冠과 더불어 모帽(모자)도 쓰개류 일반을 지칭하는 용어로 사용되었다는 점에서는 마찬가지였다.[265] 그것은 바로 위에서 소개한바(주 259), 194쪽) 성종이 남자로 10세 이상은 모자를 착용하도록 명령을 내렸다고한 당해 모帽나, 선종이 가뭄이 심하자 기우제를 지냄과 동시에 사람들이 모자 쓰는 것을 금한 것(금인대모禁人戴冒)과[266] 원종 역시 날

261) 『고려사』 권81, 지35, 兵1 兵制·『고려사절요』 권5, 文宗 18년 8월과 12월조.
262) 『고려사』 권72, 志26, 輿服, 儀衛·鹵簿 해당 항목.
263) 김문숙, 「쓰개류－관冠」 『고려시대 원간섭기 일반복식의 변천』, 서울대 이학박사학위 논문, 2000, 26쪽.
264) 김문숙, 위와 같음.
265) 김문숙, 위의 글 29쪽.
266) 『고려사』 권54, 지8, 五行2 金－恒暘·『고려사절요』 권6 宣宗 5년 夏4月.

이 크게 가물자 양산을 쓰지 않고 모자의 착용을 금지하였다(금착모禁着帽)고한 것[267] 등에서 살펴볼 수 있을 것 같다.

실제로 모帽를 칭한 사례들을 보더라도 여러 신분계층에서 다양한 형태와 용도의 모자를 쓰고 있음이 드러나 있다. 인종조를 즈음한 시기의 왕이 상복常服으로 오사고모烏紗高帽(검은색 비단(깁)으로 된 높은 모자)를 썼다고한[268] 것이 그 한 사례이거니와, 좀 후대이긴 하지만 충렬왕이 난모暖帽를 이용하고 있음이 확인되며,[269] 충목왕조의 재신宰臣이던 신예辛裔가 종려나무와 대오리를 엮어 만든 종모椶帽를 착용하고 있는 예[270] 역시 눈에 띤다. 아울러 신호좌우친위군과 홍위좌우친위군은 금화대모金花大帽(금빛 꽃으로 장식한 큰 모자)를 쓴 사실이 밝혀져 있으며,[271] 과거의 3장三場에서 연달아 최고 성적을 낸 김인관金仁琯에게 특별히 금화모金花帽의 착용을 허락한[272] 기록도 보인다. 그리고 무신정권기의 문인으로 조정에도 참여했던 이인로李仁老는 「농서자(이인로) 나물 먹고 배불러서 손으로 배를 문지르고, 가냘픈 오사모烏紗帽를 재껴 쓰고는」 운운云云한 글귀를 남기고 있고,[273] 이규보 역시 양각교梁閣校에게 주는 글에서 「훌륭하다 그대의 척당한 마음 언제나 나의 마음 끌게 하는구려, 검은 사모(오사모烏紗帽)를 반쯤 쓰고는, 백옥 잔을 자주 기울이며」라고 읊은 시구詩句도[274] 볼 수 있다. 특히 이 오사모(자)烏紗帽(子)·조사모(자)皁紗帽(子)는 위에서 여러 차례 소개했던 『고려

267) 『고려사』 권54, 지8, 五行2 金－恒暘·같은 책 권25, 세가 元宗 원년 6月.
268) 『고려도경』 권7, 冠服 王服.
269) 『고려사』 권30, 세가 충렬왕 19년 12月.
270) 『고려사』 권125, 열전38, 姦臣1 辛裔傳.
271) 『고려도경』 권11, 仗衛1 神虎左右親衛軍·興威左右親衛軍.
272) 『고려사』 권74, 志28 選擧2, 科目2 凡崇奬之典, 충목왕 3년 10월.
273) 『동문선』 권2, 賦「紅桃井賦」.
274) 『동국이상국전집』 권5, 古律詩「卜居鸎溪 偶書草堂閑適…梁閣校」.

사』 권72, 지志26, 여복輿服, 의위儀衛·노부鹵簿조에 실려있는 각 행사에 종사하는 군사들－대관전 조회의장에서의 대산大傘·양산陽傘 담당 군사, 은골타자대 소속 군사, 교상絞床 담당 군사 등이 쓰던 모자로서 그 사례는 10여건에 걸치고 있다.

이곳 여복지 의위·노부조에는 이 오사모와 함께 몇가지 형태의 모자가 더 언급되어 있다. 모체母體 좌우에 달린 각角(귀)이 네모형인 방각모放角帽가[275] 그 하나로서 착용자는 대관전 조회의장에서의 수정장水精杖과 월부鉞斧를 담당하는 도장都將을 비롯하여 장엄궁莊嚴弓 담당의 장교將校, 백갑대白甲隊의 영도장領都將과 장교, 은장장도대銀粧長刀隊의 영장교領將校, 은골타자대銀骨朶子隊의 영장교, 흑간작자홍라호대黑簳斫子紅羅號隊의 영장교, 중금반中禁班의 영지유領指諭와 행수行首 및 반사班士, 도지반都知班의 영지유와 행수 및 반사, 전상殿上의 상장군과 대장군,[276] 그리고 법가위장에서의 선배대先排隊 소속 장교, 행루여行漏輿를 위한 청도淸道 담당 태사국리太史局吏와 은장장도대 소속 영장교, 공작선孔雀扇과 반룡선蟠龍扇 담당의 승지承旨 등 여럿이 눈에 띄며, 이어지는 연등위장 등 각종 행사의 경우에서도 비슷한 양상을 볼 수 있다. 아울러 이들 방각모를 착용하는 문·무의 관원들 지위가 다음에 소개하는 인원들에 비해 높다는 점도 보여 눈길이 간다.

방각모와 오사모 다음에 등장하는 것이 입각모立角帽인데, 이것은 모체 좌우에 달린 각角(귀)이 위로 올라간 형태의 모자로서,[277] 대관전 조회의장에서의 은장장도대 군사軍士와 가서봉哥舒棒 담당 군사가, 법가

275) 『국역 고려사』 권17, 경인문화사, 2011, 245쪽.
276) 여기의 각종 기구와 명칭에 대해서는 박용운, 『고려사 여복지 역주』, 경인문화사, 2013, 121쪽 이하 참조.
277) 『국역 고려사』 권17, 경인문화사, 2011, 246쪽.

위장에서는 행루여를 위한 청도 담당자, 방패대防牌隊의 갑마甲馬 담당 공군사控軍士, 채라번彩羅幡 담당 군사, 평련平輦 담당 공학군拱鶴軍, 어갑담御甲擔의 중도中道 담당 공학군과 은장장도대 군사를 비롯하여 이하 팔관위장 등의 여러 행사를 담당한 군사들이 착용하고 있으며, 다음의 뿔(각角)을 낸 모자인 삽각모揷角帽는 법가위장에서 행루여가 중도中道로 가는 길을 담당한 청도淸道와 교묘郊廟로 행차하는데 따른 중도中道 담당의 청도 및 서남경순행위장西南京巡幸衛仗과 서남경순행 회가봉영위장西南京巡幸廻駕奉迎衛仗에서 경령전판관景靈殿判官이 가는 중도 담당의 청도, 그리고 법가노부에서 제1인第一引을 맡은 개성윤開城尹(기록에는 개성령開城令?)이 중도로 가는데 따른 청도공학군淸道拱鶴軍 등이 착용하고 있다. 이어서 금분을 아교에 풀어 그린 그림을 넣은 모자인 금화모자金畵帽子도 눈에 띄는데, 이것은 법가위장에서 청곡병대산靑曲柄大傘과 청양산靑陽傘 및 황산黃傘과 홍산紅傘을 담당하는 공학군과, 교상絞床·수관자水灌子의 담당 군사軍士, 공작산孔雀傘 담당 군사와 은작자홍라호銀斫子紅羅號 소속의 낭장郎將을 비롯하여 이하의 연등위장 등에서도 금화모를 착용한 여러 사례들을 볼 수 있다. 특히 이 금화모는 고종조의 무인집정武人執政이던 최우崔瑀가 왕에게 건의하여 근위병인 공학군도 견룡군牽龍軍의 예에 따라 이 모자를 쓰도록 하게 했다는 기사도 찾아져[278] 주목된다.

이들 이외에 상복常服을 입었을 때 용호군龍虎軍과 신위군神威軍이 썼다는 자모紫帽와[279] 근위近衛를 담당하는 공학군이 일시 쓴 흑모黑帽[280] 내지 팔관위장에서 골타자대骨朶子隊 소속의 군사들이 쓴 흑모자

278) 『고려사절요』 권15, 고종 12年 9月·『고려사』 권72, 志26, 輿服, 儀衛 .
279) 『고려도경』 권11, 仗衛1 輿威左右親衛軍.
280) 『고려사절요』 권15, 고종 12年 9月·『고려사』 권72, 志26, 輿服, 儀衛 凡法駕

는[281] 색깔만에 의해 붙여진 명칭들이다. 그리고 역시 법가위장에서 한罕·필畢을 담당한 군사와 후행마後行馬를 담당한 공군사控軍士 및 팔관위장에서 한·필을 담당한 공학군이 쓴 금모자錦帽子,[282] 그리고 이규보가 꿈에서 왕이 쓰고 있는 것을 보았다는 포모布帽는[283] 모자의 자료를 가지고 구분한 것이다.

여말인 우왕 13년에 호복胡服(원나라 복식)을 혁파하고 명나라 제도를 도입하면서 1품부터 9품에 이르는 모든 관원들은 사모紗帽를 쓰도록 조처하고 있다.[284] 한데 거기에 이은 구체적인 내용을 보면 한결같이 띠(대帶)에 대한 것일뿐 쓰개에 관해서는 아무런 언급이 없는데, 이는 아마 전제처럼 모든 품관들이 사모를 쓰도록 되었기 때문에 그같은 기술이 된 듯 생각된다. 그런데 정작 8·9품의 외방外方 현령과 감무監務가 각대角帶를 띤다고 한 것에 잇달아서 몇가지 사항을 추가하고 있는데 그 내용중에 모자에 관한 부분만을 뽑아 소개하면 다음과 같다.

㉲-④-① 동·서반 7품 이하는 전모氈帽를 쓴다.
㉲-④-② 서반 5·6품은 고정립高頂笠과 전모를 쓴다.
㉲-④-③ 여러 도감都監과 각종 색色(관서官署)에 사환仕宦하는 사람은 사모紗帽를 쓴다.
㉲-④-④ 지유指諭·행수行首·내시內侍·다방茶房 및 왕명을 받들고 외방에 나간 자는 동·서반과 시관時官·산관散官을 논할 것 없이 참叅 이상이면 사모에 품대品帶를 띠고, 참외叅外이면 각대角帶를 띤다.

衛仗 고종 12年 9月.

281) 『고려사』 권72, 志26, 輿服, 儀衛－八關衛仗 骨朶子隊.

282) 『고려사』 권72, 志26, 輿服, 儀衛 法駕衛仗·八關衛仗.

283) 『동국이상국전집』 권25, 記·牓文·雜著 「夢驗記」.

284) 『고려사』 권72, 志26, 輿服, 冠服－冠服通制 辛禑 13년 6월,

㉰-④-⑤ 양부兩府·대언代言·반주班主·대간臺諫과 여러 도道의 안렴按廉이 비나 눈이 올 때는 옥정자玉頂子를 단 고정립을 쓴다.

㉰-④-⑥ 3도감都監과 5군軍의 녹사錄事와 재추소宰樞所의 지인知印은 유각두건有角頭巾을 쓰며 녹관祿官도 근무시에는 3관館과 같다.

㉰-④-⑦ 각 영領의 위尉(교위)·정正(대정)은 감투(감두坎頭)·고정립을 쓴다.

㉰-④-⑧ 백갑白甲·견룡牽龍의 인가引駕 및 경·외京外의 전함前銜이 정순正順 이하는 고정립을 쓴다.

㉰-④-⑨ 성균관 생원生員과 경·외京外의 학생·권무權務 및 직職이 없는 사인士人은 고정모高頂帽·평정두건平頂頭巾을 쓴다.

㉰-④-⑩ 별감別監·소친시小親侍·급사給事는 자라두건紫羅頭巾을 쓴다.

㉰-④-⑪ 악관樂官은 녹라두건綠羅頭巾을 쓴다.

㉰-④-⑫ 반방飯房·수방水房·등촉상소燈燭上所는 고정립·전모·감두를 쓴다.

㉰-④-⑬ 여러 사司(관청)의 서리는 평정두건을 쓰는데, 공·상工商도 그와 같다.

㉰-④-⑭ 백성百姓은 비록 직職이 있는자라도 고정립을 쓴다.

㉰-④-⑮ 초抄(궁궐 내의 사령노使令奴)는 자의紫衣에 그 두건頭巾과 대帶는 원나라 제도 그대로 두었으니 그 미천함 때문에 고치지 않은 것이다.285)

직위와 업무 등에 따라 모帽와 립笠·두건頭巾을 쓰는 부류로 나누어 규정하고 있는데, 먼저 모는 전모·사모·고정모 등으로서 그 착용자는 동·서반 7품 이하 관원, 각종 도감과 색色의 사환자仕宦者, 지유·행수·내시·다방·왕명을 띠고 외방에 나간 참상관, 성균관 생원과 경·외京外

285) 위와 같음. 여기에 언급된 각종 관서와 직위 등에 대해서는 박용운, 『고려사 여복지 역주』, 경인문화사, 2013, 91~100쪽 참조.

의 학생·권무관 등이었다. 그리고 립笠은 고정립으로서 서반 5·6품, 양부·대언·반주·대간과 여러 도道의 안렴사, 영領의 교위·대정, 백갑·견룡의 인가 및 경·외의 전함이 정순대부 이하인 자, 반방·수방·등촉상소 근무자, 백성으로 직職이 있는자 등이 착용하였으며, 두건은 유각두건·평정두건·자라두건·녹라두건·두건 등으로서 3도감과 5군의 녹사 및 재추소의 지인, 직職이 없는 사인士人, 별감과 소친시 및 급사, 악관, 여러 사司의 서리와 공·상인工商人, 궁궐 내의 사령노使令奴인 초抄 등이 쓰고 있다. 여기에서 모의 경우 짐승 털 소재의 모자인 전모와 고정모처럼 새로운 자료와 형태를 띤 존재의 확인과 함께 모帽가 립笠이나 두건에 비해 상급에 위치하는 모자라는 점도 유추해 볼 수 있어서 주목된다. 두건과는 더 말할 필요도 없지만 립笠과 비교하더라도 모帽를 착용한 하급층이 경·외의 학생·권무관 등인데 대해 립笠 착용자는 반방·수방·등촉상소의 근무자나 백성들임을 보더라도 그러하지만 그 전제가 1품부터 9품까지의 모든 관원이 사모를 쓰도록 규정하고 있다는 점을 감안할 때 한층 더 그같이 생각되는 것이다.

이 조처가 있었던 우왕 13년 얼마 뒤인 공양왕 3년에 도평의사사의 요청에 따라 평양부 토관土官들의 관복冠服을 정하였는데 「동·서반의 으뜸이 되는 각 1인씩은 사모에 품대品帶, 그 나머지 5·6품은 고정립에 품대, 7품 이하는 고정립에 도아絛兒, 지인知印·주사主事는 평정건平頂巾을 쓰도록 하였다」고한[286] 것에서 그러한 관계가 좀더 분명해진다. 이들은 고려 말기의 기록이지만 전기에도 유사한 상황이 아니었을까 생각되거니와, 이는 인종조의 기록인 『고려도경』에 과거 응시자가 처음에는 4대문라건四帶文羅巾을 썼다가 일단 예비시험을 통과하여 진사

286) 『고려사』 권72, 志26, 輿服, 冠服－冠服通制 공양왕 3년 정월.

가 되면서는 모帽를 착용하였다고한[287] 기록이 보여 이해에 도움을 받을 수 있다.

그러면 이어서 립笠(갓)에 대해 살펴보기로 하자. 이때에 우선 도움을 받을 수 있는 것이 「고려 사람들은 립笠을 알軋이라 부르는데, 그 (모습이) 산의 형태와 비슷하므로 인하여 그런 이름을 얻게된 것이다」라는 『고려도경』의 기록이다.[288] 립笠은 모든게 그러했던 것은 아니라 하더라도 대체적으로 삼각형의 산처럼 모양이 위가 뾰족하였음을 알 수 있거니와, 바로 위에서 소개한 고정립高頂笠과도 상통하는 명칭인 것 같다.

이 립笠은 삼국시대부터 상하 모두가 널리 사용하던 모자의 일종으로 통일신라를 거쳐 고려에도 그대로 이어졌다.[289] 그리하여 현종 18년(1028)에 승려들이 채색 모자(채모彩帽)와 함께 입자笠子(갓)를 착용하는 것을 금한다는 기사에서[290] 그 사례를 찾아볼 수 있다. 그리고 인종조의 기록인 『고려도경』에는 공경公卿이나 귀인貴人의 처妻가 외부로 출입을 할 때에 말을 타는데, 끝이 말 위를 덮을 정도의 검은 비단너울(조라몽수皁羅蒙首)을 쓰며 또 립笠도 쓴다고 하여[291] 여자들이 립을 착용한 사례 역시 찾아진다.

그런데 이들 립笠과 관련된 기사는 고려의 전기보다는 후기에 집중적으로 드러나 있다. 원종 원년에 어사대御史臺에서, 승려로서 규정에 어긋난 입자笠子를 쓰는 것을 금한다고한 그 입자는[292] 바로 위에서 언

287) 『고려도경』 권19, 民庶 進士.
288) 『고려도경』 권37, 海道4, 鴉子苫.
289) 李如星, 「상대 복식의 여러 관모 - 립笠」 『朝鮮服飾考』, 白楊堂, 1947; 범우사, 1998, 132~134쪽.
290) 『고려사』 권85, 지39, 刑法2 禁令·『고려사절요』 권3, 顯宗 18年 8月.
291) 『고려도경』 권22, 雜俗1, 女騎.
292) 『고려사』 권85, 지39, 刑法2 禁令 元宗 元年 2月.

급한 바와 같거니와, 이규보가 「천천히 걸어 건巾을 비에 젖게 하고, 한가히 읊어 립(갓)이 바람에 기울어도 모른다」고한 데 나오는 립(갓)을[293] 비롯하여 고종이 적장인 야굴也窟에게 사람을 파견하면서 예물로 수달피와 함께 립笠을 보내고 있는 것과,[294] 우왕이 탐욕스런 재상의 제거에 나선 조반趙胖의 7살 난 아들이 그 사유를 또박또박 아뢰자 그 아이에게 립을 내리고 있는 것,[295] 역시 우왕이 궁의 후원後苑에서 상호군上護軍인 문달한·지신사知申事 이존성과 활쏘기를 하면서 존성의 립을 취取하여 과녁으로 삼고 있는 것,[296] 또 동강東江에 나갔다가 개경으로 돌아오는 길에 남(인人)의 립을 빼앗아 표적으로 삼고 말을 달리며 쏘고 있는 것[297] 등은 그들중 립笠에 대한 단순한 언급들이다. 하지만 여기서도 립이 어린아이·민인民人과 연결되고 또 지신사(정3품) 같은 고위직자가 착용하고 있다는 점은 우리에게 시사하는 바가 적지 않다. 물론 이같은 내용은 이미 ㉶－④(199·200쪽) 자료를 통해서도 확인한바 있지마는, 이는 충렬왕 때 세자를 따라 원나라에 들어간 정가신鄭可臣의 학식과 정견이 뛰어난 것에 감탄한 황제가 그의 나이를 묻고는 립笠을 벗도록 명하고 말하기를, "수재秀才는 반드시 편발編髮을 할 필요가 없고 건巾을 써야 마땅하다"고한 것과[298] 공민왕이 즉위 16년에 백관百官들에게 립笠을 착용하고 조알朝謁토록 조처한 것,[299] 및 23년에 재상宰相과 대성臺省·중방重房·각문閣門의 (신료들에게) 립을 착용

293) 『동국이상국전집』 권3, 古律詩 「遊北山」.
294) 『고려사절요』 권17, 고종 40年 9月.
295) 『고려사』 권126, 列傳39, 姦臣2 林堅味傳.
296) 『고려사』 권134, 列傳47, 우왕 6년 9월.
297) 『고려사절요』 권32, 우왕 13년 2월.
298) 『고려사』 권105, 列傳18, 鄭可臣傳.
299) 『고려사』 권72, 志26, 輿服, 冠服－冠服通制 공민왕 16년 9월.

토록 명한 것[300] 등에서도 그 일면을 엿볼 수 있다.

이들과 더불어 형태나 색깔·의료衣料 및 ㉶-④-⑤(200쪽)에 드러나 있듯이 비나 눈에 대비하는 등의 용도에 따른 것 등 여러 종류의 립笠들도 찾아지는데, 공민왕이 그의 즉위 21년에 대언代言·반주班主 이상이 착용토록 명한 흑초방립黑草方笠과[301] 우왕이 원년 12월에 각 관서의 서리胥吏들에게 쓰도록한 백방립白方笠,[302] 또 우왕 자신이 즐겨 착용했다는 백초립白草笠은[303] 그 일부라 할 수 있다. 그리고 역시 우왕이 의성고義成庫와 덕천고德泉庫의 서리들이 착용할 수 있도록 허용한 고정립高頂笠에 대해서는 앞서 소개한 ㉶-④-⑤(200쪽)의 공양왕 3년 정월 기사에서 언급한 바와 같거니와, 충렬왕이 승려들의 설립雪笠 이용을 금하는 한편으로 대선사大禪師와 대덕大德 이상은 팔면팔정립八面八頂笠과 원정립圓頂笠을 착용토록한[304] 해당 갓들은 좀 특수한 형태로 생각된다. 그리고 오잠吳潛이 충렬왕에게 잘보이기 위해 지방의 기생 가운데 미모와 기예가 뛰어났거나, 개경의 무당·관비중 노래와 춤을 잘하는 자를 뽑아 궁중에 소속시킨 후 이들에게 나기羅綺로 된 비단옷을 입히고 또 쓰게 했다는 마미립馬尾笠(말총갓)[305] 역시 특별한 재료로 만든 색다른 경우인데 그 착용 대상자가 여성들이었음도 눈길이 가는 대목이다. 아울러 양반의 아내들이 외출할 때 쓰고 다니던 첨립簷笠도 위에 든 설립雪笠과 함께 용도에 따른 것이기도 하지만 여성용이었다는 점에서 주목되는 동시에 그것을 농부와 노예의 처까지도 써서 존

---

300)『고려사』 권72, 志26, 輿服, 冠服-冠服通制 공민왕 23년 4월.
301)『고려사』 권72, 志26, 輿服, 冠服-冠服通制 공민왕 21년 5월.
302)『고려사』 권72, 志26, 輿服, 冠服-冠服通制 辛禑 원년 12월.
303)『고려사』 권135, 列傳48·『고려사절요』 권32, 우왕 10年 秋7月.
304)『고려사』 권136, 列傳49, 우왕 13年 8月.
305)『고려사』 권125, 列傳38, 姦臣1 吳潛傳.

비尊卑의 구별이 없어졌다면서 지금 이후로는 이런 행위를 일체 금하며, 위반한 자는 물품을 압수하고 무거운 처벌을 할 것이라는 포고를 감찰사에서 내고 있다는306) 점 또한 그냥 넘길 수 없는 부분이다.

그밖에 충렬왕 25년조와 공민왕 10년조에 보이는 백립白笠과307) 역시 공민왕 6년조의 청립靑笠308) 및 같은 왕 16년조의 흑립黑笠309) 등은 순수하게 색깔에 따른 호칭들이다. 립笠 또한 다양한 종류가 있었음을 거듭 확인할 수 있다고 하겠다.

다음 건巾은 일반적으로 두건頭巾이라 호칭하는 머리싸개로, 위로는 국왕으로부터 관원官員과 이속吏屬 및 민서民庶들이 널리 이용하는 쓰개의 하나였다. 그리고 이들 역시 형태와 색깔·의료·용도에 따라 다양하게 불리워지고 있는데, 이 항목의 첫머리에서 고려시기 사람들은 문라두건文羅頭巾(무늬있는 나羅〈비단〉로 만든 두건)을 매우 중요하게 여겼다고한 그 두건은 의료에 따른 것으로서, 그럼에도 값이 높아 일반 백성(세민細民)들은 마련할 수 없었다고(㉸－③, 199쪽) 소개한바 있다. 아울러 국왕은 상복常服으로 오사고모烏紗高帽를 썼으나 평상시에 편하게 쉴 때에는 조건皁巾(검은 색의 건)을 쓰고 백저포白紵袍를 입어 민서民庶와 다를바가 없었다고한310) 조건은 색깔에 따른 호칭으로서 특히 그것이 일반 백성들의 주된 쓰게였음을 언급하고 있다는 사실에 주목할 필요가 있다.

---

306) 『고려사』 권85, 지39, 刑法2 禁令 충렬왕 14年 4月.

307) 『고려사』 권85, 지39, 刑法2 禁令 충렬왕 25年 9月·『고려사절요』 권27, 공민왕 10年 6月.

308) 『고려사』 권72, 志26, 輿服, 冠服－冠服通制·『고려사절요』 권26, 공민왕 6年 閏9月.

309) 『고려사』 권72, 志26, 輿服, 冠服－冠服通制 공민왕 16년 7월.

310) 『고려도경』 권7, 冠服 王服.

바로 위에서 든 문라두건의 사례는 그것 이외에도 여럿이 눈에 띤다. 용호상초군龍虎上超軍이 문라두건을 썼다느게 그 하나이거니와,[311] 상6군위중검낭장上六軍衛中檢郞將이 썼다는 자문라건紫文羅巾(자주색 무늬가 있는 나〈비단〉로 만든 건)[312] 역시 색깔이 추가되었을뿐 문라두건으로 이해해도 별다른 문제가 없을 것 같다. 이와 같이 문라두건은 군인들이 사용했음을 알 수 있거니와, 그밖에 정리丁吏나 방자房子 등도 썼음이 확인된다. 이들중 정리는 정장인丁壯人으로서 이속吏屬이 되었다가 일정한 직위로 진출하고자 하는 사람들로 영관令官 밑에서 사령使令의 역할을 담당하였고,[313] 방자는 사관使館에서 심부름을 맡은 사람인데,[314] 양자는 다같이 문라두건을 착용하였던 것이다.

그런가 하면 지방 각 취락聚落의 부족자富足者들로 관부에서 취급하지 않아도 될 사소한 분쟁을 맡아보던 민장民長도 문라文羅로 만든 건巾(문라위건文羅爲巾),[315] 즉 문라두건을 착용하였다. 그리고 과거科擧에 뜻을 두고 있는 유자儒者들 또한 4대문라건四帶文羅巾을 썼다고 했는데,[316] 문라건, 즉 문라두건에 4대(네 가닥 띠)가 덧붙어 있는 것이 좀 특이하다. 한데 이 4대에 대해서는 곧 이어지는 농상農商 항목에,

> ㉮-⑤ 농상農商을 하는 민인民人 가운데 농민은 빈부의 (구별이) 없으며, 상인은 (활동에) 원근이 없다. 그 복식은 모두 백저白紵(흰 모시)로 된 포袍(겉옷)를 입고, 네 가닥 띠가 있는 검은 두건(오건

---

311)『고려도경』 권12, 仗衛2 龍虎上超軍.
312)『고려도경』 권11, 仗衛1 上六軍衛中檢郞將.
313)『고려도경』 권21, 早隸 丁吏.
314)『고려도경』 권21, 早隸 房子.
315)『고려도경』 권19, 民庶 民長.
316)『고려도경』 권19, 民庶 進士.

4대烏巾四帶)을 썼는데, 오직 포布(베)의 세밀함과 거친 것으로 구별한다. 국관國官이나 귀인貴人도 퇴근하여 사가私家에서 생활할 때면 역시 이를 입으나 다만 두건이 두 가닥 띠(양대兩帶)인 것으로 구별한다. 간혹 거리를 걸어갈 때에도 이吏(이속吏屬·서리胥吏)와 민民(민서民庶)은 (이 두 가닥 띠의 두건을) 보고는 피한다.317)

고 하여 직위나 신분이 높은 사람들과 농민과 상인을 막론하고 모두 검은 두건을 썼는데, 다만 전자는 양대의 두건을 착용한데 비해 후자는 4대의 두건을 씀으로써 양자간에 구별이 되었음을 전하여 그 의미를 확인해 주고 있다. 네 가닥 띠가 달린 검은색의 건(조건4대皁巾四帶)은 도사道士들이 착용하는 것이어서 그 사실이 역시 『고려도경』에 전한다.318)

여기에 언급된 오건烏巾(조건皁巾)은 앞서 국왕도 착용하였음을 확인하였고(주 310), 205쪽), 이 자리를 통해 다시 국관과 귀인, 도사 및 농업과 상업에 종사하는 민서들이 거기에 포함되었음을 알 수 있거니와, 유사한 내용의 기사는 몇몇 더 찾아진다. 원외랑員外郎을 지낸 곽여郭輿가 부름을 받고 궁궐에 들어가서 오건烏巾 차림으로 늘상 왕을 모셨다는 것과319) 기술이 뛰어나 국가 기구인 복두소幞頭所나 장작감將作監에 소속해 있는 공기工技들이 백저포白紵袍를 입고 조건皁巾을 썼다는 것,320) 서관庶官과 소리小吏의 심부름꾼인 일부 구사驅使들이 넓은 소매 옷에 오건烏巾을 쓰고 있었다는 것,321) 귀양살이를 하고 있는 정도전이 지인

317) 『고려도경』 권19, 民庶 農商.
318) 『고려도경』 권18, 道敎 道士.
319) 『고려사절요』 권8, 睿宗 8年 3月.
320) 『고려도경』 권19, 民庶 工技.
321) 『고려도경』 권21, 早隸 驅使.

知人이 보낸 시에 차운次韻하여「나이를 헤아리면 그대가 높지만, 교분은 내가 친하고 말고…… 아마도 영각鈴閣은 문이 닫히어, 긴긴 낮에 오건烏巾을 벗고 있으리」라고 읊고 있는[322] 시구詩句에 나오는 오건이 그것들이다. 그리고 공민왕이 사천소감司天少監 우필흥于必興의 건의에 따라 쓰도록한 흑건黑巾[323] 역시 동일한 범주의 건巾으로 생각된다.

이들 오건과 흑건이 순수하게 색깔에 따른 칭호라면 자라두건紫羅頭巾과 녹라두건綠羅頭巾은[324] 그 색깔과 의료를 함께 지칭한 것이라 할 수 있을 듯하다. 한편 앞서 언급한 문라두건文羅頭巾은 순수하게 의료에 따른 칭호라 하겠는데, 임춘林椿이「갈건葛巾과 짚신으로 스님따라 소식蔬食했고」라고한 시구詩句와[325] 전원균이 벼슬에서 물러난 뒤에「갈건葛巾에 야복野服으로 한가하게 지내면서 술자리를 마련하고」에[326] 보이는 갈건 역시 의료에 의거한 것들이다. 그리고 위에 든 기사에 나오는 유각두건有角頭巾과 평정두건平頂頭巾, 및 공양왕 3년조에 보이는 평정건平頂巾(주 286), 201쪽) 등은 형태에 따른 칭호인 것으로 생각된다.

다음은 두건의 하나로서, 은사隱士들이 쓰는 것으로 알려진 복건幅巾에 대해서인데, 그에 관한 기록도 몇몇 눈에 띈다. 그 일례가 공민왕조에 최고위직에까지 올랐던 이공수李公遂와 관련된 것으로, 정확하고 신중한 성품에다가 청렴·강직했던 그는 관직에서 물러난후 전원생활을 즐겨서 덕수현德水縣에 별서別墅(일종의 별장)를 마련하고 남촌선생南村

322)『三峰集』권2, 五言律詩「次寧州康中正韻」.
323)『고려사』권72, 志26, 輿服, 冠服－冠服通制·『고려사절요』권26, 공민왕 6年閏9月.
324)『고려사』권72, 志26, 輿服, 冠服－冠服通制 辛禑 13年 6月.
325)『西河集』권2, 古律詩「書蓮花院壁」.
326)『高麗墓誌銘集成』324쪽, 田元均墓誌銘.

先生이라 자칭하며, 복건幅巾에 명아주 지팡이 차림으로 한가로이 소요하며 지냈다고 한 것이다.327) 그리고 이규보가 「저도 또한 늙고 병들었으며 벼슬에서 물러날 마음이 있습니다. 만일 뜻과 같이 된다면 복건幅巾과 단갈短褐 차림으로 가서 장하를 모시고 우울한 회포를 토로하는 것이 마땅하나……」라고한 것을328) 볼 수 있거니와, 복건 관련 기사는 이 이외에도 좀더 찾아진다.329)

두건과 유사한 또 하나의 머리쓰개로 책幘(건책巾幘)이 있다. 이것은 두건형 보다도 좀더 머리를 엄격히 엄폐하도록 만든 것으로서,330) 역시 몇몇 사례들이 눈에 들어온다. 왕태자의 원복元服을 입는(관례冠禮를 행하는) 의례(왕태자가원복의王太子加元服儀) 때 여정궁진설麗正宮陳設에서 왕태자가 세 번 갈아입는 옷은 치황의梔黃衣·자라착수포紫羅窄袖袍·공복公服 순서이고, 또 세 번 갈아쓸 머리쓰개는 궁전 뜰 서북쪽에 북쪽을 위로 하여 조라통정책皂羅通頂幘과 모자帽子와 복두幞頭의 순서대로 놓아 둔다고한331) 조라통정책은 그 하나이다. 이어서 정리丁吏들이 평상시 일을 볼 때는 문라두건文羅頭巾을 쓰고 사신이 오면 여기에 책幘을 덧쓴다고 한 것과,332) 고려 사람들의 관혼상제冠婚喪祭는 『예기禮記』

327) 『고려사』 권112, 列傳25, 李公遂傳·『고려사절요』 권28, 공민왕 15年 5月·『고려묘지명집성』 573쪽 李公遂墓誌銘.

328) 『東國李相國後集』 권12, 書 「答敦裕首座手簡」.

329) 『東國李相國全集』 권5, 古律詩 「次韻吳東閣世文 呈誥院諸學士三百韻詩」 등에도 幅巾의 명칭이 눈에 띈다.

330) 李如星, 「상대 복식의 여러 관모 - 머리싸개(幘)」 『朝鮮服飾考』, 白楊堂, 1947; 범우사, 1998, 104~105쪽.
유희경, 「三國과 渤海의 服飾 - 高句麗 幘」 『한국복식사 연구』, 이화여대출판부, 1975, 54~55쪽.

331) 『고려사』 권66, 志20, 禮8, 嘉禮 王太子加元服儀 - 麗正宮陳設.

332) 『고려도경』 권21, 早隸 丁吏.

를 따른 것이 매우 적으며, 「남자의 건책巾幘도 비록 당나라 제도를 조금 본받고는 있으나」라고 한 것,333) 및 이규보가 「산에 들어가니 우거져 처음에는 길 몰랐느데, 마을 사람들 고개 넘어 서로 맞아주네,…… 당堂 아래서는 허리 굽히며 다투어 조심하는데, 당 위에서는 책幘을 벗고 두 다리 뻗는다」라고 읊은 시구詩句334) 등에서 찾아볼 수 있다. 이와 함께 국왕과 왕태자가 참여하는 국가의 각종 행사 때 의위儀衛와 노부鹵簿를 담당하는 군사들, 즉 팔관위장에서의 좌우황룡대기左右黃龍大旗를 담당하는 군사軍士와, 서남경순행위장에서의 오방기五方旗를 담당하는 협군사夾軍士들이 평건책平巾幘을 쓴 것을335) 비롯하여, 법가노부에서의 홍문대기紅門大旗 담당 협군사와 은작자銀斫子 소속 군사, 연등노부에서의 제일홍문대기第一紅門大旗 담당 협군사, 팔관노부에서의 좌우홍문대기左右紅門大旗 담당 군사, 서남경순행 환궐봉영노부에서의 홍문대기 담당 협군사, 왕태자노부에서의 백택중기白澤中旗·삼각수중기三角獸中旗·백사자중기白獅子中旗·추아중기騶牙中旗 담당 협군사 등이 한결같이 평건책을 쓰도록 되어 있는 것336) 역시 관심을 가질만하다.

다음은 여성들만의 쓰개로서 몽수蒙首가 있어 역시 살펴볼 필요가 있다. 이것에 대해서는 송나라 사절의 한 사람으로 고려를 다녀간 서긍이 『고려도경』에, 부인婦人들이 출입할 때 말을 타고 「조라몽수皁羅蒙首(검은 비단 너울)를 쓰는데 몽수 끝이 말 위를 덮는다」고 소개하고 있다. 그러면서 옛날 당나라 때에 「궁인宮人들이 말을 탈 때에 많이들 멱리冪䍦를 착용하여 몸 전체를 가렸다고 하는데 지금 보니 고려의 몽수

---

333) 『고려도경』 권22, 雜俗1.

334) 『東國李相國全集』 권6, 古律詩 「六月 十一日發黃驪 將向尙州出 宿根谷村」.

335) 『고려사』 권72, 志26, 輿服, 儀衛 - 八關衛仗·西南京巡幸衛仗.

336) 『고려사』 권72, 志26, 輿服 鹵簿 해당 항목.

풍습은 아마 당나라 멱리의 유법遺法인 듯하다」고도 말하고 있거니와,[337] 무신정권기의 정치가요 문인인 이규보가 그가 지은 시詩에서 멱리를 언급하고 있는 것을 보면[338] 그것은 당시 고려에도 알려져 있었던 것 같다. 서긍은 이어서 부인들의 「조라몽수는 3폭幅으로 만드는데 한 폭의 길이는 8척이다. 정수리에서부터 아래로 늘어뜨리면서 얼굴만 드러나게 하고 나머지는 완전히 땅에까지 내려온다」라고 하여[339] 좀더 자세하게 설명하고 있다. 한데 이와 유사한 고려측의 기록으로는, 「하루는 정국검鄭國儉이, 어떤 부인이 잘 차려입고 가사袈裟를 착용하고는 봉우리 길로 내려오는 것을 보았다. 가사란 부인들이 잘 차려 입고는, 검은 비단(치백緇帛)으로 만들어 머리를 덮고 얼굴을 가리는 것이다」라고한[340] 설명이 찾아진다. 몽수와 멱리·가사는 거의 같은 용도의 여성용 쓰개가 아니었나 생각된다.[341]

위의 기록에 의하면 몽수는 신분이 높고 부유한 집안의 부인들이 사용했던 것을 알 수 있다. 그러나 한편 보면 「궁부宮府(왕실)의 잉첩媵妾(시녀侍女)이나 국관國官의 첩妾, (아니면) 민서民庶의 처妻이거나 잡역을 하는 비녀婢女이거나 그 복식은 엇비슷하다. 그 말은 일에 종사해야 하므로 몽수를 늘어뜨리지 않고 정수리에서 겹쳐지게한 후 옷을 추스르며 다닌다」고 하였으니[342] 그렇지 않은 일면이 있었음을 엿볼 수 있

337) 『고려도경』 권22, 雜俗1 女騎.
338) 『동국이상국전집』 권5, 古律詩 「次韻吳東閣世文 呈誥院諸學士三百韻詩」.
339) 『고려도경』 권20, 婦人 貴婦.
340) 『고려사』 권100, 列傳13, 鄭國儉傳. 이 내용의 일부가 『고려사절요』 권12, 명종 9年 3월조에도 실려 있다.
341) 유희경, 「女子 服飾－蒙首·笠」 『한국복식사 연구』, 이화여대출판부, 1975, 210~212쪽.
김문숙, 「쓰개류 및 머리모양－기타 여자의 쓰개류」 『고려시대 원간섭기 일반 복식의 변천』, 서울대 이학박사학위 논문, 2000, 33~35쪽.

다. 또 「빈한한 집(세민지가細民之家)은 특히 몽수가 없다. 대략 그 값이 은(백금白金) 1근에 해당하므로 힘이 미치지 못하는 것이지 금지하고 있는 것은 아니다」고도 하여[343] 당시의 실상을 어느 정도 짐작할 수 있을 것 같다.

그러면 다음으로 위에서 살펴 온 쓰개류가 아니라 머리 그 자체의 모양을 어떻게 가꾸었는가에 대해 잠시 살펴보기로 하겠는데, 이 부분의 이해에는 다음의 기사가 크게 도움이 된다.

> ㉲-⑥ 민서民庶(백성)의 집안에서 여자가 출가하기 전에는 홍라紅羅(분홍색 비단)로 머리를 묶고 그 나머지는 아래로 늘어뜨리며, 남자 역시 그와 같이 하지만 특이한 점은 분홍색을 검은색 끈(흑승黑繩)으로 바꾸었다는 것이다.[344]

혼인하기 이전의 여자는 홍라로, 남자는 흑승으로 머리카락을 묶어 아래로 늘어뜨렸음을 알 수 있거니와, 여아女兒의 경우 좌우 두 가닥으로 묶는 계아髻丫의 사례도 보이므로[345] 좀더 다양했던 것 같다. 그에 비해 남아男兒의 경우에는, 「고려인들은 대체적으로 장가를 들지 않았을 때 모두가 수건으로 싸고 뒤로 머리카락을 내려뜨린다」고 하여 위의 설명과 매우 흡사한데, 이어서 「이미 장가를 든 뒤에는 속발束髮한다」고 하였다.[346] 이 속발은 상투를 튼 머리를 말하는 것으로 그 위에 립笠이나 두건頭巾을 착용하였으리라 생각된다.

342) 『고려도경』 권20, 婦人 婢妾.
343) 『고려도경』 권20, 婦人 賤使.
344) 『고려도경』 권20, 婦人 女子.
345) 『東國李相國後集』 권5, 古律詩 「次韻李學士花鷄冠花詩二首」.
346) 『고려도경』 권21, 早隸 小親侍.

한편 성인 여성들의 경우, 「부인婦人들의 머리 모양(계髻)은 귀·천貴賤할 것 없이 하나 같아서, 오른쪽 어깨로 늘어뜨린후 나머지 머리카락은 아래를 덮는데 강라絳羅(붉은색 비단)로 묶고 작은 비녀를 찔러넣어 단단하게 한다」고[347] 하였다. 고려 여인들의 일반적인 머리 꾸밈이라고 할 수 있을 듯 싶은데, 이와 좀 달리 「부인婦人들은 타계鬌髻(땋아 쪽진 머리)를 아래로 내려뜨렸다」고한 사례도[348] 보여 역시 좀 다양했음을 알 수 있다. 이와 함께 당시의 여인들이 가체加髢에도 관심이 많았던 것 같아 흥미를 끈다. 이미 정사가 어지러웠던 의종조에 국왕의 유흥 장소를 만들기 위해 동원된 한 역졸이 가난하여 끼니를 거르게 되자 동료들이 밥 한술씩을 갈라서 먹이는 형편이었는데, 하루는 그의 아내가 음식을 장만해 가지고 와서는 친한 사람을 불러다가 같이 먹으라고 하였다. 이에 역졸이 "살림이 가난한데 어떻게 장만했소? 딴 사람에게 몸을 팔아 얻은 것이오? 아니면 남의 것을 훔친 것이오?"라고 물었다. 그러자 처가 대답하기를, "용모가 추한데 누구와 사통私通할 것이며, 성격이 치졸한데 어찌 능히 훔치겠소. 단지 머리털(발髮)을 베어 팔아 사왔을 뿐이오"라고[349] 한데서 우선 머리털이 매매된 사실을 살필 수 있다. 또 미천한 신분 출신이면서도 무신란에 가담하여 입신한 조원정曹元正은 동북면병마사에 재임시 여러 가지 부정을 저지르는 가운데 「머리카락이 긴 사람만 보면 반드시 그 머리카락(발髮)을 잘라 다리(체髢)를 만들었는데, (그것이) 말 두 필이 운반해야할 만큼 많았다」고 한 것에서[350] 좀더 분명한 확인이 가능하다. 그런가 하면 역시 정사가 난

347) 『고려도경』 권20, 婦人 賤使.
348) 『고려도경』 권22, 雜俗1.
349) 『고려사』 권18, 세가 의종 21년 3월.
350) 『고려사』 권128, 列傳41, 叛逆2 曹元正傳. 김문숙도 「쓰개류 및 머리모양－기

맥상을 보였던 충혜왕 때에 간신姦臣의 제안으로 일정한 직위에 머물렀다가 지방으로 내려가 있는 사람들에게 직세職稅라는 명분을 붙여 강제로 포布를 징수하였는데 산원동정散員同正이던 경상도의 한 사람이 몹시 가난하여 가산家産을 다 팔아서도 그 액수를 충당할 수 없자 그의 딸이 아버지가 욕을 당할 것을 마음 아프게 여겨 머리카락을 잘라 팔아서 포布와 바꾸어 납부하고는 아버지와 딸이 모두 목매어 죽었다는351) 슬픈 이야기를 통해서도 그 점을 엿볼 수 있지 않을까 한다.

(8) 족의足衣 - 버선(말襪)과 리履·혜鞋·화靴·구屨·사屣·석舃 등 신발

발의 보호를 위한 족의足衣로는 크게 버선과 신발로 나누어 볼 수가 있다. 그중 버선에 대해서는 일찍이 소개한바(㉮ - ⑥, 18쪽) 성종조에 최승로崔承老가 상소를 올리는 가운데 중국과 신라의 제도를 따라 백료百僚들이 조회시에는 공란公襴 등을 갖추도록 하고, 일을 아뢸 때에도 화靴·사혜絲鞋·혁리革履와 함께 말襪(버선)을 신도록 건의한 데서 벌써 살필 수 있다. 버선의 사례는 이후 적지 않은 숫자가 연이어 보이거니와, 효자로서 이름이 높은 인종조의 신료 최루백崔婁伯의 처 염경애廉瓊愛가 불우하게 세상을 떠난 시아버지의 제사를 정성껏 받들면서 재에 나갈 때 여러 스님들에게 몸소 만들어 시주하였다는 말자襪子는352) 그

타 여자의 쓰개류」『고려시대 원간섭기 일반복식의 변천』, 서울대 이학박사학위 논문, 2000, 35~36쪽에서 이 부분에 대해 언급하고 있다.

351) 『고려사절요』 권25, 충혜왕 後4年 3월.

352) 『高麗墓誌銘集成』 94쪽, 廉瓊愛墓誌銘.

한 경우이다. 그리고 명종조 말기에 무장의 한 사람으로 정권을 잡았던 이의민李義旼의 아들로서 탐욕스럽기로 이름난 이지순李至純이 반적叛賊들이 재화가 많다는 소문을 듣고는 그것을 갈취하려고 몰래 연락을 주고받으면서 의복·식량·신발(혜鞋)과 함께 버선(말襪)을 보냈다고 전하며,353) 또 공민왕조의 요승으로 알려진 신돈辛旽이 무더운 여름이나 추운 겨울에도 늘 헤진 장삼 한 벌로 지내므로 왕이 더욱 존중히 여겨서, 그에게 보내는 의복과 음식은 반드시 정결한 것으로 마련했으며, 심지어 버선(족말足襪)까지도 반드시 머리 위까지 받들어 경건히 보냈다는 기록도354) 찾아진다. 그밖에 기생이 신고 있던 나말羅襪(비단 버선)과355) 충선왕비 허씨許氏가 신고 있던 나말羅襪을356) 비롯해 「포말·망혜布襪芒鞋」등357) 의료별 버선의 호칭이 보이며, 또 국왕이 원구圜丘와 사직社稷·태묘太廟 등에 제사를 올릴 때와,358) 역시 제례 때 5류면五旒冕을 쓰는 태상경太常卿·전중감殿中監 등이 신는 소말素襪(흰 버선)처럼359) 색깔에 따른 명칭도 눈에 띄거니와, 이것은 신분계층이나 남녀의 구분없이 모두가 애용하는 물품이었던 것으로 이해된다.

그러면 다음으로 신발류에 대해 살피기로 하는데, 그들을 지칭하는 글자는 위의 주제에 열거했듯이 비교적 다양하지마는 그중에서도 일반적으로 쓰인 것은 리履와 혜鞋로 보인다. 그 하나인 리履는, 「재가화상在家和尙들은……맨발로 돌아다니나 간혹 신발(리履)을 신은 사람도 있

353) 『고려사』 권128, 列傳41, 叛逆2 李義旼傳.
354) 『고려사』 권132, 列傳45, 叛逆6 辛旽傳·『고려사절요』 권28, 공민왕 14년 5월.
355) 『동국이상국전집』 권6, 古律詩 「八月五日聞羣盜漸熾」.
356) 『益齋亂藁』 권7, 碑銘 「王順妃許氏墓誌銘」.
357) 『陶隱文集』 권3, 詩 「中元雜題」.
358) 『고려사』 권72, 志26, 輿服, 冠服－祭服 毅宗朝詳定.
359) 『고려사』 권72, 志26, 輿服, 冠服－百官祭服 毅宗朝詳定.

었다」고한 기사중의[360] 리履나, 인종조의 청렴한 서리인 함유일咸有一이 「헤진 옷을 입고 뚫어진 신(리履)을 신었다」고한 기사중의[361] 당해 리履가 그것들이겠는데, 초리草履(짚신)는 그 한 종류로서 민서民庶들이 가장 널리 이용하는 물품이었다고 생각된다. 혹자는 이에 대해 「초리의 형태는 앞쪽이 낮고 뒤쪽이 높아 모양이 괴이하나, 전국에서 남녀노소 할 것 없이 모두가 신는다」고[362] 기술해 놓고 있는 것이다. 실례로서는 임춘林椿이 「갈건葛巾과 초리草履로 스님따라 소식蔬食하고」라 읊고 있는 것[363] 등 여럿을 찾을 수 있다.

짚(초草)이 아니라 가죽(혁革·피皮)으로 제작된 신발의 예도 자주 눈에 띈다. 좌우위견룡군과[364] 산원散員[365]·과거科擧를 통해 진사進士로 진출하고자 하는 유자儒者들이[366] 모두 혁리革履(가죽신)를 신고 있는 것이다. 착용자들이 무신이나 군사, 그리고 관원으로의 진출을 준비하고 있는 사람들로 일반 민서民庶들과는 다소 차이가 나고 있다는 점에 눈길이 간다. 아울러 민장民長과[367] 인리人吏가[368] 신은 오혁구리烏革句履는 일반 혁리와 모양이 조금 달랐던 것 같고, 음악 종사자들로서 무무武舞와 문무文舞 담당자들이 신은 오피리烏皮履는[369] 자재에 얼마의 차이가 나고는 있으나 동일한 가죽신으로서 착용자 측면에서도 유사성이

360) 『고려도경』 권18, 釋氏 在家和尙.
361) 『고려사』 권99, 列傳12, 咸有一傳.
362) 『고려도경』 권29, 供張2 草履.
363) 『西河集』 권2, 古律詩 「書蓮花院壁」.
364) 『고려도경』 권12, 仗衛2 左右衛牽龍軍.
365) 『고려도경』 권21, 早隸 散員.
366) 『고려도경』 권19, 民庶 進士.
367) 『고려도경』 권19, 民庶 民長.
368) 『고려도경』 권21, 早隸 人吏.
369) 『고려사』 권72, 志24, 樂1 雅樂 軒架樂器－武舞.

많아 보인다.

영군낭장기병은 조리皁履(검은 신)를 신고 있다.[370] 더 말할 필요도 없이 색깔에 따른 칭호이다. 그리고 명나라에서 공민왕에게 제례복을 보내면서 국왕에게는 적리赤履를,[371] 신료들에게는 흑리黑履를[372] 사여하고 있지마는, 이것은 물론 중국의 제품으로 고려에서 흔히 쓰이던 것은 아니다. 이규보가 방주리方珠履에 대해 언급하고 있으나 그 또한 꿈속의 일을 말한 것으로[373] 유념할만한 내용은 아닌 듯하다.

다음 혜鞋(신)는 역시 성종조의 최승로 상소문(㉮-⑥, 18쪽)과, 바로 위에 든바 이지순과 관련된 기사(주 353), 215쪽)에서도 언급되고 있지마는, 먼저 그 하나라고할 초혜草鞋(짚신)의 사례로는 한수韓脩의 시詩「송 상천장로送霜泉長老」와[374] 이색李穡의 글「증 원상인 서贈元上人序」에 보이는 것[375] 등을 들 수 있다. 이와 함께 또 하나의 짚신이라고 할 망혜芒鞋(혜鞵)의 사례도 여럿이 눈에 띄는데, 임춘林椿이 이각천李覺天 스님에게 준 시에서「다른날 청산靑山이 부러우면, 죽장竹杖(대나무 지팡이) 망혜芒鞋로 호연浩然히 떠나렵니다」고 읊고 있는 것은[376] 그 한 경우이다. 이어서 김극기金克己는「밥 나르는 아낙네 밭 머리에 나오는데, 망혜芒鞋는 (헐어서) 겨우 발에 걸렸구나」라고 읊고 있으며,[377] 이승휴李承休도 최영崔寧이 눈을 읊은 시에 차운次韻하여「나부낌에 천리가 어둡고, 잠깐만에 충분히 덮친다. 차마 망혜芒鞵로 밟게 할 수 있

370)『고려도경』권12, 仗衛2 領軍郎將騎兵.
371)『고려사』권72, 志26, 輿服, 冠服-祭服 공민왕 19년 5월.
372)『고려사』권72, 志26, 輿服, 冠服-百官祭服 공민왕 19년 5월.
373)『동국이상국전집』권1, 古賦「夢悲賦」.
374) 韓脩,『柳巷集』, 詩 30쪽.
375) 李穡,『牧隱文藁』권8, 序.
376)『西河集』권2, 古律詩「次韻贈李上人覺天」.
377)『동문선』권4, 五言古詩「田家四時」.

을까」라고 적고 있는가 하면,[378] 이제현李齊賢은 「늙어도 몸 아직 건강한 것 기쁘며, 한가하여도 흥 더욱 더해감 알게 된다. 망혜芒鞋에 대지팡이(죽장竹杖)로 천 개의 바위 건너가는데」라고 읊고 있기도[379] 한 것이다. 한편 이규보의 시에는 동일한 의미로 쓰인 호혜蒿鞋(짚신)의 사례도 보이지만[380] 그 수가 많지는 않은 것 같다.

초혜와 망혜가 짚신인데 비해 사혜絲鞋는 글자 그대로 비단을 재료로 한 상급 신발이겠다. 그 사례로는 역시 최승로 상소문(㉮-⑥, 18쪽)에 백료百僚들이 공무를 아뢸 때에 착용해야할 신발로 지적되고 있는 것과, 또 중형重刑에 대한 처결을 보고하는 의례(중형 주대의重刑奏對儀)에 「왕이 편복便服을 입고 나와 내전內殿의 남쪽 회랑에 앉으면 견룡牽龍과 도지都知가 공손히 절을 올린다.……각문閣門은 화靴(가죽신)를 벗고 홀笏을 내려놓고는 사혜絲鞋를 신고(시신侍臣들은 모두 같다)」라고 한 것[381] 등에서 찾아볼 수 있다. 사혜는 이처럼 주로 관원官員들이 신고 있다는 점에서 역시 초혜 등과의 차별성도 확인이 된다. 기록 중에는 아버지가 아들에게 유물로 승혜繩鞋를 남긴 사례도 보이는데[382] 이는 물론 특별한 경우에 해당된다.

피혜皮鞋(가죽신) 또한 위에 든 신발들과는 재료가 좀 다른 것이다. 그의 사례로는 승려들에게 이것의 착용을 금하는 항목과[383] 원나라의 요구에 따라 이리간伊里干(교통의 요지에 시설하는 고려의 촌락)을 설치하면서 그곳으로 이주시키는 민인民人들에게 지급한 물품의 일부[384]

378) 『動安居士集』 行錄 권1, 求官詩 「次韻崔直講諱寧詠雪詩三十韻」.
379) 『益齋亂藁』 권10, 「紫洞尋僧」.
380) 『동국이상국전집』 권17, 古律詩 「黃驪旅舍有作」.
381) 『고려사』 권64, 志18, 禮6, 重刑奏對儀.
382) 『고려사』 권102, 列傳15, 孫抃傳·『고려사절요』 권17, 고종 38년 夏5月.
383) 『고려사』 권85, 지39, 刑法2 禁令·『고려사절요』 권3, 현종 18年 8月.

등에 보이고 있다.

다음 화靴(신 또는 가죽신)에 대해서는 이미 여러 차례 언급한바 최승로의 상소문(㉮-⑥, 18쪽)에 백료百僚들이 공무를 아뢸 때 사혜와 함께 착용해야할 신발의 하나로 지적되어 있고, 또 바로 위의 항목에 보이듯(주 381), 218쪽) 각문원閣門員들이 신고도 있다. 나아가서 문종이 변방에 나가 있는 병졸들에게 화靴를 내어주도록 명하고 있고,[385] 공민왕조에는 재추소宰樞所의 최고위 신료들이 평상시의 합좌合坐 때에 화靴를 착용하고 높은 걸상에 앉아 있었다는[386] 기록 역시 눈에 띈다. 이밖에 이숭인李崇仁이 말을 타면서 단화短靴를 신고 있었음을[387] 감안하면 장화長靴의 존재도 가늠해볼 수 있을 듯싶으나 잘 찾아지지는 않는다. 간신전姦臣傳에 실려 있는 충목왕조의 관원 신예辛裔가 신고 있는 자화紫靴는[388] 색깔에 의거한 호칭이거니와, 이들 화靴는 병졸들이 착용한 예가 없지 않으나 대체적으로는 상당한 수준의 신분계층이 신지 않았나 생각된다.

구屨 역시 신(짚신)을 지칭하는 글자였다. 임춘林椿이 「틈을 내어 장杖(지팡이)과 구屨(신·짚신)로 선가仙家를 찾아가니」라고 읊고 있는 것과[389] 청렴한 관리로서 항상 헤진 옷과 구멍 뚫린 신발(구屨)을 신은채 아침 일찍부터 밤까지 공무를 보았다는 함유일咸有一의 이야기에[390] 보이는 구屨가 그같은 사례들이다. 이와 함께 역시 청렴한 신료였던 조

384) 『고려사』 권82, 지36, 兵2 站驛 충렬왕 5年 6月.
385) 『고려사』 권81, 지35, 兵1 兵制-五軍·『고려사절요』 권5, 문종 18年 12月.
386) 『고려사』 권84, 지38, 刑法1 職制 공민왕 8年 7月.
387) 『陶隱集』 권3, 詩「西江卽事三首」.
388) 『고려사』 권125, 列傳38, 姦臣1 辛裔傳.
389) 『西河集』 권2, 古律詩「題竹林寺」.
390) 『고려묘지명집성』 250쪽 咸有一墓誌銘.

운흘趙云仡이 퇴임후 강촌에 머물면서 헤어진 옷에 짚신(초구草屨) 차림으로 일꾼들과 같이 노동을 했다는데 나오는 초구와,[391] 이제현李齊賢이 「깊은 산속에 해는 한낮인데, 풀잎에 맺힌 이슬 짚신(망구芒屨) 젖누나」라고 읊고 있는 시구詩句에 나오는 망구는[392] 그의 좀더 구체적인 호칭인 셈이다. 그런가 하면 육군산원기두六軍散員旗頭가 신은 혁구革屨(가죽신)는[393] 구屨의 자료도 다양했음을 나타내는 한 사례이며 사관使館의 급역자給役者이던 방자房子가 신은 조구皁屨는[394] 더 말할 필요도 없이 그의 색깔을 가지고 붙인 명칭의 경우이다.

신(신발)을 지칭하는 글자는 이상에서 소개한 것 이외에도 몇몇이 더 알려져 있다. 그 하나가 사屣로서, 이는 이규보가 「관직이란 헤어진 신(사屣)같아 벗어도 그만이고」라 읊고 있는 시구詩句에서[395] 찾아볼 수 있다. 그리고 망갹芒屩이라는 용어도 찾아지는데 이는 이달충李達衷이 「산촌은 참으로 쓸쓸한 벽지僻地,……어둔 숲엔 도깨비불 깜빡거리네, 망갹芒屩 신은 (농부와) 혹 (앉을) 자리를 다투기도」라고한 데 보이는[396] 갹屩이 또 다른 하나이다.

석舃 역시 신발 종류의 하나인데, 이것은 좀 특이하여 주로 국왕이나 신료들이 제례 때에 착용하는 사례로 나와 있다. 의종조에 상정詳定된 제복祭服에 보면 국왕이 원구圓丘와 사직社稷·태묘太廟·선농先農에 제사를 지낼 때 곤복袞服에 면류관冕旒冠을 쓰고 신발은 적석赤舃을 신도록 규정하고 있는 것이다.[397] 그리고 백관百官들의 경우도 유사하여 7

---

391) 『고려사』 권112, 열전25 趙云仡傳.
392) 『益齋亂藁』 권3, 詩 「마하연암摩訶演菴」.
393) 『고려도경』 권12, 仗衛2 六軍散員旗頭.
394) 『고려도경』 권21, 早隷 房子.
395) 『東國李相國後集』 권2, 古律詩 「枕上作 順和」.
396) 『동문선』 권11, 五言排律 「山村雜詠」.

류면七旒冕을 쓰는 아헌亞獻 이하 태위太尉·사도司徒·사공司空·중서령中書令·시중侍中과, 5류면을 쓰는 태상경太常卿·광록경光祿卿·전중감殿中監·사농경司農卿 등은 역시 적석을 착용하도록 되어 있고, 평면平冕에 무류無旒인 태상재랑太常齋郎은 비위석緋韋舃(붉은 가죽으로 지은 신)을 신도록 규정하고 있다.398) 공민왕 19년에 명나라에서 원유관遠遊冠 등과 함께 흑석黑舃을 내려주어 왕이 여러 신하들의 조하朝賀를 받을 때 신었다고 하는데,399) 이것은 더 말할 필요도 없이 고려의 제도와 직접적으로는 관련이 없는 것이다.

397) 『고려사』 권72, 志26, 輿服, 冠服 – 祭服 毅宗朝詳定.
398) 『고려사』 권72, 志26, 輿服, 冠服 – 百官祭服 毅宗朝詳定.
399) 『고려사』 권72, 志26, 輿服, 冠服 – 視朝服 공민왕 19년 5월.

5

고려시대 사람들 의복식의 색깔과 문양

(1) 의복식의 색깔과 염색

의복식이 신체의 보호라는 측면에서뿐 아니라 아름다워지고자 하는 미적 본능의 발현, 그리고 특히 전근대 사회에서는 그것이 신분이나 지위 등과도 직결되어 있었다는 점에서 지니는 의미가 컸다 함은 이미 언급한바 있거니와, 그중 후자를 잘 나타내는 것은 앞서 살핀 의료와 함께 색깔·문양이었다. 이 가운데에서 색깔 부분에 대해 먼저 지적한 사람은 성종조(982~997)의 최승로로서 왕 원년에 올린 시무책時務策에서, 「신라 때에 공경公卿 백료百僚와 서인의 의복·신발·버선은 각기 품색品色이 있어서」라고 하여 공경·백료와 서인으로 분류하고, 이들이 각기 이용하는 의복·신발·버선의 품질(의료)과 색깔이 달랐으며, 그리하여 공경·백료는 공란公襴을 입고 가죽신을 신도록 한데 비해 서인·백성들에게는 문채文彩나는 옷을 입지 못하도록 하였는데, 그 이유인즉 귀·천貴賤을 구별하고 존·비尊卑를 분별코자한 것으로서, 고려에서도 그대로 시행토록(㉮-⑥, 18쪽) 건의하고 있는 것이다.

이는 최승로가 신료의 입장에서 공경·백료와 서인·백성간의 차등·구별에 대해 언급하고 있는 것이지만 왕조국가인 고려에서 의복식상의 색깔 문제가 가장 두드러지게 나타나는 것은 국왕을 비롯한 왕실의 복색이었다. 이 부분은 문종이 "예식을 갖출 때의 어복御服은 마땅히 홍·황색紅黃色을 입는 것이지마는, 그 이외의 색으로 입을만한 것을 전고典故를 널리 고찰하여 아뢰도록 하라"고 지시한데 대해 예사禮司에서,

"이제 『율력지律曆志』를 상고하니 '황黃은 중中의 색으로 군君(왕)의 복服(옷)이다' 하였고, 『당사唐史』에는 이르기를, '천자天子의 복服(옷)에는 적赤·황黃을 사용하므로, 사·서士庶는 3황黃으로는 옷을 만들지 못하도록 금하라' 하였고, 또 이르기를, '초하룻날 조하朝賀를 받을 때인즉 강사의絳紗衣를 입는다' 하였습니다.……그러므로 제왕帝王의 복색은 예식을 갖출 때인즉 황黃·자赭·강絳 세가지 색이고, 연회의 작은 모임에는 편의대로 할 것이나, 지금 입으시는 홍紅·황黃 이외에는 대신할만한 다른 색色이 없습니다"라고한 데서[1] 분명하게 살필 수가 있다. 국왕이 공식 석상에서 착용할 복식의 색깔은 당시에 이미 사용하고 있는 것과 중국의 여러 전적典籍을 함께 고찰할 때 황색과 적赤·홍紅·자赭·강絳 등 붉은색들임을 확인하고 있는 것이다. 이는 실제 상황도 그러하여 외국인인 서긍도 「대체적으로 고려인들은 홍색을 가장 귀하게 여겼기 때문에 국왕이 아니면 사용할 수 없었다」고 기록하고 있으며,[2] 의종조에 상정詳定된 바에 의하면 신정과 동지 그리고 절일節日(국왕 생일)의 조정 하례와 대관전大觀殿에서의 큰 연회 때 등에는 자황포赭黃袍(주황색 도포)를 입도록 하고, 연등燃燈의 소회小會인즉 치황의梔黃衣(치자나무 황색 옷)를 입도록 하고 있다.[3] 또 개별적인 사례만 하더라도 원종이 일시 왕위에서 밀려났다가 다시 즉위함에 미쳐 황의黃衣를 입고 강안전康安殿에서 하례를 받고 있고,[4] 충렬왕 역시 황포黃袍를 입고 즉위한 후 군신群臣들의 조하朝賀를 받고 있는가 하면,[5] 국왕이 사용하는 곡개

1) 『고려사절요』 권5, 문종 12년 夏4月.
2) 『고려도경』 권9, 儀物1 靑蓋.
3) 『고려사』 권72, 志26, 輿服, 冠服-視朝之服 毅宗朝 詳定.
4) 『고려사』 권26, 세가 원종 10년 11월 甲子.
5) 『고려사』 권28, 세가 충렬왕 즉위년 8월 己巳.

曲蓋(손잡이가 구부러진 가리개)가 강라絳羅로 장식되었다는 기록도[6] 보인다.

충선왕이 부왕父王인 충렬왕을 밀어내고 즉위하면서 형식상으로는 아버지에게 태상왕太上王이라는 존호尊號를 올릴 때에 자신은 자포紫袍를 입고, 태상왕은 황포黃袍를 입도록 하고 있어[7] 자포와 황포 사이에 차이점이 엿보여 흥미롭다. 유사한 일은 몽고와의 관계에서도 일어나거니와, 충렬왕 27년에 국왕의 복색服色과 양산 색깔이 상국上國인 원나라에 비견될만 하다고해서 옷은 자포赭袍 대신에 지황芝黃(지초 황색)으로,[8] 양산은 황산 대신에 홍산紅傘을 이용토록[9] 바꾸었다는 것이다. 이는 왕 30년에 이르러서 다시 황포·황산으로 되돌리게 된다.[10]

문종 32년에 중서문하성中書門下省에서 송나라의 제도를 감안하여 신민臣民(신료와 백성)들이 치황색梔黃色과 담황색淡黃色 의복의 착용을 금지토록 건의함에 따라 그대로 좇고있는 것은[11] 그같은 전후의 상황을 다시 확인시켜 준다. 하지만 황색은 그렇다 하더라도 홍색의 경우는 예외가 없지 않다. 홍위좌우친위군이 홍문라포紅文羅袍(붉은색 무늬가 들어간 나羅로 만든 두루마기)를 입었다던가,[12] 대관전大觀殿 조회 때에 흑간작자홍라호대黑幹斫子紅羅號隊 소속의 군사軍士들이 홍배자紅背子를 착용하고 있는 사례[13] 등에서 그점을 살필 수 있다.

---

6) 『고려도경』 권9, 儀物1 曲蓋.
7) 『고려사절요』 권22, 충렬왕 24년 충선 春正月.
8) 『고려사』 권72, 志26, 輿服, 冠服－視朝之服 충렬왕 27년 5월.
9) 『고려사』 권72, 志26, 輿服, 儀衛 凡法駕衛仗 충렬왕 27년 5월.
10) 위의 視朝之服·凡法駕衛仗 충렬왕 30년조와 『고려사』 권32, 세가 및 『고려사절요』 권32, 충렬왕 30년 2월 丙申.
11) 『고려사』 권85, 지39, 刑法2 禁令·『고려사절요』 권5, 문종 32年 冬10月.
12) 『고려도경』 권11, 仗衛1 興威左右親衛軍.
13) 『고려사』 권72, 志26, 輿服, 儀衛－朝會儀仗.

붉은색 가운데에서는 자색紫色도 국왕의 근시近侍나 시위侍衛 담당자와 상급 신료臣僚들의 복색服色으로 널리 사용되었다. 그중 전자와 관련해서는,

> ㉥-① 덕종 3년 정월에 조詔하여, 백관들이 아문衙門에서 직무를 볼 때 자의紫衣(자주색 옷)를 상복常服(일상적인 옷)으로 하는 것은 일에 이로움이 없은즉 만약 호종扈從(왕의 행차를 따름)할 때가 아니면은 조삼皁衫(검은색 옷)을 착용토록 하였다.[14]

고 한데 잘 드러나 있다. 그리고 『고려사』여복지의 의위儀衛·노부鹵簿의 각 항목에는 국왕과 태자가 국가의 중요 행사에 참여할 때 시위하는 문·무신료와 군사들로 자의紫衣를 착용한 사례는 일일이 열거할 수 없을 정도로 다수에 이르고 있다.

복식에 따른 신료·관원들의 위계가 분명하게 정해지는 것은 광종 11년(960)에 제정되는 4색 공복제公服制에서 였다.[15] 이들은 각각의 위계·직위에 따라 자삼紫衫으로부터 이하 단삼丹衫·비삼緋衫·녹삼綠衫, 즉 자·단·비·녹색의 공복을 착용하는 제도가 마련된 것이며, 이 규정은 경종 원년(976)에 직·산관職散官들에게 전토田土와 시지柴地를 지급하는 전시과田柴科를 시행할 때도 그대로 적용된다.[16] 이런 가운데에서 점차 이용의 범위를 넓혀 오던 품계제品階制가 성종 14년(995)에 이르러 문산계文散階의 채택과 더불어 산계散階와 9품제九品制가 그 기능을 대신하게 되지만,[17] 복색에 따라 관리들 지위의 고하에 차이를 두는 제

---

14) 『고려사』 권72, 志26, 輿服, 冠服－冠服通制.
15) 『고려사』 권72, 志26, 輿服, 冠服－公服·『고려사절요』 권2, 광종 11年 3월.
16) 『고려사』 권78, 志32 食貨1, 田制－田柴科·『고려사절요』 권2, 경종 원년 11月.
17) 박용운, 「高麗時代의 文散階」『震檀學報』 52, 1981; 『高麗時代 官階·官職 硏

도는 여전하였다. 그 단적인 예의 하나가 현종 9년(1018)에 정해지는 장리공복長吏公服으로서, 맨 위의 호장戶長이 자삼紫衫을 착용했던데 비해 직위가 점차 내려가면서 비삼緋衫·녹삼綠衫·심청삼深靑衫·천벽삼天碧衫을 입도록 되어 있는 것이다.[18] 개별적인 사례로 서관복庶官服은 녹의綠衣였는데,[19] 이직복吏職服도 서관복과 색깔이 동일했으나 다만 녹의에는 진하고 옅은게 있었다고[20] 보인다. 대체적으로 붉은색 계통이 상급의 옷 색깔이고 녹·청이 하급의 옷 색깔로 인식되었음을 알 수 있다. 이밖에 성종 3년에 「군인의 복색을 처음으로 정하였다」고한[21] 것을 보면 군인들 나름의 복색이 따로 있었을 듯싶기도 하나 그 내용은 알려져 있지 않다.

이상은 국왕과 상·하급 관리들이 착용하는 복색에 따라 차등이 있었다는 점에 대해 살펴본 것인데, 민인民人들 역시 그중 주로 하급에 해당하는 복색을 이용하기도 했겠지마는 대체적으로는 주된 의료였던 마포麻布와 갈포褐布·저포 등의 자체 색깔이 중심이었으리라 생각된다. 그 몇몇 사례는 앞서 의료衣料를 살피는 자리에서 소개한바 있거니와, 흰 갈포치마(백갈군白葛裙)를 입고 있는 농사집 아낙네(전부田婦)와 푸른 삼옷(녹마의綠麻衣)을 입고 있는 사내 농부(전부田夫)(㉯-㉔, 57쪽)나, 삼베 잠방이(마곤麻裩)에 흰 갈포옷(백갈의白葛衣)를 입고 술에 취해 산기슭에 누워있는 나뭇꾼(㉯-㉕, 57쪽)과, 「농업과 상업을 하는 백성들은……복식에 있어 모두 백저白紵로 포袍를 해입고 네 가닥 띠가 있

究』, 고려대 출판부, 1997, 61~63쪽.

18) 『고려사』 권72, 志26, 輿服, 冠服-長吏公服 현종 9년.

19) 『고려도경』 권7, 冠服 庶官服.

20) 『고려도경』 권21, 早隸 吏職.

21) 『고려사』 권85, 지39, 刑法2 禁令·『고려사절요』 권2, 성종 3年 夏5月.

는 검은색 두건(오건4대烏巾四帶)을 쓴다」고한(㉰ – ⑫, 72쪽) 것 등이 그 대표적인 예들이다. 백의白衣나 포의布衣가 관원으로서 일정한 직위가 없거나 또는 그같은 민인民人들, 그리고 검소하게 지내는 사람들을 상징하는 의미로 쓰였다는 데서도 그 성격을 엿볼 수 있거니와, 검은색(오烏·조皁·흑黑) 역시 바로 위의 ㉰ – ⑫와 더불어 ㉳ – ①, 228쪽 기사에서 자의紫衣에 상대되는 옷으로 조삼皁衫이 들어지고 있듯이 복색으로서는 하급에 해당하는 것이었다.

그렇지만 여기서는 단서 조항도 따른다는 점을 염두에 두어야 할 것 같다. 동일한 마포라 하더라도 황마포黃麻布와 함께 흑마포黑麻布가 외국에 예물로 보내지거나 국왕에게 바쳐질 정도로(주 38), 47쪽 및 주 62)~65), 54·55쪽) 귀중한 직물의 일부가 되고 있는 경우도 찾아지기 때문이다. 그리고 저포紵布의 경우 역시 국왕조차 평상시에는 민서民庶들과 마찬가지로 백저포白紵布를 입었고(㉰ – ⑩, 72쪽), 귀부인들도 그러하였으며(㉰ – ⑪, 72쪽), 어느 절의 여종이 매우 가늘고 꽃무늬까지 수놓아 만든 백저포를 선물로 받은 충렬왕비인 제국대장공주가 크게 탄복하고 있는 기사(㉰ – ⑭, 74쪽) 등도 전해지는 것이다. 의복식에 있어 색깔이 상하·귀천의 구별에 중요한 하나의 요소가 되었지만, 부수적으로는 동일한 색깔이라 하더라도 의료의 품등에 의해서 차이가 나기도 했다고 이해된다.

다음으로 고려시기에 있어 복색과 관련이 깊은 또하나의 요소는 음양오행陰陽五行·풍수지리설風水地理說이어서 이 부분도 살펴볼 필요가 있다. 즉, 목木·화火·토土·금金·수水의 5행五行이 각기 동東·남南·중앙中央·서西·북北 등 5방五方 및 청靑·적赤·황黃·백白·흑黑 등 5색五色과 연결되어 있다는 천인상관天人相關의 세계관이 동아시아 지역에 커다란 영향을 미치고 있는 상황하에서 우리들 역시 그에 순응할 때 나라와 개인이 행복을 누릴 수 있으나 그렇지 않을 때에는 불행하게 된다는 사상이 널리 자리잡고 있었기 때문이다. 그 한 경우를 충렬왕 원년(1275)에 천문天文과 역수曆數·측후測候 등을 관장하던 기구인 태사국太史局(서운관書雲觀·태복감太卜監·사천대司天臺)에서 올린 다음의 기사에서 찾아볼 수 있다. 즉,

> ㉳-② 충렬왕 원년 6월에 태사국에서 아뢰기를, "동방은 목木의 방위이므로 색깔은 청색을 숭상해야 마땅합니다. 그런데 백색은 금金의 색깔인데도, 나라 사람들이 융복戎服을 입은 이후로 많이들 백저의白紵衣를 입고 있는데 이는 목木이 금金에 제압당하는 형상인즉 청컨대 백색 의복의 착용을 금하옵소서" 하니 좇았다.[22]

고 하여 우리나라는 동방에 위치하여 목행木行에 해당하고, 따라서 청색옷을 숭상해야 하는데도 현실적으로는 금행金行에 해당하는 백색옷을 많이 입고 있어 5행·풍수지리에 맞지 않는만큼 백색 의복의 금지를 요청하였고, 국왕도 그에 응하고 있다. 하지만 그 뒤의 기록을 보면(주128), 73쪽) 실제로는 잘 이루어지지 않고 있거니와, 왕 25년 9월에 다시 백의白衣·백립白笠의 착용을 금하는 조처가 내려지고 있는 것은[23] 그 때문인 듯하다.

그로부터 꽤 시기가 지난 공민왕 6년(1357)에는 좀더 상세한 상소가 사천소감司天少監인 우필흥于必興에 의해 올려지는데 그 내용은 다음과 같다.

---

22) 『고려사』 권85, 지39, 刑法2 禁令·『고려사절요』 권19, 충렬왕 元年 6月.
23) 『고려사』 권85, 지39, 刑法2 禁令.

㉥-③ 공민왕 6년 윤9월에 사천소감인 우필흥이 상서하여 말하기를, "『옥룡기玉龍記』에 이르되, '우리나라는 백두산에서 시작하여 지리산智異山에서 마치니 그 형세가 수水를 뿌리로, 목木을 줄기로 하는 땅이며(수근목간지지水根木幹之地), 흑黑으로써 부모를 삼고 청靑으로써 몸(신身)을 삼은즉, 만약 풍속이 토土에 순응하면 창성昌盛하고 토土를 거역하면 재변灾變이 일어날 것이다' 하였습니다. (여기서 말하는) 풍속이란 군신君臣·백성百姓의 의복과 관개冠蓋·악조樂調·예기禮器·집용什用이 그것들이오니, 금후로 문무백관은 흑의黑衣와 청립靑笠을, 승려는 흑건黑巾과 대관大冠을 쓰고, 여자는 흑라黑羅를 입도록 할 것이며, 또 여러 산에는 소나무를 빽빽하게 심고, 무릇 기물器物은 유동鍮銅과 와기瓦器를 사용하여 토풍土風에 순응토록 하소서" 하니 좇았다.[24)]

신라말 고려초의 저명한 풍수가風水家였던 도선道詵이 지은 것으로 알려진 『옥룡기玉龍記』에 우리나라는 수근목간水根木幹의 땅으로서, 그에 해당하는 흑색과 청색을 내 부모나 몸처럼 존중하고 따라야 한다고 했으므로 의복과 쓰개 등의 풍속은 말할 것 없고 심지어는 집에서 늘상 사용하는 기물 등도 토풍土風에 맞도록 하고, 산에는 소나무를 심어 바위가 드러나지 않도록 할 것 등을 건의함에 왕도 그에 따르고 있는 것이다. 이어서 왕 16년에는 교서敎書를 내려, 「우리나라 군신群臣들의 관복冠服은 이미 토풍에 맞도록 제정하여 상하가 구분되도록 한 것이므로 바꿀 수 없다」고 하면서 동시에 제군諸君·재추宰樞 등의 최고위급으로부터 지방의 현령·감무監務에 이르기까지 모두가 흑립黑笠을 쓰도록 조처하고 있으며,[25)] 21년에도 대언代言·반주班主 이상의 고위 관원들은

24) 『고려사』 권39, 세가·같은 책, 권72, 志26, 輿服, 冠服-冠服通制·『고려사절요』 권26, 공민왕 6年 閏9月.
25) 『고려사』 권72, 志26, 輿服, 冠服-冠服通制 공민왕 16年 7月.

모두가 흑초방립黑草方笠을 착용토록 명령하고 있거니와,[26] 위의 풍수지리설과 상통하는 내용으로 이해된다. 또 우왕 원년에 각 사司의 서리들에게 백방립白方笠을 쓰도록 했으나, 8년에는 헌부憲府와 서운관書雲觀에서 「우리나라는 목성木性인즉 황黃·백白·적색赤色의 옷을 입는 것은 마땅치 않습니다」라고 아뢰고 있는 것과[27] 공양왕 원년에 예의사禮儀司에서, 「더운 달에 단지 사모紗帽만 쓰면 더워서 견디기가 심히 어려으므로 4월부터 8월까지 양부兩府는 겹 드림의 푸른색 일산(중첨청색개重簷青色盖)을 쓰고, 6부판서六部判書·대언代言·반주班主·통헌通憲·산기散騎 이상은 홑 드림의 푸른색 일산(단첨청색개單簷青色盖)을 쓰며, 대臺·성省은 드림이 펴진 검은 일산(평첨조개平簷皁盖)을 쓴다.……문·무관이 조근朝覲 회동會同할 때는 회백색灰白色 (모帽의) 사용을 금하도록 하였으나, 그러나 결국 시행되지 못하였다」고한 것[28] 역시 일맥 그와 통하는 기사들이라 할 것이다. 한데 이런 몇몇 기사들을 대하면서 5행·풍수지리설은 고려의 전시기뿐 아니라 그 전후 왕조에서도 매우 중시되던 것이었음에도 불구하고 색깔과 관련된 고려의 중요 기록은 후기에 치우쳐 있다는 점과, 또 직위·신분상에서 중시하는 색깔과 여기에서 강조하는 색깔 사이에 어긋나는 면이 보이는데 이점은 어떻게 이해해야 할지에 대해 의문이 없지 않은데 앞으로 더 숙고가 필요할 것 같다.

그러면 이 문제는 그 정도로 해 두고 색깔에 따르는 염색에 대해 잠시 살펴보기로 하자. 이와 관련해서 송나라 사람인 서긍은 「삼한의 의복제도에서 염색을 한다는 이야기는 못들었다」고 전하고 있으나[29] 이

26) 『고려사』 권72, 志26, 輿服, 冠服－冠服通制 공민왕 21年 5월.
27) 『고려사』 권72, 志26, 輿服, 冠服－冠服通制 辛禑 元年 12월 및 8년 7월.
28) 『고려사』 권72, 志26, 輿服, 鹵簿－百官儀從 공양왕 원년 4월.
29) 『고려도경』 권20, 婦人.

것이 고려까지를 포괄하는 말이었다고 한다면 잘못이다. 고려에서는 일찌부터 색염色染을 관장하는 국가 기구인 도염서都染署를 설치하고 거기에 영令·승丞 등의 관원을 두어 업무를 담당토록 하고 있는 것이다. 이 기구는 뒤에 직임織紝을 관장하는 잡직서雜織署를 병합하면서 직염국織染局으로 명칭이 바뀌기도 하며, 또 한때는 직염 업무의 수행이 제대로 이루어지지 않는다 하여 궁중宮中에서 시봉侍奉이나 전선傳宣 등의 일을 맡아보는 액정국掖庭局의 관원들인 내알자감內謁者監·내시백內侍伯·내알자內謁者 등에게로 업무가 넘어갔다가 되돌려지는 등 우여곡절을 겪는다.[30] 이 도염서와 함께 어용御用의 기완器玩을 관장하는 기구인 중상서中尙署(공조서供造署)에는 그 예하 기술자로 홍정장紅鞓匠·주홍장朱紅匠·황단장黃丹匠 등이 배치되어 있어서[31] 이들이 각기 해당 색깔을 관장하였다고 생각되며, 최자崔滋는 「삼도부三都賦」에서 계림(경주)과 영가永嘉(안동)의 뽕나무 농사와 거기에서 얻는 잠사로 비단을 짜내는 상황을 묘사하는 가운데 청靑·황黃·주朱·녹綠으로 물들여서 금錦·기綺·수繡·힐纈(염색 비단) 등을 만들어 공경公卿과 사녀士女들이 의복을 제조해 입고 있는 모습을 글로 남기고도 있어[32] 그점은 어렵지 않게 확인된다. 아울러 여말인 공양왕 때의 일이긴 하지만 위위판사衛尉判事인 이민도李敏道가 중국의 제도를 본따 새 의장儀仗을 만들면서 그것을 잡는 사람들은 모두 청홍색으로 물들인 포의布衣에 비단 무늬

30) 『고려사』 권77, 志31, 백관2 都染署. 이 기구에 대해서는 박용운, 『고려사 百官志 역주』, 신서원, 2009, 408~410쪽 및 「고려시기의 服飾 관련 기구들에 대한 검토 - 尙衣局·都染署·雜織署를 중심으로 -」 『한국중세사연구』제38호, 2014 참조. * 논문은 이 책에도 실려 있다.

31) 『고려사』 권80, 志34 食貨3, 祿俸 諸衙門工匠別賜 中尙署.

32) 『동문선』 권2, 賦 - 崔滋 『三都賦』. 纈에 대해서는 『고려도경』 권28, 供張1 纈幕 참조.

(금문錦紋)를 그린 옷을 입도록 한 것을[33] 통해서도 거듭 살펴볼 수 있고, 또 앞서 의료衣料에 대해 검토하는 가운데 나오는 여러 색깔의 많은 옷감들은 더 말할 필요도 없이 염색을 거친 것이라는 점을 감안할 때 고려시기의 염색 작업은 오히려 활성화되어 있지 않았나 싶기도 하다. 다만 그 작업이 현재까지 드러나기는 상급 의료에 치우쳐 있어 민서民庶들이 많이 이용하는 옷감의 경우 어떠했을까는 좀더 숙고해 볼 필요가 있을 것 같다.

염색과 직결되는 것은 물론 염료이겠는데, 현재 찾아지는 그에 관한 자료는 역시 한정적이다. 그런 가운데 하나가 덕종이 그의 즉위 3년(1034)에 교서를 내려, 「검소함을 좇아 쓰임새를 절감하는 것은 백성들을 넉넉하게 하는 길이다. 상의국尙衣局은 어의御衣를 염색하는데 드는 홍지초紅芝草를 1년간 소요되는 분량만을 계정하여 그 이상 더 많게는 거두지 말라」고 한데[34] 보이듯이 국왕의 의복을 붉은색으로 염색하는 데 소요되던 홍지초이다. 이어서 정종靖宗 6년(1040)에는 대식국大食國(아라비아)의 상인 보나합保那盍 등이 와서 수은水銀 등과 함께 붉은 물감의 재료가 되는 소목蘇木(대소목大蘇木)을 바치자 그들에게 금백金帛을 후하게 내리고 있어서[35] 염료가 부분적으로는 외국으로부터 수입되었음도 알 수 있다.[36] 그런가 하면 고종조에 들어와 몽고와의 접촉이 시작되면서 저들의 사절로 온 저고여著古與 등이 고려에 요구한 물품을 보면 수달피·종이 등과 함께 자초紫草(자주색 염료) 5근, 홍화葒花(홍색

---

33) 『고려사』 권72, 志26, 輿服, 儀衛－朝會儀仗 공양왕 2년 정월.
34) 『고려사』 권5, 세가·『고려사절요』 권4, 德宗 3年 春正月.
35) 『고려사』 권6, 세가 靖宗 6年 11月 丙寅.
36) 趙孝淑, 「絹織物 製織實態 및 用度」 『韓國 絹織物 硏究－高麗時代를 中心으로』, 세종대 박사학위 논문, 1992, 32쪽.

염료)·남순藍荀(청색 염료)·주홍朱紅 각각 50근, 자황雌黃(귤껍질의 빛깔처럼 약간 붉은 빛을 띤 황색 염료)·광칠光漆(검은색 도료로 쓰이는 옻나무 진액)·동유桐油(도료를 만드는데 쓰이는 오동나무의 씨로 짠 기름) 각각 10근씩으로서,[37] 이를 통해 고려에서는 그전부터 다양한 염료를 채취하여 이용해 왔음을 미루어 알 수 있다.

(2) 의복식의 문양

색깔과 함께 의복식의 품위나 착용자의 지위·신분과 관련이 깊은 또 하나의 요소는 문양紋樣(무늬)이었다. 한데 이 문양은 그의 특성상 주로 상급 의복(의료)에 만들어지게 마련이었다. 그점을 잘 말해주는 증거로 어의御衣의 공급을 관장하는 상의국尙衣局(장복서掌服署)과 직임織紝을 관장하는 잡직서雜織署(직염국織染局)의 예하에 수장繡匠이 배치되어 있었다는 사실을[38] 들 수 있다. 그런가 하면 현종 16년(1025)에는 「어사대御史臺에서 중외(중앙과 지방)의 민서民庶들이 의복과 기물器物에 용봉龍鳳의 문양을 하는 것을 금지시키도록 청하여 윤허를 받고」 있으며,[39] 정종靖宗 9년(1043)에도 「중외의 남녀들이 수놓은 비단으로 만들거나, 금빛 무늬를 새긴 의복, 용과 봉황의 무늬(용봉문龍鳳紋)를 놓았거나 능·라綾羅로 만든 의복의 (착용을) 금하고」 있다.[40] 중앙과 지방, 남녀를 불문하고 민인들은 국왕의 상징인 용과 봉 같은 상급 비단에 화려

37) 『고려사』 권22, 세가·『고려사절요』 권15, 高宗 8年 秋8月.
38) 『고려사』 권80, 志34 食貨3, 祿俸 諸衙門工匠別賜 尙衣局·雜織署.
39) 『고려사』 권85, 지39, 刑法2 禁令 현종 16年 9月.
40) 『고려사』 권85, 지39, 刑法2 禁令·『고려사절요』 권4, 靖宗 9年 夏4月.

한 문양을 더하는 데까지로 넓히고 있음을 알 수 있는 것이다.

이와 유사한 기록은 더 눈에 띈다. 이미 여러 차례 언급한 일이 있는 최승로의 상소문에 「서인庶人들은 무늬와 채색이 든 사·곡(문채사곡文彩紗縠)을 착용하지 못하도록 하고」라한 대목과(㉮-⑥, 18쪽), 삼한의 의복제도에서 「꽃이나 무늬로 (장식하는) 것을 금하였는데, 어사御史가 민인들의 옷(민복民服)을 감찰해 무늬를 놓은 나羅나 꽃 장식이 든 능綾(문라화릉文羅花綾)을 입은 자는 단죄斷罪하고 물품을 압수하였으므로 민서民庶들이 준수하여 감히 영令을 무시하지 못하였다」고 한게(㉱-⑫, 103쪽) 그것들이다. 한데 위의 기록을 남긴 송나라 사람 서긍은 다시 「고려에서는……양잠을 잘하지 못해 실과 옷감은 모두 상인을 통하여 (중국의) 산동山東이나 민·절閩浙(지방)에서 사들인다. 문라文羅·화릉花綾이나 질긴 실로 짜는 금錦·계罽는 자못 잘 만드는데, 근래에 북방 오랑케로 항복한 군사중에 기술자(공기工技)가 매우 많으므로 기교가 더해지고 염색 또한 이전보다 나아졌다」고도 적어놓고 있다.[41] 외국인으로서 가능한한 고려를 낮추 평가하려 했던 일면이 여기에서도 나타나 마치 상급 의료는 모두 중국의 상인을 통해 사들이거나 심지어는 포로로 잡혀온 북방 오랑캐의 기능에 의한 것인 듯 기술하고 있지만 그게 잘못이라는 것은 앞서 의료 부분을 다루는 자리에서 우리의 활발하면서도 우수한 생산활동의 소개로 이미 충분한 설명이 되었다고 생각되거니와, 어쩌면 그 자신의 기록대로 문라·화릉이나 질긴 실로 짜는 금·계를 자못 잘 만들고 있는 우리의 우월한 기능에 대해 샘을 내고 있다는 느낌마져 든다.

그러면 고려에서 실제로 문양이 이용되는 상황은 어떠했을까. 위에

---

41) 『고려도경』 권23, 雜俗2, 土產.

서 용봉문양은 국왕의 전유물이고, 문라·화릉 같은 상급 의료에 문양을 더한 의복의 착용이 일반 민서民庶들에게는 허용되지 않았음을 확인한바 있지마는, 관리들의 경우는 오히려 그 반대였다. 특히 태사太師·태위太尉나 중서령中書令·상서령尙書令 등의 영관令官들과 시중侍中 등 국상國相, 좌우상시左右常侍 등 근시近侍, 어사중승御史中丞 등 종관從官들은 자주색의 무늬가 든 나羅로 만든 도포(자문라포紫文羅袍)를 착용하였고,[42] 경卿·감監과 조관朝官들은 붉은색의 무늬가 든 나羅로 만든 도포(비문라포緋文羅袍)를 입도록[43] 되어 있는 것이다. 무신정권기인 명종조에 수상까지 지내는 문극겸文克謙에 대해 「성품이 효성과 우애가 있는데다 자상하고 인자했으며, 충성스럽고 정직했다. 식사할 때 반찬은 불과 몇가지 였으며, 무늬가 수놓인 의복을 입지 않았다」하여[44] 검소한 생활을 하는 모습을 그리고 있지마는, 이는 아마 업무를 보는 때가 아니라 평상시에 그러했다는 말인 것 같다.

무늬가 들어간 복장의 착용은 국왕을 시위侍衛하는 무신·군사들에게서도 다수가 찾아진다. 용호좌우친위기두와 그곳의 군장·신호좌우친위군 등이 둥근 무늬가 든 금錦으로 만든 도포(구문금포毬文錦袍)를 입고 있는게[45] 그 몇 사례들이다. 그리고 홍위좌우친위군은 홍문라포紅文羅袍를 입고 있으며,[46] 장위를 담당하는 공학군은 자문라포紫文羅袍를 입고 있는데 비해[47] 송나라 사절이 가지고 오는 예물을 실은 수레를 호위하는 공학군은 자주색으로 꽃을 수놓은 도포(자수화포紫繡花袍)를 착

42) 『고려도경』 권7, 冠服, 令官服·國相服·近侍服·從官服.
43) 『고려도경』 권7, 冠服, 卿監服·朝官服.
44) 『고려사』 권99, 열전12, 文克謙傳.
45) 『고려도경』 권11, 仗衛1 龍虎左右親衛旗頭·龍虎左右親衛軍將·神虎左右親衛軍.
46) 『고려도경』 권11, 仗衛1 興威左右親衛軍.
47) 『고려도경』 권11, 仗衛1 控鶴軍.

용하고도 있다.[48)]

이밖에 상6군위중검낭장上六軍衛中檢郎將은 자문라건紫文羅巾을 쓰고 있고,[49)] 용호상초군은 문라두건文羅頭巾을 착용하고 있으며,[50)] 또 장차 관직에 나가기 위한 과정을 밟고 있는 진사進士는 4대문라건四帶文羅巾을,[51)] 지방 각 취락의 유지로서 그곳에서 발생하는 작은 일들을 처리하기도 했던 민장民長은 문라건文羅巾을 쓰고 있다.[52)] 아울러 이속吏屬인 정리丁吏와 방자房子도 문라두건을 착용하고 있지마는,[53)] 반면에 민인民人들의 착용 사례는 잘 눈에 띄지 않는다. 그것은 위에서 살펴 보았듯이 국가에서 금령禁令을 내려 민인들의 이용을 금지하고 있는게 주된 원인이었겠지만 경제적인 면에서도 어려움이 많았을 것이다. 일면 생각하면 금령이 내려지고 있는 것 자체가 민인들 중에도 문양이 있는 상급 의료의 옷을 착용한 사례가 아주 없지 않았음을 말해주는 것이기도 하지마는 일반적으로 의복식에 있어서의 문양은 앞서 지적했듯 상급의 신분계층과 관련이 깊은 풍습의 하나였다고 할 것이다.

---

48) 『고려도경』 권24, 節仗 次禮物.
49) 『고려도경』 권11, 仗衛1 上六軍衛中檢郎將.
50) 『고려도경』 권12, 仗衛2 龍虎上超軍.
51) 『고려도경』 권19, 民庶 進士.
52) 『고려도경』 권19, 民庶 民長.
53) 『고려도경』 권21, 早隸 丁吏·房子.

6

결어結語

고려시대 사람들의 의복식과 관련된 몇몇 사안들에 대해 살펴 왔는데, 그 내용들을 조목별로 간추려 소개하는 것으로 맺음말에 대신하고자 한다.

(1) 첫째는 의복식 생활의 변천에 관한 문제로, 고조선과 부여 등 초기의 우리나라 의복식은 아시아의 북방민족들과 연결되는 이른바 호복胡服 계통으로서 좁은 소매(착수窄袖)에 좁은 바지(세고細袴)·왼쪽 여밈새(좌임左衽)의 형태를 띠는 것이었는데, 여기에 한군현漢郡縣의 설치와 같은 사태의 발생을 비롯해 여러 방면으로 교류가 이어짐에 따라 넓은 소매(광수廣袖)·너그러운 바지(관고寬袴)·오른쪽 여밈(우임右衽) 등의 형태를 띠는 중국계의 풍습이 섞여들게 된다. 이것은 요컨대 우리의 저고리와 바지·치마·두루마기 등을 기본으로 하는 의복식의 전통이 이어져 가는 가운데 부분적으로 좀더 다양성을 추구해간 결과라 할 수 있다. 그 후 이들 풍습이 오랜 세월을 경과하면서 점차 토착화하여 우리의 고유한 의복식으로 자리를 잡아간 듯 생각되는 것이다. 『고려사』 권72, 지志26, 여복輿服 서문에, 「우리나라는 삼한으로부터 의례儀禮·법도法度와 복식服飾에서 고유 풍습(토풍土風)을 그대로 이어 왔다」고한 데서 그 점을 알 수 있다.

그러다가 신라의 진덕왕眞德王 2년(648)에 김춘추金春秋(뒤의 태종무렬왕)가 동맹을 맺기 위해 당나라로 들어갔던 길에 저들의 관복冠服 제도를 받아옴으로써 우리의 전통적인 복식에 커다란 변화가 초래되기 시작하였다. 즉, 전래된 이듬해인 왕 3년에 중국식 복제服制가 시행에 옮겨지고 있으며, 문무왕 4년(664)에는 부인婦人들에게까지 왕명으로 중국의 의상을 입도록 조처가 내려지고도 있는 것이다. 이같은 상황은 왕실을 비롯한 고위 신분층에 한정되고, 그나마 주로 공식적인 의례나 업무 때에 착용하였다는 한계성을 지니는 것이었지만 그 범위가 점차 확대되어 갔다는 점에 주목할 필요가 있다. 이는 삼국통일이 이루어지고 나·당간에 교류가 빈번해짐에 따라 중국의 문물은 왕실과 골품귀족들을 중심으로 하는 상급 지배층에 더욱 영향력을 넓혀 갔으며, 그 결과는 이들이 외래의 사치 풍조에 젖어드는 경향마저 띠게 되었다. 이에 급기야 홍덕왕興德王 9년(834)에는 복식금제服飾禁制에 대한 교서가 내려지기까지 하는 것이다.

왕실을 포함한 상급 신분층의 이같은 생활에도 불구하고 농農·공工·상인商人을 비롯한 그 이하 민인民人들의 복식 생활은 본래의 고유방식에서 별로 벗어나지 아니하였다. 신라의 삼국통일을 전후한 시기를 기준으로 하여 그 이전은 우리의 고유방식이 대략 그대로 유지된데 비해 그 이후부터는 고유복식과 외래(중국)복식이 함께 존재하는 2중구조(2중조직)의 시기였다고 할 것이다.

왕조가 고려로 바뀐 이후에도 의복식을 비롯한 문물제도는 신라와 당의 구제舊制를 그대로 썼으며, 새로이 송나라가 건국되어 국교를 맺게 되면서는(광종 13년, 962년) 점차 이들의 영향 또한 받게 되었다. 『고려사』 권72의 여복지 서문에 「고려 태조가 나라를 열면서는 초창기라 일이 많으므로 신라의 구제를 그대로 썼다」거나, 성종조의 최승로가 상소문에서 「백료들로 하여금 조회에는 하나같이 중국과 신라의 제도에 의거하여 공란과 가죽신·홀을 갖추도록 하라」고 건의하고 있는 것 및 송나라에 사신으로 갔다가 돌아온 김부식이 복식만 보고는 송나라 사람조차 자신들과 우리를 구별하지 못하더라고 회상하고 있는 것 등에서 그점을 잘 엿볼 수 있다. 그들 의복식은 의종조에 편찬된 것으로 생각되는 『상정고금례詳定古今禮』에서 정리되었고, 국왕의 관복冠服이나 백관의 조복朝服 등 그 일부의 모습은 여복지와 『고려도경』 등을 통해 기록으로나마 엿볼 수 있다. 그에 비해 일반 민서民庶들의 의복식에 대해서는 역시 소수의 『고려도경』 기록과 당시를 다룬 문집들에서 편린을 찾아볼 수밖에 없는데, 그것은 종래의 고유복식을 그대로 이어간 사실을 보여 준다. 아울러 비록 외래복식을 따른 왕실과 관인층 등도 공적인 업무에서 물러났을 때의 그것은 민서들과 큰 차이가 없었다는 점은 역시 유의해야할 대목이다.

고려는 무신정권이 들어서면서 여러 방면에서 혼란을 겪지만 특히 몽고의 침입으로 오랜 전쟁을 치른 끝에 저들의 영향하에 놓이게 됨에 따라 많은 변화가 불가피하였다. 그 하나가 원나라식의 의관衣冠을 착용하고 저들 특유의 머리 형식인 개체開剃 변발辮髮을 강요 당한 일이었다. 이는 원나라 세조의 딸과 혼인한 충렬왕이 즉위하면서(1274년) 가속화되거니와, 그후 이른바 몽고풍蒙古風이 왕실과 관리층을 중심으로 널리 퍼져 나가게 되었다. 현재 그 영향이 일반 민인民人들에게까지 비교적 널리 확대되었다는 견해가 없지 않으나 실은 그런게 아니라 그것은 이전에도 그러했듯이 왕실과 관료 등 상급층에 한정되고 일반 민인들의 절대 다수는 종래 고려의 풍습 그대로였다고 이해하는게 옳다는 견해가 많다.

14세기 중반을 전후하여 원나라가 동요를 거듭하는 때에 고려에서는 공민왕이 즉위하여 반원개혁정책反元改革政策을 추진하였다. 그리하여 왕 19년(1370)에는 대륙에 새로이 선 명나라와 정식으로 국교를 체결하지마는, 그와 동시에 명은 고려의 왕실과 신료들에게 각종 복식을 내려주고 있다. 이에 대해 『고려사』 권72의 여복지 서문에는, 「이로부터 의관衣冠 문물이 환하게 새로워져서 옛 것이 갖추어지게 되었다」고 기록하고 있다. 이것은 그간 원나라의 간섭하에서 많은 변모를 겪었던 고려 상급 지배층들의 복식이 전통적인 당·송의 옛 제도로 되돌려졌음을 뜻했다고 생각되지마는, 그렇다고 해서 기록과 같이 그로부터 의관衣冠 문물이 줄곧 환하게 새로워진 것만은 아니었다. 이후에도 국가의 정책이 변함에 따라 명나라 복식의 정비는 여러 차례의 우여곡절을 겪으면서 이루어지는 것이다.

(2) 둘째는 의료衣料에 대해서인데, 이 부분은 국가적인 관심사의 하나로서 농상農桑을 의식衣食의 근본이라 인식하고 있다던지, 상마桑麻의 재배를 적극 권장하고 있는 데서 그것이 얼마나 중시되었는지를 엿볼 수 있다. 고려시기 사람들이 의료로 사용하던 실물은 마麻와 갈褐·저紵, 그리고 견직물인 주紬·면포綿布 및 견絹·백帛·능綾·나羅·금錦·사紗·기綺·곡縠·초綃·환紈·단緞과 모직물인 계罽·피皮 등등이었는데, 이들중 어느 하나 중요하지 않은게 없었겠지마는 그 가운데서도 널리 이용된 것을 굳이 꼽는다면 마·저포와 능·라였다.

그 일종인 마麻(대마大麻, 삼)는 1년생 식물로서 씨를 뿌려 자란 그 삼나무의 껍질을 가공하여 얻는 것으로 마전麻田이나 조그마한 터를 이용하여 재배하였다. 그리하여 생산된 마포麻布는 민서民庶들이 가장 널리 사용하는 의료였다는 데서 그 의미를 찾을 수 있지마는, 국가로서도 그 일부를 잡세나 공부貢賦의 명목으로 거두어 각종 용도에 충당하였고, 또 그것은 화폐로서도 기능하는 등 중요성이 매우 큰 것이었다.

기록에 의하면 포布(마포) 가운데에는 평포平布니 중포中布 또는 광평포廣平布·소평포小平布 및 대포大布·소포小布 등의 명칭이 보인다. 이들은 아마 포의 형태·크기 등에 따른 호칭이 아닐까 짐작되나 자세한 내용은 잘 알 수가 없다. 그에 비해 색깔에 따른 흑마포黑麻布와 황마포黃麻布도 찾아지는데, 전자는 외국에 공물貢物로 보내는 물품 중에 보이고, 후자는 특정 지역에서 별공別貢으로 바치거나 또는 국왕에게 예물로 올리는 품목 등에 포함되고 있다. 이들은 그만큼 귀중한 물품이었음을 알 수 있거니와, 마포 중에도 부분적으로는 이같은 물품이 존재했다는 점에 주목할 필요가 있을 것 같다.

마포의 품질은 베날기를 할 때에 삼(마麻) 몇 올을 가지고 어느 정도의 굵기로 얼마나 촘촘하게 짜느냐를 나타내는 새(승升·종綜)에 따라 평가된다. 한 연구자는 노동복일 경우에는 5새, 평상복일 경우에는 6새 내지 7새 정도였다고 논하고 있지마는, 화폐로 통용되던 5종포(5승포)와 그 이하의 포는 자주 문제가 되는 추포麤布에 해당하였겠고, 아마 10새 이상은 되어야 상급품에 속했던 것 같다. 한 기록에는 충렬왕 때에 경상도 안렴사가 20승마포를 바쳤다고 전하고 있다(㉯-⑲, 52쪽). 자주 등장하는 세마포細麻布는 이에 가까운 마포였을 것이며, 백세포白細布와 흑세포黑細布 역시 이 범주에 해당하는 마포가 아니었을까 생각된다.

마포 중에는 그 수량이 그렇게 많지는 않았지만 이처럼 귀중한 물품도 있었는데 그것은 신분이 높거나 고위직에 있는 관원 또는 경제적 여유가 있는 사람들이 이용하였을 것이다. 하지만 대부분은 농민 등 일반민인들의 의료로서 포의布衣(마포의)는 이들을 지칭하는 말과도 통했으며, 때로는 아직 관직으로 진출하지 못했거나 또는 그 직위에서 물러나 검소하고 소박한 생활을 영위하는 사람들을 일컫기도 하였다.

다음의 갈褐·葛은 칡(만초蔓草), 갈포는 그 칡 섬유로 짠 베로서, 마포처럼 민서民庶들이 주로 사용하는 의료였다. 한데 이 갈포는 거칠면서도 성글성글하게 짜인 직물이어서 그것으로 만든 옷도 여름철이나 그와 가까운 때에 주로 입었거니와, 구체적인 사례들을 보더라도 「흰 갈옷이 펄렁이었다」거나 「풀 이슬이 짚신 적시고 송화 가루가 갈포 옷에 점을 찍었다」고한 것과 함께 「마치 겨울이 추우면 구裘(갖옷)를 입고, 여름이 더우면 갈葛을 입듯이」라고 직접 언급한 기록 등을 통해 이점은 거듭 확인된다. 그리하여 갈포의는 나름으로 벼슬길에 올랐거나 또는 그 자리에서 물러난 후 어렵게 지내는 사람들이 착용하기도 했지만 흰 갈포치마(백갈군白葛裙)를 입고 있는 전부田婦나 흰 갈포 옷(백갈의白葛衣)를 입고 있는 술 취한 나무꾼 등의 예와 같이 주로 하층 민인民人들이 이용하는 의료였던 것이다. 그런 점에서 갈포는 마포와 유사했다고 할 수 있지마는, 그 이용도나 다양성 등에 있어서 마포에는 훨씬 미치지 못하였고, 그러한 때문인 듯 관련 자료도 많지 않은 편이다.

이에 비해 저紵·저포紵布(모시)는 다년생에 속하는 관목식물의 하나인 저마紵麻(모시풀)의 껍질을 가공하여 만든 마직물麻織物의 하나로서 마포와 함께 고려 사람들이 가장 널리 이용하는 의료였다. 이점은 서긍이 『고려도경』에서 「고려에서는 모시(저紵)와 삼(마麻)을 스스로 심어 사람들이 베(포布)로 된 옷을 입는다」거나, 여말에 방사량이 상소하여 「우리나라에서는 다만 토산물인 세저포細紵布와 세마포細麻布만의 사용을 오랜 세월 동안 해와서 상하가 풍요로웠습니다」라고 언급하고 있는 것 등에 잘 드러나 있다.

이들 모시 역시 마포와 마찬가지로 모시날기를 할 때에 몇 올을 가지고 어느 정도의 굵기로 얼마나 촘촘하게 짜느냐를 나타내는 새(승升)에 따라 품질이 표시되었다. 그리하여 저포는 마포보다 상급에 속하는 직물로서 대개 7~8새 정도는 되었으며, 국가에 바치는 진상품의 경우 9~12새, 세저포로 언급된 것은 10새 이상으로써 그보다 높은 숫자의 포에 이르기까지 다양하였다. 고종 40년에 경상주도慶尙州道의 안찰부사인 임주任柱가 거두어들였다는 20승 백저포가 그 대표적인 예의 하나이다.

모시는 원래 빳빳하고 초록색이 약간 도는 갈색을 띠고 있었다. 이것을 다시 증방蒸房에서 찌거나 잿물에 삶아 마전摩展을 함으로써 비로소 깨끗하고 보드라운 모시, 즉 백저포가 되는데 이것이 가장 애용되는 물품이었다. 기록에 따르면 황저포黃紵布와 홍저포紅紵布처럼 특별한 색깔을 지닌 저포가 눈에 띄며, 또 무늬가 들어간 문저포紋紵布(화문저포花紋紵布)도 찾아지는데 이들도 물론 상등급에 해당하는 물품이었다. 아울러 위에서도 언급한 일이 있는 세저포細紵布 역시 자주 등장하고 있지마는, 황저포나 문저포 등은 세저포이기도 했을 것이다. 하지만 이들은 특수한 물품에 속했던만큼 그렇게 흔하지는 않았던 것 같고, 많은 사람들이 널리 이용한 것은 역시 백저포였다. 그것을 사용한 구체적인 사례를 보더라도 위로는 왕과 관원·귀인들로부터 농부와 상인 등 민서民庶에 이르는 각 신분계층의 인원들이 남녀를 구분함이 없이 모두가 이용하고 있는 것이다. 이 저포(백저포)를 마포와 비교한다면 양자가 동일한 마직물로서 고려시기 민인들에게 줄곧 의료로서 가장 큰 비중을 차지하는 직물이었다는 공통점이 있는 한편으로, 후자가 민서들에게 좀더 가까와서 대부분이 이들에게 이용되는 물품이었던데 비해 전자는 이보다 한단계 위의 직물로서 민서와 더불어 상급 신분층들도 즐겨 사용하는 의료였다는 점에서 얼마간의 차이가 있었다고 할 수 있지 않을까 한다.

다음은 주紬(명주明紬·면주綿紬)와 면포綿布에 대해서인데, 이들도 뽕나무 재배와 누에치기를 통해 얻는 실(사絲)과 솜(면綿)으로 만든 의료인 견직물絹織物과 원료는 동일하지만 견絹·백帛이나 능綾·나羅 등 일반적인 비단 보다는 다소 떨어지는 누에고치 실이나 솜에다가 좀 거칠게 제작된 견섬유로서 따로이 그같은 명칭이 붙은 것이다. 그리고 그의 위상은 예종 9년(1114)에 정해지는 공납물에 대한 환산법과 이듬해에 개정된 녹절계법祿折計法 등에 의하면 대략 저포나 견絹과 유사했음을 알 수 있다. 아울러 성종조에 최승로가 상소문을 올리는 가운데에서 「서인은 문채나는 사紗·곡縠 같은 비단은 입지 못하고 단지 주紬·견絹만 사용하게 하소서」라고 언급하고 있다던지, 공민왕이 그의 21년 11월에 교서로서 5품 이하 신료들은 초綃·라羅 같은 비단 옷을 착용하지 말고 명주와 모시로 된 옷만 입도록한 조처 등을 통해 이는 거듭 확인된다.

저포에 세저포가 있듯이 주紬에도 세주細紬가 존재하였다. 한 연구자에 의하면 명주는 가장 굵은 것이 10새였고, 보통이 12~13새였으며, 15새 정도가 되어야 상품上品에 속했다고 설명하고 있다. 이상과 같이 저·견과 자리를 가까이 하고 있던 주紬는 그 위치로 해서 쓰임새도 비교적 광범하였다.

면포 역시 품질면에서 뿐 아니라 추위를 막는 일과 관련이 깊어서 중시하는 의료의 하나로 널리 이용되었다. 현종 9년(1018)에, 홍화진(평북 의주군)에 병란이 잦아 백성들이 많이들 추위와 배고픔을 겪고 있을 것이라 하여 면포와 소금·간장을 지급하고 있는 등 그 사례는 적지 않게 찾아지는 것이다. 그리고 면포로 가공되기 이전의 면綿(솜) 자체도 의료의 일부로 쓰임새가 많았던 듯 사면絲緜·면서緜絮·면자緜子·연면鍊緜과 그냥 서絮·면緜 등의 명칭으로 자주 등장하고 있다.

누에고치를 통해 얻은 의료를 일괄하여 견직물이라 칭한다 함은 다들 아는바와 같거니와, 그것들은 직조와 가공 방법에 따라 다시 능綾·나羅·금錦·사紗·기綺 등등 여러 명칭으로 나뉘게 된다. 지금 다루고자 하는 견絹·백帛도 그들중 일부로서, 전자는 가공하지 않은 누에고치실을 평직平織으로 짠 직물이고, 후자는 물들이지 않은 누에고치실로 짠 것으로 길이가 수건처럼 긴 데서 희다는 글자인 백白과 수건의 건巾을 따라 명칭을 붙인 것으로 알려져 있다. 견絹과·백帛은 이처럼 각기 특정한 견섬유의 일종이지만 또한 일반 견직물 전체를 총칭하는 용어로 사용되기도 했다는 점에서 공통점을 지닌다.

한데 이들 중 견絹은 대체적으로 견섬유를 일컫는 경우가 많았다. 바로 위에서 언급한 예종 10년의 녹절계법에 나오는 대견大絹·중견中絹·소견小絹은 각기 미米로 환산하여 지급하는 물품이었던 만큼 그 한 사례가 된다고도 할 수 있겠거니와, 그중 소견은 주紬(면주)와 위상이 유사했다는 사실 역시 확인한 바와 같다. 아울러 최승로가 상소문에서 「서인들은 문채나는 사紗·곡縠 같은 비단을 입지 못하게 하고 단지 주紬·견絹만 사용하게 하소서」라고한 것 또한 그같은 내용을 잘 보여주고 있는데, 유사한 사례는 이들 이외에도 다수가 찾아지는 것이다.

이에 비해 백帛은 많은 경우 견직물 전체를 의미하는 사례로 쓰인 듯 싶어 차이가 난다. 그것이 백帛 단독으로 나오는 경우뿐 아니라 광채·채색이 나는 고급 비단이라고 해서 채백彩帛이라 표기한 사례가 여럿 보이는데 이들 역시 일반 견직물로 이해되며, 또 포·백布帛을 한데 묶어 표기한 경우도 대략 마찬가지였다고 생각되는 것이다. 그런 한편으로 태조가 서경에 설치한 학원에 하사한 증백繒帛과 외국 사신이 드나

드는 시장에 나열하였다는 증백은 그렇지 않은 사례로 보아야 할 것 같다. 여기서 언급된 증繒은 백帛과 통하는 용어로 좀 두텁게 짠 직물이었으므로, 증과 백을 분리해 보거나 하나의 용어로 보거나간에 그것은 특정의 견섬유를 말하는게 틀림이 없다고 이해되기 때문이다. 백帛 역시 의료의 한 종류로서 일정한 구실을 담당했다고 할 것이다.

다음은 능綾과 나羅로, 그중 능은 얼음결 같은 무늬가 들어있는 직물이며, 나는 날실과 씨실의 간격을 넓게 짜서 마치 새그물처럼 성글게 된 직물을 말하는데, 견직물 가운데서도 상급에 속하는 물품이었다. 그리하여 국가 왕실과 관료 등 주로 상위층에서 널리 애용하였거니와, 그만큼 중요시되는 대상의 하나이기도 하였다. 그점은 예종 10년에 정해지는 녹절계법에서 능·라가 포·견보다 월등한 값어치로 계산되고 있다는 데서 단적으로 드러나지마는, 그러기에 국가로서도 많은 관심을 가지고 공부貢賦 품목으로 관리하고 있는가 하면 서경에 특별히 능라점綾羅店이 설치되고 있고 또 중앙의 액정국掖庭局에 나장행수교위羅匠行首校尉나 능장행수부위綾匠行首副尉 등을 두고 있는 것과, 일정한 신분층 이하에게는 사용을 금지하는 기사가 보이는 것 등을 통해 잘 엿볼 수 있다.

이들의 용례는 이 자리에 일일이 다 열거할 수 없을 정도로 다수가 찾아진다. 그리하여 위에서 지적했듯 왕실과 신료 등을 위시한 지배신분층에서 주로 이용하고 있지만, 그에 한정되지 않고 국가에서 필요로 하는 각종 중요 물품의 제작이나 외국에 보내는 공물에의 충당 등은 말할 것 없고 사적으로 소요되는 여러 용도에도 널리 이용되었다. 그런 가운데서도 전체적인 상황을 볼 때 값이 상대적으로 좀 낮은 나羅가 능綾보다 얼마 더 활성화되어 있었다는 사실은 어쩌면 당연한 귀결일 것 같다.

다음의 금錦은 여러 종류의 색사色絲를 사용하여 무늬를 짜넣은, 역시 상급에 속하는 직물의 하나로서 그 제직 기술은 비교적 이른 시기부터 발달한 편이었다. 그리하여 고려조에 들어와서도 일찍부터 금錦이 다방면으로 쓰이고 있거니와, 태조 왕건이 즉위한지 3개월만에 1·2등 공신들에게 수놓은 금으로 만든 이부자리(금수피욕錦繡被褥)를 사여하고 있고, 또 자신의 꿈을 「장차 반드시 삼한三韓을 통어統御하게될」 징조라고 해몽한 최지몽崔知夢에게 금의錦衣를 하사하고 있는가 하면, 다음 왕인 혜종은 계罽·금錦을 사용한 다수의 물품을 후진後晋에 예물로 보내고 있다. 유사한 사례는 이후에도 더 찾아지거니와, 현종 때에는 여러 도道에 금기방錦綺房을 설치하고 거기에 장수匠手들을 소속시키고 있었음이 확인되며, 위에서 소개한 액정국에는 나장·능장과 함께 금장지유승지錦匠指諭承旨와 금장행수대장錦匠行首大匠 등이 배치되어 있었다는 데서 그 정도를 짐작할 수 있다. 그리하여 금錦은 위에서 소개한 것처럼 국가에 공로가 많은 사람들에 대한 사여품이나 외국에 보내는 예물 등에 쓰였지만, 그 외에도 국왕의 일상적인 시위侍衛나 국가 행사에 동원되는 신료와 장위仗衛를 담당하는 병력들의 제복 등 다양한 방면에 이용되었다. 그런 한편으로 일반 민인들이 금수錦繡로 된 의복을 착용하는 것을 금하는 조처가 내려졌는가 하면, 후대에는 검약하는 미풍양속을 장려하는 의미에서 상당한 직위에 있는 사람들에게도 그의 착용을 금하도록 해야 한다고 지적한 사례가 더러 보이고 있다.

견직물은 위에서 소개한 것들 이외에도 여러 종류가 있다고 언급한 바 있거니와, 그 하나로 우선 사紗를 들 수 있다. 이것은 좀 성글면서도 꼬임이 없이 짠 얇고 고운 비단의 하나로 역시 널리 사용되었다. 귀가

貴家 자제 출신 선랑仙郎이 조사皁紗(검은 사)로 된 옷을 입었다고 한 것과 공양왕이 공민왕 때의 정비定妃를 태비太妃로 책봉하는 행사에서 강사포絳紗袍를 입었다고 한 기사 등등 다수의 사례가 찾아지는 것이다. 한데 관련 기사들을 종합적으로 살펴보면 사紗는 이보다 모자의 제작에 좀더 요긴하게 쓰이고 있다. 각급의 인원들이 사모紗帽·오사모烏紗帽·오사고모烏紗高帽·조사모자皁紗帽子 등을 착용한 사례가 많아 이점은 쉽사리 확인된다.

다음 기綺는 무늬를 넣어 짠 견직물로서 흔히 나羅·능綾과 견주어지기도 하는 물품이었다. 계림(경주)·영가永嘉(안동)는 그 명품의 생산지로 알려져 있거니와, 각 도道에는 그것의 생산을 위한 금기방錦綺房이 설치되어 있기도 하였다. 기綺로 제작된 의류로는 이규보가 자작시에서 「다시 술집을 바라보고 자기구紫綺裘를 던졌네」라 읊고있는 사례 등 여럿이 찾아진다.

이어지는 곡縠은 경사나 위사에 꼬임을 많이 준 실을 사용하여 짰기 때문에 작은 매듭이 주름처럼 무늬져 보이는 견직물을 말한다. 이것에 대해서는 방금 위에서 소개한 계림·영가가 기綺와 함께 곡縠의 명산지로도 알려져 있다는 기사 등 몇몇 사례를 더 대할 수가 있다.

다음의 초綃는 생사生絲로 만든 평직平織의 비단으로 견絹이나 주紬보다 좀더 까슬까슬했다. 이것에 대해서는 성종 5년에 내린 교서에, 「도망친 남의 노비를 숨겨서 점유하고 있는 자는 법률 조문에 1일당 초綃 3척尺씩으로 계산한다고한 예에 따른다」고한 데서 찾아볼 수 있고, 또 계림·영가가 그 생산지로 기록되어 있는 등 여기 저기서 대할 수 있다. 충선왕이 자신의 즉위교서를 작성토록한 박전지朴全之 등에게 초綃 15필씩을 하사하고 있는 것 역시 그 가운데 하나이다.

이어지는 환紈은 비교적 가는 실로 짠 희고 고운 직물로서, 의종 때의 내시內侍 가운데 우번右番에는 환고紈袴 자제들이 많았다는 기사가 찾아지며, 또 여말의 윤소종이 지은 시구詩句에서도 환紈으로 지은 옷에 대한 언급이 보인다. 그리고 단緞은 두껍고 광택이 있는 견직물의 하나로서 단段 또는 필단匹段·채단彩段 등의 칭호로 기록에 자주 나타나고 있다.

끝으로 의료 등으로 사용하던 모직물인 계罽와 가죽인 피皮에 대해서인데, 이 역시 고려조에서도 요긴하게 이용되었다. 이들중 계罽의 경우 국가기관인 잡직서雜織署에 계장지유승지동정罽匠指諭承旨同正과 계장행수교위罽匠行首校尉 같은 전문 기술자가 설치되어 있었다는 데서 그점을 짐작할 수 있다. 그 구체적인 사례로는 문종이 즉위하자 선조들이 계罽·금錦으로 방석과 요(인욕茵褥)를 만들어 썼던 것을 그들 대신에 능綾·견絹으로 하도록 명하고 있는 것과, 숙종이 자신이 즉위하는데 큰 공로를 세운 소태보邵台輔에게 금錦·계罽를 하사하고 있음을 들 수 있다. 한데 실제로는 계罽의 용례가 이들보다 외국으로 보낸 공물貢物에서 훨씬 많이 찾아지거니와, 이같은 사례들을 감안할 때 계罽의 이용층은 다른 직물에 비하여 매우 제한되어 있지 않았나 한다.

이에 비하면 피皮(가죽)는 상대적으로 이용층의 범위가 넓고 용도가 다양한 데다가 특히 국용國用 면에서 요긴한 물품의 하나였다. 이 역시 우선 국가 기관인 군기감軍器監에 피갑장지유皮甲匠指諭와 행수지유부승지行首指諭副承旨 및 피장지유교위皮匠指諭校尉와 행수대장行首大匠이, 중상서中尙署에 위장지유승지韋匠指諭承旨, 장야서掌冶署에 피대장행수교위皮帶匠行首校尉 등 각 방면의 전문 기술자들을 배치해 두고 있는 것에서 짐작할 수 있다, 소요되는 물품은 공부貢賦나 과렴科斂으로 마련하기도 하고 또 여진 등에서 들어오기도 하였는데 담비 가죽(초피貂皮·초서피貂鼠皮)·우피牛皮와 호랑이 가죽(호피虎皮)·표범 가죽(표피豹皮)·곰 가죽(웅피熊皮) 등이 눈에 띈다. 그리하여 군인들이 착용하는 가죽 갑옷(피갑皮甲)이나 장수에게 내려준 초구貂裘 등의 사례를 대할 수 있지마는, 특히 몽고와 얽히면서 대규모로 수달피水獺皮가 저들에게 예물로 넘어간 것을 비롯하여 재래의 가죽들이 바쳐지기도 했다는 것은 잘 알려진 이야기이다.

(3) 셋째로, 의복식의 분류와 형태에 대해 검토하였는데, 그중 전자는 기준을 어디에 두느냐에 따라 여러 갈래일 수가 있었다. 그 하나는 『고려사』 권72, 여복지 관복조冠服條로서 여기서는 왕 관복王冠服 이하 장리 공복長吏公服까지 9종류로 나누고 있거니와, 이것은 왕실과 국가의 신료들을 대상으로한 일종의 공적 직위 내지는 그에 따른 용도까지를 참작한 분류라 할 수 있다. 그런데다가 그 내용의 상당 부분이 외국으로부터 사여받은 것으로 채워져 있어서 우리들이 추구하는 의복식의 본래 취지와는 거리가 있는 것이었다.

다음은 또 하나 『고려도경』 권7 관복조冠服條는 왕복王服 이하 서관복庶官服까지 8종류로 분류하여 『고려사』 여복지와 매우 유사했음을 알 수 있다. 한데 이 책은 권21에서 하리직下吏職들에 대해 소개하고 있어 좀 다른 점이 없지 않고, 또 따로이 권19에 민서조民庶條를 설정하고 ① 진사進士, ② 농상農商, ③ 공기工技, ④ 민장民長, ⑤ 주인舟人에 대한 설명과 함께 단편적이긴 하지만 의복식에 관한 소개도 곁들여 이해에 적지 않은 도움을 받을 수 있다. 하지만 이것 또한 당시의 사회상을 반영하여 그 분류의 기준을 직위·신분에서 구하고 있어 의복식 본래의 모습과 의미를 찾는 데에는 한계를 지니게 마련이었다.

역시 『고려사』 등의 사료들을 살펴 가노라면 의복식의 분류 기준이 매우 다양했다는 것을 알 수 있다. 그 하나가 의료衣料에 의해 분류한 것으로 가장 널리 이용되었다. 그리고 용도用途에 의한 것과 색깔에 따른 것 등도 그 한 기준이었다. 하지만 이들은 모두가 전근대적인 사회상을 반영하거나 단순히 어떤 일면만을 염두에 둔 구분으로서 의복식의 본래 기능이나 우리의 생활과 연결된 모습 등을 이해하는 데는 미흡한 면이 없지 않은 것이었다. 그러므로 근래의 연구자들은 합당한 분류방식을 모색하게 되었고, 그 결과로 「복식의 기본형」 또는 「일반 복식」이라고 일컫는 새로운 분류를 하게 되었다. 이 방면의 개척자는 이여성李如星으로서, 그는 상대의 의복식을 형태에 촛점을 맞추어 웃옷인 저고리(유襦·단의短衣)와 아랫도리의 옷인 바지(고袴)·치마(상裳), 그리고 그들 위에 입는 포袍(두루마기)에다가 요부의 띠(대帶) 및 두부의 관모冠帽와 족부의 신(이류履類)으로 구성되었다고 파악하였다. 이후의 연구자들도 얼마간씩의 차이가 있기는 해도 기본 구조는 그에 따르고 있거니와, 필자도 고려시기의 의복식 분류에 그대로 적용해도 좋다고 보았다. 이여성의 연구는 고대사를 대상으로한 것이지만 고려 시기라 하여 기본 구조가 달라진 것은 아니기 때문이다.

이런 관점에 서서 먼저 저고리(유襦)에 대해서 살펴보면, 서긍이 포유布襦를 입은 견룡군에 대해 언급하고 있는 것과 이규보가 시구에서 나유羅襦를 이야기하고 있는 사례를 들 수 있다. 이어서 고종 18년에 몽고의 사절로 왔다가 돌아가는 편에 예물로 유의襦衣 1,000벌을 줌과 동시에 장군 조시저를 파견하여 적장인 살례탑撒禮塔에게 주포유의紬布襦衣 2,000벌을 보내고, 또 휘하 장수들에게도 능사유의綾紗襦衣를 사여하고 있는가 하면, 우왕은 호랑이를 잡아 바친 이성계에게 유의襦衣 한

벌을 하사하고 있기도 하다. 그럼에도 해당 사례가 너무 적지 않느냐는 의문이 없지 않은데 그것은 '의衣'가 옷 일반을 일컫기도 하지만 한편으로는 웃옷인 저고리를 뜻했다는 데서 찾을 수 있다. 특히 의상衣裳이니 의고衣袴니 할 때는 모두가 상의인 저고리를 의미했다. 또 단의短衣라는 호칭에 있어서도 고려 시기의 저고리는 최소한도로 허리 이하에까지 내려오도록 길이가 상당히 길었던만큼, 단의短衣의 단短 자字는 포袍(두루마기)에 대칭되는 의미를 지니는 것으로 저고리 길이가 짧은 것을 뜻하는 것은 아니었다고 이해하고들 있다.

저고리의 임형衽型에 관한 논의는 고려시기에 접어들면 아예 우임右衽 일색으로 된다는게 대략 논자들의 공통된 의견이다. 이에 비해 소매(수袖)의 형태 문제는 좀 복잡하다. 여러 문헌들에 의하면 대수大袖와 소수小袖, 그리고 광수廣袖와 착수窄袖 등이 나오는데, 연구자들은 이들 중 대·소수는 소매 주둥이(수구袖口)의 대·소 즉 크고 작음을 말하며, 광·착수는 소매 넓이의 광·착 즉 넓고 좁음으로 해석하고, 대수·광수는 신분적·경제적으로 상위에 있는 사람들과 대략 연결되고, 소수·착수는 그 반대일 경우로 이해하였다. 한데 고려시기를 다룬 기록들에서는 대수의大袖衣와 소수의小袖衣, 그리고 착수의窄袖衣만이 보이고 그것들을 착용하는 인원들에 대한 구분도 명확치가 않은 것이다. 그럼에도 각 착용자들의 위치와 주변상황이나 고려사회의 성격 등을 종합적으로 감안할 때 재래의 구조에서 그다지 벗어나지는 않았던 것 같다.

저고리·웃옷과 동일한 형태의 의복으로 또 삼衫이 있었는데, 사전적인 용어로는 적삼赤衫 또는 단삼單衫·단의單衣로도 불리는 것으로, 웃도리로 입는 홑옷이라 소개되어 있다. 그리하여 이 삼衫은 일반 관리들뿐 아니라 국왕 등을 시위하는 군사들, 그리고 민인民人들까지 다양한 신분계층에서 널리 이용하였던 것이다. 그 호칭도 색깔이나 용도와 의료·형태 등에 따라 여러 가지로 나타나 조삼皁衫·남삼藍衫·녹라한삼綠羅汗衫·자소수난삼紫小袖襴衫·백선난삼帛旋襴衫·자관수삼紫寬袖衫·배삼背衫·조라삼皁羅衫·자라삼紫羅衫·경삼輕衫·저삼紵衫·백삼白衫 등이 눈에 띄고 있다.

다음은 옷의 아랫 도리인 고袴(바지)에 대해서인데, 고려시기를 다룬 기사에서 자주 보이고 있다. 그중 면고緜袴와 견고絹袴·환고紈袴·포고布袴는 의료에 따른 것이겠고, 한고扞袴는 형태, 백고白袴는 색깔, 그리고 단고單袴는 홑옷을 지칭한 것으로 짐작된다. 그런데 고袴와 관련되어 한층 더 우리의 눈길을 끄는 것은 용호중맹군龍虎中猛軍이 청포青布로 만든 착의窄衣에 백저白紵로 만든 궁고窮袴를 입었다고 하는 기사이다. 당해자들이 군인인만큼 활동에 착의·궁고가 좀더 편리하고 또 어울리기도 했을 것이므로 이같은 복장을 하지 않았나 생각되지마는, 신분면에서 지위가 높지 못했다는 점 역시 고려된 결과가 아닐까 싶다. 한데 귀부인貴婦人들은 이와 달리 문릉文綾으로 관고寬袴를 만드는데 생초生綃로 안감을 댔다고 보인다. 역시 신분이 높은 사람의 부인들은 의료도 훨씬 좋고 형태도 폭이 넓은 넉넉한 바지를 만들어 입었음을 알 수 있거니와, 동시에 고려 때의 여자들이 바지를 입었음도 자연히 확인되는 셈이다.

고袴의 일종이면서 약간 형태를 달리하는 곤褌(잠방이)도 있었는데, 그것은 가랑이가 무릎까지 내려오게 만든 길이가 짧은 바지로서 주로 일반 백성들이 노동을 하거나 집에서 편하게 지낼 때에 입었던 것으로 생각된다. 그 실례로는 최루백의 처 염경애가 시아버지의 제삿날에 손수 지어 만든 일의一衣(저고리 한 벌)나 일곤一褌(잠방이 한 벌)을 바쳤다고한 것과, 이규보가 그의 시구에서 술 취한 나무꾼이 독비마곤犢鼻麻褌(쇠코 삼베 잠방이)을 입고 있었다고 한데 등에서 찾아 볼 수 있다.

바지·잠방이의 상대방인 치마는 상裳과 군裙으로 표기하였는데, 이에 대해 「상裳은 군裙의 원형이고, 군은 상보다 치마폭을 더해서 한층 미화美化한 것」이라는게 여러 문헌을 검토한 연구자들의 이해이다. 그리하여 고려시기에도 두 가지 표현이 다같이 두루 쓰이고 있거니와, 그중 하상下裳은 상의上衣의 상대로서 특히 백관百官들 제복祭服의 경우 직위에 따라 현의玄衣·훈상纁裳 또는 의衣·상裳을 착용하도록 제도화되어 있었다고 소개되고 있다. 여기에서 고려시기의 남성들은 치마도 입었음을 알 수 있지마는, 그러나 그것은 제복과 같은 관복官服 등의 경우이고, 여자들이 바지를 착용했던 것과는 달리 일반인 남성들이 일상적으로 치마를 입은 것은 아닌 듯싶다. 역시 치마는 여성들의 복식으로서 백저황상白紵黃裳이니 가을과 겨울용 치마(추동지상秋冬之裳) 또는 홍상紅裳·나상羅裳 등의 사례가 여러 곳에서 보이고 있다.

다음은 군裙의 사례로, 부인婦人들은 「역시 선군旋裙(두르는 치마)을 입는데 8폭으로 만들었으며 겨드랑이에까지 끌어 올려 높이 묶는다. 무수하게 여러 겹으로 휘감는데 많을수록 고상하게 여겨서 부귀한 집안의 처첩妻妾들은 군裙을 만드는데 7~8필까지 사용한다」는 기록이 전한다. 그 외에 포군布裙 또는 전부田婦가 입고있는 백갈군白葛裙을 비롯하여 설색군雪色裙·세접군細摺裙(잔주름 치마)·홍군紅裠(裙) 등의 사례도 찾아지거니와, 실례상으로도 각종 치마를 여러 신분계층의 여인들이 착용한 상황을 살필 수 있는 것이다.

다음의 포袍(두루마기; 도포道袍; 겉옷)는 저고리와 바지 위에 입는 겉옷으로 발목까지 내려오는 긴 외투의 형상을 한 것을 말한다. 이같은 겉옷은 추위를 막기 위한 것이라는데 목적의 일면이 있었으나 다른 한편으로는 외출할 때에 챙겨 입는 것처럼 의례적인 측면에서 더 많은 의미를 가지는 복식이기도 하였다. 그리하여 포袍는 국왕과 신료들의 공복과 일상복으로서 뿐 아니라 군사들의 제복 및 농상인農商人·공기工技·여인들에 이르는 민서民庶들까지 두루 입는 옷의 하나였던 것이다.

그 구체적인 사례로는 국왕이 상복常服으로 착수상포窄袖緗袍를 입었다고 보이는데 이는 아마 일상복이어서 편의를 위해 착수窄袖로 제작된 포袍를 입었던 것 같다. 원종이 태자로서 홀필렬忽必烈을 상면할 때는 광수자라포廣袖紫羅袍를 입었었다. 국왕이 착용했던 것으로는 이밖에 강사포絳紗袍·황포黃袍·자포紫袍 등이 눈에 띈다.

관원들이 착용했던 두루마기(도포)의 실례로는 자문라포紫文羅袍와 비문라포緋文羅袍 등이 찾아진다. 그리고 군인들이 입는 포(겉옷)로서는 홍문라포紅文羅袍와 구문금포毬文錦袍가 보이며, 문종이 서북면 변경을 지키는 군사중 가난한 사람들에게 면고緜袴와 더불어 면포緜袍를 대량으로 사여한 기사도 눈에 띈다.

기록에는 국왕이 평상시의 쉴 때나 국관國官과 귀인貴人들도 퇴근하여 자기 집에서 생활할 때는 백저포白紵袍를 입었다고 전하거니와, 그것은 농업과 상업에 종사하는 백성들과 국가의 공공기관에 소속되어 있는 장인匠人들 역시 착용하였으며, 여성들도 대략 남자들의 것과 비슷한 백저포를 입었음이 확인된다. 이와 관련이 있는 호칭으로는 포포布袍·백포白袍·남포藍袍 등이 보이고 있다.

이상에서 살핀 것은 대부분이 기본적이요 일반적인 의복식이었던데 비해 이들보다 조금 떨어지기는 해도 고려시기 사람들이 아끼던 옷의 하나로 또 구裘(갖옷)가 있다. 이 구裘는 본래 초구貂裘·호백구狐白裘·

호구虎裘·양구羊裘·견구犬裘처럼 동물의 가죽을 의료로 하였으나 뒤에는 직물로 제작되기도 하였는데, 그 재료에서 짐작되듯이 이들은 주로 방한防寒을 목적으로 한 것으로서 상급 의복에 속하는 편이었다. 그리하여 관련 기사도 위에서 소개한 것 이외에 비교적 다수가 전하는데, 겹 갖옷, 즉 두터운 가죽옷을 말하는 듯싶은 중구重裘를 비롯하여 자주색 가죽으로 만든 갖옷인 자위구紫韋裘와 겨울 옷을 뜻하는 동구冬裘 등이 보인다. 이들과 함께 대할 수 있는 백포구白布裘·조주구皁紬裘·자기구紫綺裘 등은 역시 명칭에 드러나듯이 직물로 만든 갖옷의 사례이다.

다음 배자背子는 소매·섶·고름이 없는 등걸이 조끼 모양을 하고 있으면서도 비교적 길이가 길고 반소매로 되어있는 윗옷으로 대개 의위복儀衛服으로 사용되고 있다. 실례를 보면 대관전 조회의장朝會儀仗에서의 흑간작자홍라호대黑簳斫子紅羅號隊에 소속한 군사 등이 홍배자紅背子를 착용하고 있으며, 법가위장에서의 은작자홍라호대銀斫子紅羅號隊에 소속한 군사 등이 비라배자緋羅背子를 착용하고 있는 것이다. 그리고 반비半臂는 역시 반소매로 된 길이가 짧은 옷으로 공민왕 때 신돈이 입고 있었다는 기록이 보이며, 질손質孫은 원나라 특유의 일색복一色服을 말하는데, 충렬왕이 원나라에 갔을 때 황제가 일색의一色衣(지손의只孫衣)를 입고 참여하는 지손연只孫宴을 개최하자 그 자리에 참여했다는 것과, 현재 전해지는 당대의 명신 안향安珦의 초상화에 그려있는 옷이 질손이라는 점 등을 들어 이것이 고려의 신료들에게도 어느 정도 착용되지 않았을까 짐작하고 있다.

그러면 지금부터 의복衣服에 따르는 식飾에 대해 살피기로 하겠는데, 그 하나인 띠(대帶)는 더 말할 나위도 없이 저고리나 치마·두루마기 등을 고정시키느데 사용되던 것이다. 그러므로 기록도 흔히 관모冠帽와 함께 의衣·대帶가 한데 묶여서 소개되는 형식을 취하고 있거니와, 그의 실제적인 내용에 대한 설명은 『고려도경』에도 얼마간 전하지만 대부분은 『고려사』 권72의 여복지에서 찾아볼 수 있다. 따라서 그 대상도 대부분이 국가의 공직에 종사하는 관리들의 직위와 연결시켜 복식에 차별을 두었듯 띠(대)도 그에 맞추어져 있다. 이제 그에 관한 여러 기록 가운데 의종조에 상정詳定된 공복公服 항목의 띠(대) 부분을 보면, 2품 이상관 등은 특별히 금대金帶·옥대玉帶와 함께 품질이 뛰어난 서대犀帶(통서대通犀帶·반서대班犀帶)를, 중요직을 맡은 3품관은 금대와 반서대, 그리고 일반직의 문·무 3품관과 함께 4품 이하로부터 상참관常叅官(6품 이상)까지, 그리고 7품이면서도 참내관叅內官이던 각문지후閣門祗候 이상은 금도은대金塗銀帶와 반서대 내지 서대를 띠도록 정하고 있다. 여기에 좀 특수한 직위를 맡고 있는 6품관 이상이나 지제고知制誥·내시內侍·다방茶房 등 직품이 분명치 않으면서도 6품관 이상에 해당하는 직위를 담당하고 있는 관원들은 홍정紅鞓을 띠었음도 밝혀놓고 있다. 여기에 소개된 각종 띠(대)들 이외에도 홍혁동대紅革銅帶나 흑정각대黑鞓角帶 같은 차원이 좀 다른 종류뿐 아니라 유사하거나 동일한 종류들이 여복지 이외의 기록에서 다수 찾아져 이해에 도움을 얻을 수 있으므로 함께 언급해 둔다.

이상의 관원과 군사 등에 대한 것에 비하면 민서民庶들의 띠에 관한 자료는 극히 드물어 파악에 어려움이 따른다. 이같은 상황에서 인종조에 노예가 혁대革帶를 띠는 것을 금했다고 보이는데, 금지의 대상을 노예로 한정시킨 것을 감안할 때 일반 민인들은 그것이 가능했으리라는 추단을 해볼 수 있을 것 같다. 그리고 사원에 붙어 지내는 재가화상在家和尙들이 검은 비단 허리띠를 두른다(속요조백束腰皁帛)고한 것에서도 그 한 모습을 찾을 수 있으며, 또 어느 정도까지 시행되었는지 잘 알 수는 없지만 우왕이 그의 즉위 13년 6월에 호복胡服(원나라 복식)을 혁파하고 명나라 제도를 채택하는 가운데 성균생원成均生員과 경·외京外의 학생·권무權務 및 직職이 없는 사인士人과, 백성은 비록 유직자有職子라도 사대絲帶를 띠도록 한 조처 등을 통해 민인民人(백성)들의 띠에 대한 윤곽을 파악하는데 다소나마 도움을 받을 수 있지 않을까 한다.

다음은 논자에 따라 두의頭衣 또는 머리쓰개류 등으로 불리우는 요즘의 모자에 대한 것인데, 고려시기에는 그것들로 관冠·모帽·립笠·건巾·책幘 등이 있었다. 그중 관冠이라고 하면 얼핏 국왕들이 쓰는 면류관冕旒冠·원유관遠遊冠 등을 떠올리게 되지만 실제로는 민인民人들이 대나무로 만든 죽관竹冠과 고원誥院의 학사學士들이 쓴 유관儒冠 및 일반 군사들이 착용한 모관毛冠(털모자)이 있는가 하면 국왕의 시위侍衛를 맡은 군사들이 쓴 자라관紫羅冠·무변관武弁冠 등 다양한 종류가 존재하였다. 그러므로 혹자는 관冠이 한가지 유형의 쓰개를 지칭하는 용어가 아니라 쓰개 일반을 지칭하는 용어로 사용되었다고 말하고 있기도 하다.

모帽 역시 관冠과 마찬가지로 쓰개류 일반을 지칭하는 용어로 사용되었다. 그리하여 실제 사례들을 보더라도 여러 신분계층에서 다양한 형태와 용도의 모자를 쓰고 있음이 드러나 있는 것이다. 국왕이 상복常服에 오사고모烏紗高帽를 썼다거나 충렬왕이 난모暖帽를 이용하고 있는 것과, 과거의 3장에서 연달아 최고 성적을 낸 김인관金仁琯에게 금화모金花帽를 쓰도록 한 것 등은 그 몇 사례라 할 수 있다. 하지만 이것은 그 일부일뿐 또 오사모烏紗帽(조사모皁紗帽·사모)가 있어서 이인로李仁老가 착용한 사실에 대해 언급하고 있을 뿐더러 여복지의 의위儀衛·노부조鹵簿條에 실려있는바 각 행사에 종사하는 군사들이 널리 이용하고 있거니와, 여기에는 그와 함께 방각모放角帽·입각모立角帽·삽각모插角帽·금화모자金畫帽子 등 여러 명칭이 보인다. 그밖에 자모紫帽·흑모黑帽와 같이 색깔만에 의해 붙여진 것과 사모紗帽도 그러하지만 금모자錦帽子·포모布帽처럼 모자의 자료를 가지고 구분한 호칭 역시 눈에 띈다.

다음 립笠은 대체적으로 삼각형의 산처럼 모양이 위가 뾰족하였던 쓰개로, 이른 시기부터 상하 모두가 사용하였는데 인종조의 기록인 『고려도경』에 보면 공경公卿이나 귀인貴人의 처妻가 외부로 출입을 할 때에 립을 쓴다고 하여 여자들도 착용하였음을 전해주고 있다. 한데 이와 관련된 기사는 고려의 전기 보다는 후기에 집중적으로 드러나 있다. 그리하여 형태나 색깔·의료 및 용도에 따른 고정립高頂笠·원정립圓頂笠 등과 백립白笠·청립靑笠·흑립黑笠, 그리고 마미립馬尾笠과 첨립簷笠·설립雪笠 등에 걸치는 여러 종류의 개별 사례가 다수 소개되고 있지마는, 그와 함께 공민왕이 즉위 16년에 백관百官들에게 립笠을 착용하고 조알朝謁토록 조처하고, 21년에는 대언代言·반주班主 이상에게 흑초방립黑草方笠을 착용하도록 명하고 있으며, 이어서 우왕도 원년 12월에 각 관서의 서리들에게 백방립白方笠을 쓰도록 하는가 하면 13년에는 원나라 복식을 혁파하고 명나라 양식을 도입하면서 서반 5·6품과 양부·대언 등과 여러 도道의 안렴按廉 및 백성들에게 고정립을 쓰도록 하는 등 제도적인 조처들이 취해지고도 있다.

다음 건巾은 일반적으로 두건頭巾이라 호칭하는 머리쓰개로, 이 역시 위로는 국왕으로부터 관원官員과 이속吏屬 및 민서民庶들이 널리 이용하는 쓰개의 하나였다. 그리고 이들도 의료와 색깔·형태·용도에 따라 다양하게 불리워지고 있는데, 고려시기 사람들이 매우 중요하게 여겼다는 문라두건文羅頭巾은 그중 의료에 따른 것으로서 갈건葛巾도 그 부류의 하나라 할 것이며, 자문라건紫文羅巾과 자라두건紫羅頭巾·녹라두건綠羅頭巾은 여기에 색깔이 부가된 경우이겠다. 이와 더불어 오건烏巾(조건皁巾) 역시 많이 찾아지는 것 가운데 하나로, 국왕도 평상시에 편하게 쉴 때에는 조건을 쓰고 백저포를 입어 민서民庶와 다를바가 없었다고한 기사와 농상인農商人들 또한 네 가닥 띠가 있는 검은 두건(오건4대烏巾四帶)을 썼는데 국관國官이나 귀인貴人도 퇴근하여 사가私家에서 생활할 때면 역시 이를 입으나 다만 두건이 두 가닥 띠(양대兩帶)인 것으로 구별한다고 한 눈여겨볼만한 대목도 찾아진다, 이들 이외에 유각두건有角頭巾이니 평정건平頂巾 같은 칭호도 보이는데 이는 형태에 따른 것이라 이해된다.

두건의 하나로서 은사隱士들이 쓰는 것으로 알려진 복건幅巾이 알려져 있는데 그에 관한 기록도 몇몇 눈에 띈다. 공민왕조에 최고위직에까지 올랐던 이공수李公遂가 관직에서 물러난후 전원생활을 즐겨서 복건에 명아주 지팡이 차림으로 한가로이 소요하며 지냈다고 한 것은 그중 한 사례이다.

두건과 유사한 또 하나의 머리쓰개로 책幘(건책巾幘)이 있는데, 그것은 두건형 보다도 좀더 머리를 엄격히 엄폐하도록 만든 것으로서 역시 몇몇 사례들이 눈에 들어온다. 왕태자가 원복元服을 입는 의례에서 순서에 따라 조라통정책皁羅通頂幘을 썼다던가, 이규보가 자기 농토가 있는 근곡촌根谷村에 머물 때 「당 아래에서는 허리 굽히며 조심하는데, 당 위에서는 책幘을 벗고 두 다리 뻗는다오」라고 읊고 있는데 나오는 책幘은 그 일부들이다. 뿐 아니라 국왕과 왕태자가 참여하는 국가의 각종 행사 때 의위儀衛와 노부鹵簿를 담당하는 군사들, 즉 팔관위장에서의 좌우황룡대기左右黃龍大旗를 담당하는 군사와 서남경순행위장에서의 5방기五方旗를 담당하는 협군사夾軍士들이 평건책平巾幘을 쓴 것을 비롯해 다수의 사례를 대할 수 있는 것이다.

이들 이외에 여성들만의 쓰개인 몽수蒙首의 존재 역시 주목할 대상의 하나인데, 그것은 서긍이 『고려도경』에서 부인婦人들이 출입할 때 말을 타고 조라몽수皁羅蒙首를 썼다고한 데서 찾아볼 수 있다. 동시에 그는 몽수가 당나라 때 궁인宮人들이 말을 탈적에 몸 전체를 가리던 멱리冪䍦에서 유래하는 듯 설명하고 있거니와, 무신집권기의 정치가요 문인인 이규보도 그의 시詩에서 멱리에 대해 언급하고 있는 것을 보면 당시 고려에도 그것이 알려져 있었던 것 같다. 아울러 부인들이 잘 차려입고는 검은 비단으로 만들어 머리를 덮고 얼굴을 가리는 가사袈裟의 풍습도 찾아지고 있어 몽수와 멱리·가사는 거의 같은 용도의 고려시기 여성용 쓰개가 아니었을까 생각된다.

머리카락 자체의 모양은 남자의 경우 흑승黑繩(검은 끈)으로 묶어 아래로 내려뜨렸다가 장가를 든 뒤에는 속발束髮, 즉 상투를 틀고 립笠이나 두건頭巾을 착용했던 것 같다. 이에 비해 여자들의 경우 출가하기 이전에는 대체적으로 홍라紅羅로 묶고 그 나머지는 아래로 내려뜨리거나 좌우 두 가닥으로 묶는 계아髻丫를 하였다. 그러다가 성인이 되면 역시 대체적으로는 강라絳羅로 묶고 작은 비녀를 찔러넣어 단단하게 하거나 타계髽髻(땋아 쪽진 머리)를 아래로 내려뜨렸다. 이밖에 당시의 여인들은 가체加髢에도 관심이 많았던 것 같은데, 이는 사정에 따라 자신의 머리카락을 잘라서 파는 사례가 여럿 보이는 것으로 미루어 알 수 있다.

끝으로 족의足衣에 해당하는 버선(말襪)과 신발류에 관한 것인데, 그중 먼저 버선에 대해서는 성종조에 최승로가 상소하는 가운데 백료百僚들이 일을 아뢸 때에 말襪을 신도록 건의한 것과, 염경애廉瓊愛가 시아버지의 제사를 받들면서 재에 나갈 때에는 몸소 말자襪子를 만들어 여러 스님들에게 나누어 주었다고 한 것, 그리고 공민왕이 신돈에게 족말足襪을 보냈다는 등의 사례에서 살펴볼 수 있다. 그밖에 기생과 충선왕비 허씨許氏가 신고 있던 나말羅襪(비단 버선) 및 포말布襪 등의 호칭도 눈에 띄거니와, 이것은 신분계층이나 남녀의 구분없이 모두가 애용하는 물품이었던 것으로 이해된다.

신발류로서는 리履·혜鞋·화靴·구屨·사屣·석舃 등의 명칭이 찾아지거니와 그중에서 일반적으로 이용된 것은 전2자였다. 그 하나인 리履와 관련해서는 재가화상在家和尙들은 맨발로 돌아다니나 간혹 신발(리履)을 신은 사람도 있었다고한 사례 등에서 찾아볼 수 있고, 또 초리草履(짚신)의 사례도 여럿 찾아지는데 이들은 민서民庶들이 가장 널리 이용하는 물품이었다는 점에서 주목할 필요가 있다. 그리고 가죽으로 제작된 혁리革履는 무신이나 군사, 관원으로의 진출을 준비하는 사람들이 신고있는 사례로 나타나 있으며, 민장民長과 인리人吏는 오혁구리烏革句履를, 음악 종사자들로서 무무武舞와 문무文舞의 담당자들이 오피리烏皮履를 착용하고 있는 사례 역시 눈에 띈다. 그밖에 조리皁履와 적리赤履·흑리黑履 등도 눈에 들어오는데 이들은 물론 색깔에 따라 구분된 것이다.

다음 혜鞋의 사례로는 무신정권기의 무장이던 이의민李義旼의 아들 이지순李至純이 반적들과 내통하면서 저들에게 의복·식량과 함께 혜(신)도 보냈다고 한 것 등에서 찾아볼 수 있으며, 그 하나라고 할 초혜草鞋(짚신)는 여말에 여러 모로 중요한 활동을 하는 한수韓脩와 이색李

穡의 글에서, 또 하나의 짚신인 망혜芒鞋(鞵)는 임춘과 김극기金克己·이승휴李承休·이제현李齊賢의 글 등에서 찾아진다. 이들에 비해 사혜絲鞋는 글자 그대로 비단을 재료로 한 상급 신발로서, 여러 차례 언급한 최승로의 상소문에는 백료百僚들이 공무를 아뢸 때에 착용해야할 신발로 지적되어 있고, 또 중형重刑에 대한 처결을 보고하는 의례에서는 참여하는 관원이 신는 것으로 되어 있어 역시 차별성을 엿볼 수 있다. 피혜皮鞋(가죽 신) 또한 위에 든 신발들과는 성격이 좀 다른 것이었다고 할 수 있겠다.

다음 화靴(신 또는 가죽신)는 역시 최승로의 상소문에 백료들이 공무를 아뢸 때에 사혜와 함께 착용해야할 신발의 하나로 지적되어 있고, 문종이 변방에 나가있는 병졸들에게 그것을 내어주도록 명하고 있는가 하면 공민왕조에는 재추소宰樞所의 최고위 신료들이 평상시의 합좌合坐 때에 신었다는 기록 등 여러 곳에서 찾아진다. 이밖에 이숭인李崇仁이 말을 타면서 단화短靴를 신었다고 보이며 충목왕조의 관원 신예辛裔는 자화紫靴를 착용했다고도 전해지고 있다. 화靴는 병졸들이 착용한 예가 없지 않으나 대체적으로는 상당한 수준의 신분계층이 신지 않았나 생각된다.

구屨 역시 신(짚신)을 지칭하는 글자로 임춘이 「틈을 내어 장杖(지팡이)과 구屨로 선가仙家를 찾아가니」라고 읊고있는 사례 등에서 찾아볼 수 있다. 이와 함께 조운흘趙云仡은 퇴임후 강촌에 머물면서 헤어진 옷에 초구草屨 차림으로 일꾼들과 같이 노동을 했다고 보이며, 이제현이 망구芒屨를 신은 기록도 찾아진다. 그런가 하면 육군산원기두六軍散員旗頭는 혁구革屨를, 사관使館의 급역자給役者이던 방자房子는 조구皁屨를 신은 사례도 눈에 띄거니와, 구屨 자체의 종류도 다양했음을 알 수 있다.

신발을 지칭하는 용어는 이들 이외에도 몇몇이 더 있었다. 이규보가 「관직이란 헤어진 신(사屣) 같아 벗어도 그만이고」라 읊고 있는 시구詩句에 보이는 사屣가 그 하나이다. 석舃 역시 신발 종류의 하나인데, 이것은 좀 특이하여 주로 국왕이나 신료들이 제례 때에 착용하는 사례로 나와 있다.

(4) 넷째는 의복식의 색깔과 문양에 대한 것으로서, 의복식이 단순한 신체의 보호에 그치는게 아니라 신분이나 직위 등과 직결되어 있었고, 그 부분을 외형상 잘 나타내 주는 것이 색깔과 문양이었으므로 이들이 또하나의 주제가 되었다. 그점에서 먼저 주목을 받는 색깔은 왕조국가인 고려에게 국왕의 전용 색깔인 황색을 비롯하여 적赤·홍紅·자赭·강絳 등 붉은색들이었다. 그런 가운데 황색을 제외한 적赤·홍색紅色 등은 고위 관료나 국왕의 근시近侍 및 시위侍衛를 담당하는 인원들의 복식에서도 이용이 가능하도록 되어 있었지마는, 이는 광종 11년(960)에 처음 제정되어 이후 여러 방면에 적용되었던 자삼紫衫·단삼丹衫·비삼緋衫·녹삼綠衫의 4색 공복제公服制에 어느 정도 드러나 있다고 할 수 있다. 대체적으로 붉은색 계통이 상급의 옷 색깔이고 녹·청이 하급의 옷 색깔로 인식되고 있었던 것이라 하겠다.

민인民人들의 경우는 주로 하급에 해당하는 복색을 이용하기도 했겠지마는 대체적으로는 주된 의료였던 마포麻布와 갈포褐布·저포紵布 등의 자체 색깔이 중심이었으리라 싱각된다. 흰 갈포치마(백갈군白葛裙)를 입고 있는 농사집 아낙네와 푸른 삼옷(녹마의綠麻衣)을 입고 있는 사내 농부나, 삼베 잠방이(마곤麻褌)에 흰 갈포옷(백갈의白葛衣)을 입고 술에 취해 누워있는 나뭇꾼과, 농업과 상업을 하는 백성들은 복식에 있어 모두 백저白紵로 포袍를 해입고 네 가닥 띠가 있는 검은색 두건(오건4대烏巾四帶)을 쓴다고한 예 등을 통해 그점을 헤아릴 수 있다. 아울러 백의白衣나 포의布衣가 관원으로서의 일정한 직위가 없거나 또는 그같은 민인民人들, 그리고 검소하게 지내는 사람들을 상징하는 의미로 쓰였다는 데서 그 성격을 엿볼 수 있거니와, 검은색(오烏·조皁·흑黑) 옷 역시 자의紫衣에 상대되는 옷으로 들어지고 있어 이 또한 하급에 해당하는 복색이었음을 알 수 있다.

그렇지만 여기에는 단서 조항도 따른다. 동일한 마포라 하더라도 황마포黃麻布와 흑마포黑麻布가 다같이 외국에 예물로 보내지거나 국왕에게 바쳐질 정도로 귀중한 직물이 되고 있고, 또 저포 역시 국왕조차 평상시에 입었는가 하면 귀부인들도 그러한 경우가 찾아지기 때문이다. 의복식에 있어 의료의 품등에 의해 차이가 나기도 했지만 한편으로 색깔이 상하·귀천의 구별에 중요한 하나의 요소가 되기도 했던 것이다.

이와 더불어 고려시기의 복색과 관련이 깊은 또 하나의 요소는 음양5행·풍수지리설이었다. 즉, 목木·화火·토土·금金·수水의 5행行이 각기 동東·남南·중앙中央·서西·북北 등 5방方 및 청靑·적赤·황黃·백白·흑黑 등 5색色과 연결되어 있다는 천인상관天人相關의 세계관이 동아시아 지역에 커다란 영향을 미치고 있는 상황하에서 우리들 역시 그에 순응할 때 나라와 개인이 행복을 누릴 수 있으나 그렇지 않을 때에는 불행하게 된다는 사상이 널리 자리잡고 있었기 때문이다. 그에 따른 대표적인 논의의 하나가 충렬왕 원년에 태사국太史局에서 우리나라가 처해있는 동방은 목木의 방위로서 청색을 숭상해야 하는 데도 금金의 색깔인 백색옷을 많이들 입어 목木이 금金에 제압당하는 형상이므로 백색 옷의 착용을 금하도록 해야 한다는 건의였다. 이에 국왕도 거기에 동조하고 있으나 그대로 잘 이루어졌는지는 의문이다.

그뒤 공민왕 6년에는 사천소감인 우필흥이 고려초의 저명한 풍수가였던 도선道詵의 『옥룡기玉龍記』를 인용하여 우리나라는 수근水根 목간木幹의 땅으로서 그에 해당하는 흑색과 청색을 내 부모나 몸처럼 존중하고 따라야 한다고 했으므로 의복 등의 풍속을 그에 순응토록 할 것을 건의하여 역시 왕의 응답을 받고 있다. 이후에도 유사한 논의와 함께 그에 따르도록 하는 몇 번의 조처가 이루어지고 있지마는, 그렇다고 할 때에 직위·신분상에서 중시하는 색깔과 여기에서 강조하는 색깔 사이에 서로 어긋나는 면이 보이는데 그 부분이 어떻게 조정되었는지 그점은 좀 분명치가 않다.

그러면 이 색깔에 따르는 염색의 상황은 어떠했을까. 고려에서는 일찍부터 색염色染을 관장하는 국가기구인 도염서都染署(직염서織染署)를 설치한바 있고, 또 어용御用의 기완器玩을 관장하는 기구인 중상서中尙署(공조서供造署)를 설치하고 거기에 홍정장紅鞓匠·주홍장朱紅匠·황단장黃丹匠 등을 배치한 것을 볼 때 나라에서 이 방면에 많은 관심을 베풀었음을 알 수 있다. 뿐 아니라 최자崔滋는 「삼도부三都賦」에서 계림(경주)과 영가(안동)의 뽕나무 농사와 거기에서 얻은 잠사로 짠 비단을 청靑·황黃·주朱·녹綠으로 물들여 생산해내고 있음을 전하고 있거니와, 여러 색깔의 각종 의료들을 보더라도 고려시기의 염색 작업이 비교적 활성화되어 있지 않았을까 생각된다. 다만 그 작업이 현재까지 드러나기는 상급 의료에 치우쳐 있어 민서民庶들이 많이 이용하는 옷감의 경우 어떠했을까는 좀더 숙고해 볼 필요가 있을 듯하다.

염색에 필요한 염료에 대해서는 덕종이 왕 3년(1034)에 어의御衣를 붉은색으로 염색하는데 소요되는 홍지초紅芝草를 1년간 쓸 분량만큼만 거두라고 상의국尙衣局에 지시한 내용중에 보이는 것과 함께 정종靖宗 6년(1040)에는 대식국大食國(아라비아) 상인이 와서 붉은 물감의 재료가 되는 소목蘇木(대소목大蘇木)을 바치고 있어서 부분적으로는 외국으로부터 수입되기도 했음을 알 수 있다. 그 훨씬 뒤인 고종조에 몽고의 사신이 와서 요구한 물품중에, 자초紫草(자주색 염료) 5근, 홍화紅花(홍색 염료)·남순藍荀(청색 염료)·주홍朱紅 각각 50근, 자황雌黃(귤껍질의 빛깔처럼 약간 붉은 빛을 띤 황색 염료)·광칠光漆(검은색 도료로 쓰이는 옻나무 진액)·동유桐油(도료를 만드는데 쓰이는 오동나무의 씨로 짠 기름) 각각 10근씩이 거론되고 있어, 좀더 다양한 염료의 내용을 이해하는데 도움을 받을 수 있으나 앞으로 좀더 정밀한 검토가 필요할 것 같다.

다음으로 의복식의 품위나 지위·신분과 관련이 깊은 요소인 문양紋樣(무늬) 역시 색깔 등과 그 궤를 같이하는 것이었다. 단적으로 국왕만이 할 수 있는 용봉龍鳳 문양의 예가 그 하나로서, 어의御衣의 공급을 관장하는 상의국尙衣局과 직임을 관장하는 잡직서雜織署의 예하에 수장繡匠이 배치되어 있었음은 아마 이런 점들과 관련이 없지 않았을 것이다. 그리고 고위 관료들도 자문라포紫文羅袍나 비문라포緋文羅袍 등 고급 의료에 무늬가 놓인 복식을 하고 있으며, 국왕의 시위侍衛를 담당하는 무인들 역시 자문라포와 함께 구문금포毬文錦袍·홍문라포紅文羅袍 등을 착용하도록 되어 있어 유사했음을 알 수 있으나, 진사進士와 민장民長 및 이속인 정리丁吏·방자房子 등은 문라건文羅巾을 쓰도록 하여 차별성을 보여준다.

이들에 비하면 민인民人들의 경우 벌써 최승로의 상소문에서 「서인庶人들은 무늬와 채색이 든 사·곡(文彩紗縠)을 착용하지 못하도록 하라」는 건의가 보이고, 「어사御史가 민인들의 옷을 감찰해 무늬를 놓은 나

羅나 꽃장식이 든 능(文羅花綾)을 입은 자는 단죄斷罪하고 물품을 압수하였다」는 기록 등을 통해 당시의 상황을 짐작할 수 있다. 국가의 이같은 조처가 일면 생각하면 민인들 중에도 문양이 있는 상급 의료의 옷을 착용한 사례가 아주 없지는 않았음을 말해주는 것이기도 하지만 경제적인 어려움 등을 함께 고려할 때 의복식에 있어서의 문양은 상급의 신분계층과 관련이 깊은 풍습의 하나였다고 생각된다.

부록

1. 고려시기의 복두幞頭와 복두점幞頭店

2. 고려시기의 복식服飾 관련 기구들에 대한 검토

– 상의국尙衣局·도염서都染署·잡직서雜織署를 중심으로 –

〈부록 1〉 고려시기의 복두幞頭와 복두점幞頭店

1. 머리말

전근대前近代 우리나라 사람들의 복식服飾은 용도에 따라 조복朝服·공복公服이니 제복祭服·상복常服 등으로 구분하기도 하고, 또 착용층의 신분에 따라 왕복王服이니 백관복百官服·민서복民庶服 등으로 구분하기도 하는 등 여러 종류가 있을 수 있었다. 하지만 그들을 구성하는 기본 형태는 대체적으로 유사하여 상체의 옷(상의上衣)인 유襦(단의短衣, 저고리)와 하체의 옷(하의下衣)인 고袴(바지)·상裳(치마)에다가, 머리에 쓰는 두의頭衣인 관모冠帽, 발에 신는 족의足衣인 화靴·리履, 그리고 그 위에 입는 포袍(두루마기) 등이었던 것으로 알려져 있다.[1)]

본고에서 다루고자 하는 복두幞頭는 그중 두의頭衣인 관모冠帽의 한 종류로서, 각이 지고 위가 평평한 게 두 단으로 되었으며 모서리에 각脚이 달려 있었는데, 처음에는 중국에서 기원하였다. 그것이 신라에 전래 수용되어 고려조에서 널리 성행하였으며, 조선에 이르러서도 일부 착용되었다. 그러므로 복두에 관한 연구는 중국의 경우와[2)] 함께 우리

---

1) 金東旭, 「新羅의 服飾」『韓國服飾史研究』, 아세아문화사, 1979, 33~46쪽.
柳喜卿, 「上代社會의 服飾」『韓國服飾史研究』, 이화여대 출판부, 1980, 19쪽.
2) 原田淑人, 『漢六朝の服飾』, 東洋文庫刊行, 1937.
原田淑人, 『唐代の服飾』, 東洋文庫刊行, 1970.

나라의 그것도 위에 든 김동욱金東旭·유희경柳喜卿의 저서에서 다루어진 이외에 얼마간 더 눈에 띤다.

그러나 우리나라, 특히 고려의 복두에 대해서는 좀더 세밀하면서도 포괄적으로 검토해야할 부분이 아직 꽤 여럿인 것 같다. 더구나 관모冠帽는 흔히들 말해지듯이 두발頭髮이 들어갈 용기容器인 동시에 머리의 보호와 미적美的 감각에 더하여 당시에는 신분적 표신標信을 나타내기도 했으므로 이와 관련된 내용도 살필 필요가 있다. 그런가 하면 고려 때에는 이것을 관장한 관청인 복두점幞頭店이 설치되어 있었던 만큼 그에 관해서도 알아보아야 한다. 본고는 이런 몇몇 가지 문제를 해명하고자 시도되는 것이지만, 이를 위해서는 그 전단계인 중국 및 신라의 복두에 대한 이해가 필요하므로 그 부분도 얼마간 언급해야 할 것 같다. 그리하여 미흡한 가운데서도 소고小稿가 고려시기의 복식사 내지 생활사, 나아가서는 사회사를 파악하는데 조그마한 보탬이나마 되었으면 한다.

2. 중국中國 및 신라新羅의 복두幞頭 착용

남성들 관모冠帽의 한 종류인 복두를 처음으로 착용하기 시작한 것은 위에서 지적하였듯이 중국에서였다. 그러므로 그 기원에 대해서도 저들 사서史書인 『수서隋書』에 전하는데, 내용은 다음과 같이 되어 있다. 즉,

> ㉮ 옛적에 한 폭의 검은 천으로 (앞에서) 뒤로 향하여 머리카락을 묶었는데(복발襆髮) 속인俗人들이 그것을 복두襆頭라 하였다. 주周나

라 무제武帝 때부터 재단시에 각脚을 넷(4각四脚)으로 하였다(『수서隋書』 권12, 예의지禮儀志 7, 건巾).

고 하여, 복두襆頭(복두幞頭)는 검은 천을 가지고 복발襆髮한 데서 비롯하는 것으로, 후주後周 무제武帝 때에 이르러서는 각대脚帶가 네 귀퉁이에 모두 붙어 넷이 되었다 한다.3)

이 내용을 좀더 이해하기 쉽도록 자세하게 설명함과 동시에 그후의 변화상까지도 곁들인 기록 역시 여럿 전해온다. 그 가운데에서 송인宋人 정대창程大昌과 심괄沈括의 설명을 소개하면 아래와 같다.

㉯ 복두幞頭는 후주後周에서 기원하는데, 일명 4각四脚이라고도 하였다. 그 제도는 사紗를 재단하여 머리를 덮어 머리카락을 모두 감싸는 것으로서, 두 각脚(양각兩脚)으로는 뇌의 뒤를 묶었으므로 당唐의 장식裝飾은 모두 각脚을 드리우는 것(수각垂脚)이었다 하겠는데, 그것이 경각硬脚으로 고쳐진데 대해서는 역사에 시작된 바가 실려 있지 않아 어느 때부터인지 알 수가 없다(정대창程大昌, 『연번로演繁露』 권12).

㉰ 복두幞頭는 일명 4각四脚, 곧 사대四帶라고도 하였다. 두 대(2대二帶)로는 뇌의 뒤를 묶어 두리우는 것인데, (실은) 대帶를 접어(절대折帶) 반대로 두상頭上에 매어서, 곡절曲折하여 정頂에 붙이는 것이었으므로 역시 절상건折上巾이라고도 하였다. 당唐나라 제도에 오직 인주人主(황제皇帝)만이 경각硬脚할 수 있었으나, 당唐나라 말기(만당晩唐)에는 방진方鎭에서 천명擅命하여 경각硬脚을 참용僭用하기 시작하였다. …… 또 서인庶人들이 쓰는 두건頭巾도 당唐나라 사람들은 역시 사각四脚이라 하였는데, 대개 두 각脚(양각兩脚)으로는 뇌의 뒤를 묶고, 두 각脚으로는 턱 밑에 매어 복로服勞하는데

3) 이에 대해서는 위에 든 原田淑人, 「漢六朝の服飾雜」 『漢六朝の服飾』, 東洋文庫, 1937, 131쪽에 설명되어 있다.

> 벗겨지지 않게 하였고, 일이 없은즉 반대로 정상頂上에 매었다(심괄沈括, 『몽계필담夢溪筆談』 권1, 고사故事 1).[4]

여기서도 복두는 후주後周에서 기원하였는데, 일명 사각四脚·사대四帶 또는 그 쓰임새의 모습에 비추어 절상건折上巾이라고도 하였음을 전하고 있다. 그리고 네 각대脚帶 가운데에서 둘은 머리 뒤에 수각垂脚, 즉 아래로 드리워 사용토록 되어 있었고, 둘은 턱 밑에 매어 그것이 벗겨지지 않게 하는데 소용되었다가 일이 없을 때는 정상頂上에 매었음을 알려주고 있다. 한데 복두는 이들 중 머리 뒤의 각대脚帶, 즉 후각後脚의 변모가 중요한 의미를 지녔던 듯하다. 그것이 수각垂脚에서 어느 때인가 경각硬脚으로 바뀌었음이 특기되고 있는 점으로 미루어 이를 짐작할 수 있다. 수각垂脚은 경각硬脚의 형태와 상대되는 것으로 연각軟脚이 되었던 듯싶거니와, 이 연각軟脚, 곧 수각垂脚은 각대脚帶를 아래로 드리우는 것이었으므로, 경각硬脚은 그와 달리 좌우로 평각平脚이 되도록 하는 형태였다고 이해되고 있다.[5] 이같은 변모의 시기에 대해 ㉯는 사서史書에 실려있지 않아 잘 알 수가 없다고 하였으나, ㉰는 이미 당唐나라 때에 황제만은 경각을 할 수 있었다고 말하고 있다. 이를 뒤집어 생각하면 당시까지도 신료臣僚들의 경우는 여전히 수각垂脚을 하고 있었다는 의미이겠거니와, 이는 당唐나라 말기에 이르러 질서가 문란해지면서 번진藩鎭에서 멋대로 경각硬脚을 참용하여 복두의 제도 또한 혼란스럽게 되었음을 전하고 있는 것이라 하겠다.

---

4) ㉯기사는 張東翼, 「高麗·宋의 政治·外交에 관한 記事」 『宋代麗史資料集錄』, 서울대출판부, 2000, 126쪽과 原田淑人, 「唐代一般服飾」 『唐代の服飾』, 東洋文庫, 1970, 73쪽에, 그리고 ㉰기사는 原田淑人, 上同 71쪽에 소개되어 있다.

5) 原田淑人, 위의 책 72쪽과 148·149쪽.

이러한 복두의 변천상에 대해서는 『송사宋史』에 좀더 구체적으로 설명되어 있다. 그 내용을 아래에 적어보면 다음과 같다.

> ㉣ 복두幞頭는 일명 절상건折上巾이라고 하였다. 후주後周에서부터 기원하였는데, (당시에는) 다만 연백軟帛으로 각脚을 드리울(수각垂脚) 뿐이었으나, 수隋에서 비로소 동목桐木(오동나무)으로 하였다. 당唐에서는 증繒 대신에 나羅를 쓰기 시작하였는데, 오직 제복帝服에서만 각脚이 위로 굽고 인신人臣은 아래로 드리웠으나, 5대五代부터 점차 평직平直으로 변하였으며, 국조國朝(송宋)의 제도에서는 군신君臣이 다함께 평각平脚으로 하였다(『송사宋史』 권153, 지志 제106, 여복輿服 5, 제신복諸臣服 하 공복公服 복두幞頭)

㉮·㉯·㉰와 중복되는 설명이 많기는 하나 그런 가운데서도 의료衣料가 처음에는 연질軟質의 백帛이었던 게 뒤에 증繒·나羅로 바뀌었으며 수隋나라에서는 거기에 오동나무를 대서 사용하였다는 것은 새로운 내용이다. 그리고 각대脚帶에 있어서도 당唐에서 황제만이 위로 굽힐 수 있고(경각硬脚) 인신人臣은 여전히 아래로 드리웠다(수각垂脚)는 종래의 설명에서, 그것이 5대 시기부터 평직平直으로 변모하기 시작하였으며, 송대宋代에 이르러서는 군신君臣이 모두 평각平脚으로 하는 제도로 바뀌었음도 새롭게 전해주고 있는 것이다.

이와 같은 중국의 복식, 복두의 제도를 받아들인 우리 쪽은 신라로서 그 한 계기로는 율령律令을 반시頒示하면서 백관百官의 공복公服을 제정하고, 또 6부인六部人의 복색服色과 존비의 제도를 시정始定하는 법흥왕法興王 7년(520)을[6] 상정해 볼 수 있다. 하지만 그 때는 아직 '이속夷俗'이 중심이었다 하므로[7] 이를 단정하는 데는 주저되는 면이 없지 않

6) 『三國史記』 卷4, 新羅本紀 4·同 권33, 雜志 2 色服.

다. 그러다가 이 부분이 분명해지는 것은 진덕왕眞德王 2년(648) 당唐나라에 사신으로 들어간 김춘추金春秋가 우리의 장복章服을 중국의 제도로 바꿀 것을 청하여 의대衣帶를 받아 가지고[8] 온 때부터라고 할 수 있으며, 이듬해 정월에는 「중조中朝의 의관衣冠을 착용하기 시작하였다」는 기록도[9] 남기고 있는 것이다. 이곳의 '중조中朝'는 더 말할 필요도 없이 당唐나라로서 우리들이 받아들인 복식도 그들 것이었겠는데, 그러한 변화는 주로 지배층에 한정되는 것이었겠지마는 이때가 우리의 복식생활에 한 큰 전환기를 이룬다는 점만은 틀림이 없을 듯하다.[10]

그후 신라의 복두 착용과 관련하여서는 영성한 자료 때문인 듯, 제2재第二宰로 있다가 뒤에 원성왕元聖王이 되는(783년 즉위) 김경신金敬信이 왕위에 오를 징조의 꿈을 꾸는 가운데 「복두幞頭를 벗고 소립素笠을 썼다」는 대목에서[11] 처음으로 보이고 있다. 하지만 다시 얼마 뒤인 흥덕왕興德王 9년(834)에 제정된 복식금제服飾禁制에 의하면 관모冠帽의 경우 복두 일색이어서 그것이 일반화되어 있었음을 엿볼 수 있다. 이번의 복식금제服飾禁制는 사치의 금지와 신분에 따른 복식 질서의 확립을 목적으로 골품骨品에 기준을 두고 주로 사용할 수 있는 의료衣料를 각 부분에 걸쳐 세밀하게 규정한 것이었거니와,[12] 그 중 복두에 관한 내용만을 뽑아 도표로 그리면 다음과 같다.

---

7) 『삼국사기』 권33, 雜志 2 色服.
8) 『삼국사기』 권5, 新羅本紀 5·同 권33, 雜志 2 色服.
9) 『삼국사기』 권5, 新羅本紀 5 眞德王 3年 春正月.
10) 金東旭, 「신라통일기 이후의 복식」 『韓國服飾史研究』, 아세아문화사, 1979, 19쪽. 柳喜卿, 「服飾의 變遷」 『韓國服飾史研究』, 이화여대 출판부, 1980, 75쪽.
11) 『三國遺事』 권2, 紀異 第2 元聖大王.
12) 『삼국사기』 권33, 雜志 2 色服.

대 상	복두幞頭의 의료衣料에 관한 규정
진골대등眞骨大等	임의任意
6두품六頭品	세라繐羅·시絁·견絹·포布 사용
5두품五頭品	나羅·시絁·견絹·포布 사용
4두품四頭品	사紗·시絁·견絹·포布만 사용
평인平人	견絹·포布만 사용

이곳의 세라繐羅는 무늬를 넣어 매우 얇게 짠 비단(나羅)을 말하며, 나羅 역시 무늬 있고 얇은 비단으로, 전자가 상품이다. 따라서 세라繐羅는 6두품 이상만이, 나羅는 5두품 이상만이 사용할 수 있었다. 다음 사紗는 얇은 투직透織의 비단으로 4두품 이상만이 쓸 수 있다. 그러므로 규정에는 나타나 있지 않지만 5두품·6두품도 물론 사紗를 복두의 제작에 사용할 수 있었을 것이다. 이어지는 시絁는 굵은 실로 성기게 짠 비단이고, 견絹은 얇고 성기게 짠 비단을 말하며, 그리고 포布는 마포麻布로, 이들은 4두품 이상이면 모두 사용할 수 있는데 비해 평인平人은 그 중 견絹·포布만을 쓸 수 있었다. 이같은 내용으로 미루어 진골대등眞骨大等이 임의任意로 의료를 사용할 수 있었다는 것은 각종 채사彩絲로 섞어 짜서 정교하면서도 화려한 비단인 금錦 등이 이들에게만 허용되었음을 뜻하는 것 같다.[13)]

신라의 국왕들 역시 복두를 착용하였는데, 이는 그가 쓰는 복두를 전담하는 기술자인 복두장幞頭匠이 따로 존재했다는 사실로서 확인할 수

13) 이들 각종 織物에 대해서는 다음의 글 참조.
金東旭, 주 10) 저서 28·29쪽.
柳喜卿, 주 10) 저서 119~121쪽.
趙孝淑, 『韓國 絹織物 硏究－高麗時代를 中心으로－』, 세종대 박사학위논문, 1992, 109~122쪽.
鄭求福 등, 『譯註 三國史記』 주석편(하), 정문연, 1997, 107쪽 및 115쪽.

있다. 즉 경문왕景文王(860년 즉위)이 등극함에 미쳐 귀가 갑자기 당나귀 귀처럼 커졌으나 복두장幞頭匠이 그것을 가리울 수 있는 특수한 복두를 제작해 주어 왕후 및 궁인宮人들도 그 사실을 몰랐다는 이야기가 전하고 있는 것이다.[14] 생각컨대 그것들도 또한 금錦 등 고품질의 재료로 제작되었으리라 짐작된다.

반면에 복두를 착용할 수 있는 하위층으로 견絹·포布만을 사용할 수 있는 평인平人이 들어지고 있는데, 그렇다고 이들이 농민층을 포함하는 지방민까지를 포괄하는 의미의 평인平人은 아니라고 보인다. 이곳의 평인平人은 경주慶州의 왕경인王京人을 대상으로 하는 골품제骨品制 체계 내에서 논의되고 있는 존재들이기 때문이다. 아마 농민층 등은 종래처럼 주로 건괵巾幗 등을 썼을 것이다.[15] 고려 태조가 왕 14년(931)에 신라의 수도를 방문하고 돌아온 직후 신료를 파견해 신라왕과 백관들에게 선물을 하사하면서 군민軍民들에게는 다茶와 복두幞頭를 내리고 있는데,[16] 그 '군민軍民'들 역시 농민층 등과는 구분되는 일정한 위치에 있던 존재들로 이해된다.

지금까지 살펴 왔듯이 신라에 있어서 복두는 그것을 제작하는 의료衣料의 품질에 따른 구분만이 기록에 나타나고 있다. 하지만 신라의 복두제가 당나라의 영향에 의한 것임을 감안할 때 저들처럼 각대脚帶의 형식이나 그 크기의 대소에 따라 구분되는 면이 있었을 것 같은데,[17] 마침 그런 점의 일부나마 전해주는 기사가 역시 중국측의 기록 속에 보

---

14) 『삼국유사』 권2, 紀異 제2, 48 景文大王.
15) 金東旭, 주 10) 저서 14쪽.
16) 『고려사』 권2, 世家·『고려사절요』 권1, 太祖 14年 秋8月.
17) 金東旭, 「興德王 服飾 禁制의 硏究」 『韓國服飾史硏究』, 아세아문화사, 1979, 105·106쪽.

인다. 즉, 왕역王易이라는 사람이 『연북록燕北錄』을 저술하면서 거란契丹에 사절로 들어온 각 나라의 인물과 관복冠服을 그림으로 그렸는데 신라 사인使人의 공복公服과 복두幞頭가 대략 당唐 장식裝飾과 동일하여 정사正使의 복두 또한 수각垂脚이었다는 것이다.18) 신라의 관원들 복두는 당과 마찬가지로 수각垂脚이었음을 알 수 있거니와, 그렇다면 국왕의 경우는 어떠했을까. 당의 황제처럼 경각복두硬脚幞頭이었을까. 아니면 조금 굽어 올리는 형태였을까. 어떻든 신료들과는 어느 정도 형태가 달랐을 듯싶으나 자료의 결핍으로 현재 그 모습을 잘 알 수 없고, 또 각대脚帶의 크기에 있어서도 차이가 있었을 듯싶으나 그점 또한 확인이 되지 않는다.

뒤에 다시 설명하겠지만 고려조에서 국관國官과 귀인貴人의 두건頭巾은 양대兩帶이고 민서民庶의 그것은 4대四帶였다고 하므로 전자들이 공복公服에 착용하는 복두의 경우 마찬가지가 아니었을까 짐작된다. 그렇다면 신라에서도 이미 그러했을 가능성이 있어 보이는데, 이 부분 또한 잘 확인이 되지 않는다.

요컨대 복두는 중국에서 기원한 것으로 당唐을 통해 신라의 진덕왕眞德王 2, 3년(648, 649)경에 전래 수용되어 주로 상위 신분층들이 널리 착용하였다. 그 형태에 있어 당唐까지는 수각垂脚·연각軟脚이 거의 전부였고 황제에 한해 경각硬脚을 할 수 있었으나 5대 시기부터는 점차 평각平脚으로 변모하기 시작, 송대宋代에는 군신 모두가 평직각平直脚으로 할 수 있도록 제도가 바뀌었다. 당의 제도를 수용한 신라는 자연이 수각복두垂脚幞頭가 대부분이었는데, 국왕의 경우 신료들과 얼마간 차이가 있었을 듯싶으나 그 내용은 잘 알 수가 없다. 하지만 골품제사

18) 張東翼, 『宋代麗史資料集錄』, 서울대출판부, 2000, 126쪽, 「幞頭垂脚不垂脚」.

회였던 신라에서 복두 역시 골품骨品에 따라 그것을 제작하는 의료衣料에 차이를 두도록 한 것은 흥덕왕興德王 9년(834)에 제정된 복식금제服飾禁制에 확연히 드러나 있다. 고려에서는 이 복두가 한층 널리 착용되었다.

3. 고려시기의 복두幞頭 착용

궁예의 정권을 인수하여 고려를 건국한(918년) 태조 왕건王建은 앞서 소개한바 즉위 14년(931)이 되던 해 8월에 경주 소재의 신라 군민軍民들에게 복두幞頭를 선사하고 있다. '군민軍民'들을 대상으로 한 만큼 그 숫자는 상당수에 달했을 것이다. 고려에서 백관百官의 공복公服이 공식적으로 제정되는 것은 광종光宗 11년(960)이지만 복두는 그 이전부터도 널리 착용되었음을 짐작케 하는 대목이다. 그리하여 다음 왕인 경종景宗이 노대신老大臣인 최지몽崔知夢에게 복두幞頭를 사여賜與한 기사를[19] 비롯하여 다시 다음 왕인 성종成宗은 5년(986)에 지방에서 개경開京으로 뽑아 올려 학업을 닦던 많은 학생들이 고향으로 되돌아감에도 불구하고 계속하여 그대로 남아 공부하고자 하는 학생 53인에게는 각각 복두幞頭 2매씩 합계 106매를 하사하고 있으며,[20] 또 왕 9년(990) 10월에도 서도西都로 행차하여 은사를 베푸는 가운데 5품 이상에게는 복두 2매씩, 그리고 9품 이상에게는 1매씩 내리고 있다.[21] 복두에 관한 기사는 이후에도 줄곧 보이고 있는데, 문종文宗 3년(1049) 3월에 80세

---

19)『고려사』 권92, 列傳 崔知夢傳.
20)『고려사』 권74, 選擧志 2 學校·『고려사절요』 권2, 成宗 5年 7月.
21)『고려사』 권3, 世家.

이상의 국로國老로 상서우복야尙書右僕射를 지낸 최보성崔輔成 등에게 향연하면서 각각 공복公服 1습襲과 복두 2매씩을 사여하고 있는 것도[22] 그 하나의 예이다. 그리하여 여말에 이색李穡(1328~1396)이 그의 시詩에서 「일찍 성랑省郞과 함께 깊은 밤에 배수拜受받으니 땀이 삼수衫袖와 복두幞頭에 빗겨 흐르네」라고 한데[23] 이르기까지 다양한 기록들이 눈에 띄거니와, 고려에서는 이 제도가 국초國初부터 나라가 종언終焉을 고告하기까지 변함없이 시행되어 왔음을 알 수 있다고 하겠다. 뒤에 다시 설명하겠지만 그 착용자도 위로는 국왕으로부터 아래로는 인리人吏 및 장위仗衛와 함께 왕실의 시위侍衛를 맡은 군인 등 여러 신분층에 걸치고 있는데, 결국 이같은 복두의 제도는 역시 조선조에로 이어져 『경국대전經國大典』에 각 품관品官과 향리鄕吏들은 공복公服 착용시에 복두를 쓰도록 규정해놓고 있기도 하다.[24]

그러면 고려시기 그들 복두의 형태는 어떠했을까. 이점을 이해하는 데는 다음과 같은 자료가 전해져 많은 도움을 받을 수 있다.

> ㉮ 신臣(김부식金富軾)이 세 차례 상국上國(송宋)에 사명使命을 띠고 갔었는데 일행의 의관衣冠이 송인宋人과 차이가 없었다. 일찍이 입조入朝하려다가 아직 일러서 자진전紫宸殿 문 앞에 서 있었는데, 한 합문원閤門員이 와서 묻기를, "누가 고려高麗 사신이오" 하므로, "나요"라고 대답하니 웃고 갔었다(『삼국사기三國史記』 권33, 잡지雜志 제2 색복色服).

주로 예종·인종조에 활동한 김부식(1075~1151) 등이 송나라에 사신

22) 『고려사』 권7, 世家·『고려사절요』 권4.
23) 『牧隱詩藁』 卷10, 詩 「仲孫左左倉洞 因其來奮游」.
24) 『經國大典』 권3, 禮典 冠.

으로 들어가 보니 자신들의 의관衣冠이 송인宋人과 거의 같아서 저들조차 누가 고려인이고 누가 송나라 사람인지 구분하지 못할 정도였다는 것이다. 한데 앞서 설명한 바 송나라는 군신이 모두 평각平脚 내지 평직각平直脚의 복두를 착용하는 제도였으므로 고려도 또한 그러했음을 알 수가 있는 것이다.

인종仁宗 원년(1123)에 송나라 사절의 한 사람으로 고려를 다녀간 서긍徐兢이 견문록見聞錄으로 남긴 『고려도경高麗圖經』에서 왕복王服과 영관복令官服·서관복庶官服,[25] 그리고 인리人吏·향리鄕吏 등의[26] 복장에 대해 서술하고 있는데, 여기서는 관모의 경우 단순히 복두幞頭를 착용한 사실만을 적고 있어 아쉬움을 남기고 있다. 하지만 국왕의 친위군親衛軍과 그 군장軍將 및 수도 개경開京에서 여러 임무를 담당한 군 장교들에 대한 서술은 좀더 구체적이어서 전각복두展脚幞頭 또는 절각복두折脚幞頭를 착용한 것으로 설명되어 있다.[27] 이 가운데 전자는 용호좌우친위기두龍虎左右親衛旗頭가 썼는데, 그것은 「대략 중조中朝의 복식제도와 같은 것」이라고 하여[28] 그게 평각平脚 내지는 평직각平直脚의 복두를 뜻하는 것임을 시사해주고 있다. 이러한 전각복두展脚幞頭는 관부문위교위官府門衛校尉와 6군산원기두六軍散員旗頭·영병상기장군領兵上騎將軍도 쓰도록 되어 있었다.[29]

다음 후자인 절각복두折脚幞頭는 공학군控鶴軍이 쓴 것으로 나온다.[30] 이와 함께 국왕의 출입 때에 우선羽扇과 금월金鉞을 잡고 따르는

---

25) 『高麗圖經』 권7, 冠服 王服·令官服·庶官服.
26) 『고려도경』 권21, 皁隷 人吏·同書 권33, 舟楫 饋食.
27) 이들은 金東旭, 「高麗圖經의 服飾史的 硏究」 『韓國服飾史硏究』, 아세아문화사, 1979, 143·144쪽에 이미 소개되어 있다.
28) 『고려도경』 권11, 仗衛 1 龍虎左右親衛旗頭.
29) 『고려도경』 권12, 仗衛 2 官府門衛校尉·六軍散員旗頭·領兵上騎將軍.

용호좌우친위군장龍虎左右親衛軍將의 관모에 대해 「복두帽頭의 양각兩脚을 꺾어 올려서(절이상折而上) 오른쪽으로 조금 굽힌 것」이라고 한 설명이 보이는데[31] 그것이 곧 절각복두折脚幞頭의 모습을 기술한 게 아닐까 짐작된다. 한데 정작 우선조羽扇條에는 행례行禮 때에 그것을 잡는 친위군장親衛軍將의 관모가 곡각복두曲脚幞頭였다고 하여[32] 명칭이 조금 달리 나온다. 그렇기는 하지만 절각복두와 곡각복두는 그 형태가 거의 비슷한 게 아니었을까 싶은 생각이다. 아울러 이들 양자는 앞서 설명한 전각복두展脚幞頭와 함께 모두 평각平脚에 해당하는 복두였을 것으로 이해된다.[33]

이와 같은 사례들과 더불어 송宋의 영향 등을 고려할 때 비록 왕복王服·영관복令官服·서관복庶官服에 착용하는 복두의 모습을 직접적으로 언급한 기사는 눈에 띄지 않지만 그들 역시 전각展脚·평각平脚의 형태로서 경각硬脚이었을 것이다. 그런데 한참 시간이 지난 고종 말년에 몽고와의 전쟁을 종식시키기 위해 원종이 세자로서 원나라에 갔을 때 황제의 갑작스러운 홍거로 그 동생인 홀필렬忽必烈을 만나게 되지마는, 그때 세자世子가 연각오사軟角·烏紗의 복두幞頭를 썼다고 전한다.[34] 이 '연각軟角'은 연각軟脚과 동일한 의미를 지니는 것으로 생각되거니와, 장차 황위에 오를 사람을 만나는 것이므로 자신을 낮추는 뜻에서 연각

30) 『고려도경』 권11, 仗衛 1 控鶴軍·同書 卷24, 節仗 次禮物.

31) 『고려도경』 권11, 仗衛 1 龍虎左右親衛軍將.

32) 『고려도경』 권9, 儀物 1 羽扇.

33) 柳喜卿은 「高麗王朝社會의 服飾」 『韓國服飾史硏究』, 이화여대출판부, 1980, 190쪽에서 展脚幞頭는 宋나라 제도에서처럼 兩脚이 平直으로 된 것이고, 折角(脚?)幞頭는 唐代의 것과 동일한 下垂形일 것이라 설명하고 있는데, 후자의 설명은 동의가 가지 않는다.

34) 『益齋亂藁』 卷9上, 忠憲王 世家·『高麗史』 권25, 世家 元宗 元年(1260) 3月.

복두軟脚幞頭를 착용했는지는 잘 알 수 없으나 고려에서 일반적으로 행하여졌다고 생각되는 양식과는 차이가 난다는 점에서 좀더 검토해볼 여지가 있는 대목인데 이 자리에서는 더 이상 언급치 않도록 하겠다.

이들 고려시기의 복두는 특별한 경우를 제외하면 양각兩脚이었던 것으로 생각된다. 위의 절각복두를 설명하는 데 나오듯이 양각兩脚이라는 말이 보이며, 또 인종仁宗이 왕 12년(1134) 서경西京에 행차하였을 때 갑자기 바람이 강하게 불어 먼지가 날리고 인마人馬가 제대로 나아갈 수조차 없는 사태에 즈음해 복두를 턱에 잡아맨 것이 아니라 손으로 몸소 붙잡고 대궐로 들어갔다고 한 것과[35] 사가私家에서는 국관國官과 귀인貴人들도 농상민農商民과 같이 오건烏巾을 쓰는데, 다만 그 두건頭巾의 띠를 전자의 것은 양대兩帶인데 비해 후자의 것은 4대四帶로 하여 구분한다고 한 것[36] 등을 통해 그점을 살펴볼 수 있는 것이다.

한 기록에 의하면 방수防戍를 위해 파견된 장군은 정각복두正角幞頭를 착용하지 못하게 되어 있었다 한다. 이는 진준陳俊의 사례에 보이는 것으로, 그는 대장군大將軍으로서 북계北界의 수장戍將이 되었으면서도 정각복두正角幞頭를 착용하고 갔다가 탄핵, 파면당하였던 것이다.[37] 그렇다면 여기에서 말하는 정각복두는 어떤 것이었을까. 잘 모르기는 하되 공복을 입었을 때 정식으로 착용하는 양각兩脚의 평각복두平脚幞頭를 뜻한 것은 아니었을까. 그같은 복두를 수자리하러 간 장수가 착용하는 것은 부자연스러웠을 것이므로 금지했던 게 아니었는지 모르겠다.

한편으로 방수중랑장防戍中郎將의 경우 본시 사명使命을 띠었을 때에 한하여 유각복두有角幞頭를 썼고, 그렇지 않았을 때에는 각角이 없었다

35) 『고려사』 권16, 世家 仁宗 12年 3月.
36) 『고려도경』 권19, 民庶 農商.
37) 『고려사절요』 권12, 明宗 9年 6月·『고려사』 권100, 列傳 陳俊傳.

(무각無角)는 기록도 찾아져 주의를 끈다. 이러하던 제도를 무신정권武臣政權이 제자리를 잡아가던 신종神宗 원년(1198)에 이르러 그같은 제한을 두지 않고 방수중랑장防戍中郎將 모두에게 유각복두有脚幞頭의 착용을 허용했다는 것이다. 이를 가리켜 「각角을 넣는 것(삽각插角)」을 허용했다고 표현하고 있거니와,[38] 그전에는 사명使命을 띠지 않은 방수防戍 담당의 중랑장처럼 무각無角(각脚)복두를 착용하기도 했던 모양이다.

고려시기에 이들 복두를 제작하는 의료로는 주로 사紗를 썼던 것 같다. 위에서 원종이 세자로 있으면서 홀필렬忽必烈을 만날 때 검은색의 사紗(오사烏紗)로 만든 복두를 썼다고 한 게[39] 그 한 예이며, 또 영관복令官服에서는 사제복두紗製幞頭를 착용했다고 한 것과[40] 희종이 재신宰臣·추밀樞密을 지낸 국로國老 등에게 잔치를 베풀면서 예물로 복두사幞頭紗를 사여하고 있는 것[41] 등에서 그런 점을 살필 수 있다. 나아가서 거란과 송나라에 공물貢物로 보내는 것 가운데도 역시 복두사幞頭紗가 포함되어 있는[42] 것이다.

쓰임새로 미루어서 사紗로 제작된 복두는 고품질이었을 것으로 생각된다. 물론 국왕이 착용하는 복두는 나羅나 그 이상의 고품질 비단으로 만들기도 했을 것이다. 그리고 현종 5년(1014) 8월에 송과의 교빙交聘관계를 원만히 하기 위해 파견되는 사절 편에 보낸바 금실로 용봉龍·鳳무늬를 넣어 짠 천으로 만든 복두나 용龍·봉鳳을 수놓아 만든 복두[43] 등은 역시 고품질 비단의 제품이었다고 이해된다. 하지만 이런 예는 특

38)『고려사』권72, 輿服志 冠服 冠服通制·『고려사절요』권14, 神宗 元年 5月.
39) 주 35)와 같음.
40)『高麗圖經』권7, 冠服 令官服.
41)『고려사』권68, 禮志 10 嘉禮 老人賜設儀 熙宗 4年 10月.
42)『고려사』권6, 世家 靖宗 4年 秋7月·同書 卷9, 世家 文宗 34年 秋7月.
43)『고려사』권4, 世家·『고려사절요』권5.

별한 경우이고 대체적으로는 사紗를 사용하였다고 이해된다.

그런가 하면 복두가 하급의 포布 등으로 제작되는 일도 많았을 것으로 짐작된다. 이어서 설명하겠지만 신분이 높지 않은 계층에서 착용하는 복두가 사紗와 같은 비단으로 모두 제작되지는 않았으리라 이해되기 때문이다.

고려 때에서는 국왕의 행례시行禮時에 우선羽扇을 잡는 친위군장親衛軍將 등 특별한 일을 맡은 사람들의 복두를 금화金花 등으로 장식하기도 했음이 확인된다.[44] 그러나 이 역시 일반적인 것은 아니었다고 생각된다.

요컨대 고려에서는 복두가 신라의 뒤를 이어 국초國初부터 멸망에 이르기까지 변함없이 공복公服 착용시의 남성들 관모로 사용되었는데, 그것은 송나라에서와 같이 양각兩脚으로 평각平脚 내지 평직각平直脚의 형태를 띠고 있었던 것 같다. 그리하여 이들은 전각복두展脚幞頭라 불리었던 듯싶은데, 약간의 형태가 다름에 따라 절각복두折脚幞頭 또는 곡각복두曲脚幞頭라 칭하여지기도 했던 것 같다. 정각正角(脚)복두幞頭란 말도 바로 이들을 가리키는 것으로서, 이들이 곧 유각有角(脚)복두幞頭라 표현되기도 했던 듯 싶거니와, 그에 비해 일부 특별한 경우에는 무각無角(脚)복두幞頭가 착용되는 일도 있었던 듯하다. 복두의 의료衣料로는 국왕이나 송宋에 보내는 경우 나羅나 그 이상의 고품질 비단으로 제작하는 게 없지 않았으나 대체적으로는 사紗였으며, 하위 신분층이 쓰는 것은 포布 등으로 만들어지기도 했으리라 짐작되었다.

---

44) 『고려도경』 권9, 儀物 1 羽扇.

4. 고려시기의 복두幞頭와 신분身分

고려는 신분제사회였고, 따라서 그것이 복식에 반영되게 마련이었다. 전근대사회前近代社會에 있어서 복식은 신체 보호의 기능 이외에 어느 개인의 상하·존비尊卑를 겉으로 드러나게 하는[45] 한 방식이 되기도 했기 때문이다.

복두 역시 이점에서는 예외가 아니었는데, 그것이 신분에 반영되어 나타난 가장 뚜렷한 양상의 하나는 복두를 착용할 수 있는 신분계층과 그렇지 못한 사람들을 구분지어 놓고 있다는 점이다. 그리하여 앞 대목에서 설명했듯이 전자로는 국왕으로부터 인리人吏·향리鄕吏까지 그에 포함되었다고 하였다. 그중 국왕에 관한 개별적인 사례로는 위에 든 몇 예 이외에도 이자겸李資謙의 반란에 즈음하여 지석숭池錫崇이 구해 달라고 왕을 붙드는 바람에 어의御衣가 찢어지고 복두도 문門 중방에 닿아 파손되었다고 한 것에서 볼 수 있으며,[46] 태자의 경우도 위에 든 바 원종이 세자로서 홀필렬忽必烈을 만날 때 연각오사복두軟角烏紗幞頭를 썼다고 한 것과 그에게 원복元服을 가加할 때의 의례 중 여정궁진설麗正宮陳設條[47] 등에서 찾아진다. 그리고 대소 관원들의 경우는 역시 앞 대목에서 『고려도경』의 영관복令官服과 서관복조庶官服條 등을 비롯해 몇 사례들을 든 바 있거니와, 여기에는 품관品官 전체가 해당한다고 생각된다. 양반·귀족의 사회라고 일컬어지고 있는 고려에서 요는 이들 품관 이상층이 복두를 착용할 수 있는 주된 신분층이었다고 하겠는데, 정확히 표현한다면 복두를 착용할 수 있었다고 하기 보다 그 자체가 이

45) 『고려사』 권72, 輿服志 序·同書 권93, 列傳 崔承老傳 時務 제9조.
46) 『고려사절요』 권9, 仁宗 4年 3月·『고려사』 권127, 列傳 李資謙傳.
47) 『고려사』 권66, 禮志 8 嘉禮 王太子加元服儀.

들을 위한 관모로서 정착된 복식이었다고 하는 게 좀더 옳을 듯싶다. 그밖에 이들 아래에서 실무를 담당하는 인리人吏·향리鄕吏들도 복두를 착용하였다 함은 역시 위에 들어둔 그대로이다.[48)]

복두를 착용한 주된 신분층인 품관品官들에는 무반武班들도 해당되었다고 이해된다. 무반들에는 2군軍 6위衛에 각각 정3품인 상장군上將軍으로부터 대장군大將軍(종3품)·장군(정4품)·중랑장中郎將(정5품)·낭장郎將(정6품)·별장別將(정7품)·산원散員(정8품) 및 정9품의 교위校尉와 품외品外의 대정隊正이 있었지마는, 역시 앞 대목에서 든 바 전각복두展脚幞頭를 쓴 영병상기장군領兵上騎將軍이나 6군산원기두六軍散員旗頭, 그리고 방수대장군防戍大將軍과 방수중랑장防戍中郎將의 예 등을 통해 그 점을 확인할 수 있는 것이다. 기사 가운데는 이밖에 상6군위중검낭장上六軍衛中檢郎將이 복두를 착용했다는 소개도[49)] 눈에 띈다.

하지만 역시 전각복두를 착용한 것으로 소개된 관부문위교위官府門衛校尉의 경우는[50)] 좀더 검토해볼 필요가 있다. 한 기록에 의하면 교위校尉와 대정隊正은 경인년庚寅年(의종毅宗 24, 1170) 이후부터 복두의 착용이 허용되었다고 보이기[51)] 때문이다. 이들은 무신란의 성공으로 무장들이 권력을 장악하면서 비로소 복두를 착용할 수 있게 되었음을 전하고 있는 것이다. 이 이전에는 그러하지 못하였다는 이야기인데, 그럼에도 관부문위교위의 예와 같은 경우가 있는 것은 이들이 장위仗衛를 담당한다는 그들의 임무와 관련이 있는 듯하다.

장위仗衛의 임무, 즉 국왕의 시위侍衛나 외국 사절의 호위 등 특별한

---

48) 주 27)과 같음.
49) 『高麗圖經』 권11, 仗衛 1 上六軍衛中檢郎將.
50) 주 30)과 같음.
51) 『고려사절요』 권12 明宗 9年 5月·『고려사』 권100, 列傳 洪仲方傳.

일을 담당한 군인들은 비단 교위 등 하급장교가 아니라 일반군인들이라 하더라도 복두를 착용하였다. 역시 앞 대목에서 든 공학군의 경우를 통해[52] 그 점을 살필 수 있다. 유사한 사례로 금오장위군金吾仗衛軍도 복두를 착용했다는 기사 또한 보이고 있다.[53] 1170년에 정중부鄭仲夫와 이의방李義方 등이 반란을 일으키면서 약속하기를, "우리들은 오른쪽 어깨를 내어놓고 복두는 벗도록 하여, 그렇지 않은 자는 모두 죽이자"고 했으므로 무인 중에서도 복두를 벗지 않은 자들 또한 많이 피살되었다고 한다.[54] 이곳에 지칭된 '무인武人'들에는 장교뿐 아니라 일반 군인들까지 포함된 것으로 이해되거니와, 그들은 모두가 복두를 착용하고 있었음을 알 수 있는데 역시 이들은 국왕을 시위하는 견룡군牽龍軍·순검군巡檢軍들이었으므로 그러했던 듯싶은 것이다.

요컨대 복두는 주로 왕족과 양반품관兩班品官들이 공복公服 착용과 더불어 쓰는 관모로서, 그 아래의 이층吏層에도 개방되어 있었다. 그리고 무인들의 경우 1170년을 기준으로 하여 이전에는 9품의 교위와 품외品外의 대정隊正이 제외되었으나 이후부터는 대정을 포함한 전체 무신품관武臣品官과 국왕 및 외국 사절의 시위 등을 담당한 특수 군인들에 한하여 착용토록 되어 있었다. 이들이 복두 착용층이었던 셈인데, 물론 이들간에도 착용하는 복두는 신분계층에 따라 얼마의 차이가 났을 것이다. 그 대표적인 게 의료衣料였으리라 생각된다. 형태에 있어서도 약간의 차이점은 있었으리라 짐작되나 그 내용을 지금으로서는 잘 알 수가 없다.

당시의 제도가 이러하였으므로 여타 신분계층은 복두를 착용하는 게

52) 주 31)과 같음.
53) 『고려도경』 권11, 仗衛 1 金吾仗衛軍.
54) 『고려사절요』 권11, 毅宗 24年 8月·『고려사』 권128, 列傳 鄭仲夫傳.

불가능하였다. 농민·상인층만 하여도 4대帶의 두건頭巾인 오건烏巾을 썼던 것이다.[55] 따라서 제도를 어길 경우 제지를 받았다. 「신종神宗 2년(1199) 2월에 공장工匠들의 복두 착용을 금지한 것」이[56] 그 한 예이다. 신종 2년은 무신정권이 들어서서 아직 사회적으로 혼란을 겪고 있던 때이므로 공장工匠들이 그 틈을 타서 법을 어기고 복두를 착용하였던 모양이다. 그러므로 금지시키고 있는 것이다. 하지만 공장工匠과 유사한 신분층이었던 악관樂官들에게는 착용이 허용되어 있었다.[57] 이들은 국가의 중요 행사에 참여하였으므로 그같은 조처가 있었던 것 같다.

최하위 신분층인 노예들에게 복두의 착용이 금지되었으리라는 것은 쉽사리 이해할 수 있는 일이다. 그러나 이들의 경우에 있어서도 예외가 있었다. 아래의 사료가 그점을 전해주는 기사이다.

> ㉳ (고종 39년) 9월에 왕이 최항崔沆이 바친바 새 연輦을 타고 왕륜사에 행차하면서 대부시大府寺의 은銀 30근을 내어 연輦을 제작한 공장工匠 및 항沆의 창두蒼頭들에게 하사하고, 인하여 창두蒼頭 46인에게는 복두의 착용을 허용하였다. 구례舊例에 오직 제왕諸王과 종실宗室·궁택宮宅의 창두에게만 복두의 착용이 허용되어 그것을 일러 자문가착紫門假著이라 하였는데, 권신權臣의 창두가 복두를 착용하는 것은 여기에서 비롯되었다. 이후부터 권세가노權勢家奴들이 모두 착용하였다(『고려사절요高麗史節要』 권17).

원래부터 창두蒼頭, 곧 노복奴僕의 복두 착용은 금지하되 제왕諸王과 종실宗室·궁택宮宅 등 가까운 왕실 소속의 인원만은 예외를 인정하여

55) 『고려도경』 권19, 民庶 農商.
56) 『고려사』 권85, 刑法志 2 禁令·『고려사절요』 권14.
57) 『고려사』 권71, 樂志 2 唐樂 獻仙桃.

착용을 허용해 그것을 '자문가착紫門假著'이라 일컬었다 한다. 그러던 것이 고종 39년(1252)에 이르러 최씨무신정권崔氏武臣政權의 제3대 집정執政인 최항崔沆의 창두 46인에게도 복두의 착용을 허용하여 주었다는 것이다. 이는 최항을 왕실의 일원에 준하는 대우를 하였다는 의미가 되겠지마는, 한편으로는 제도의 문란을 뜻하는 것이기도 하겠다. 그리하여 이후부터 권세 있는 양반의 가노들도[58] 다투어 복두를 착용하였다는 것이다. 유사한 사례는 원종 5년(1264) 추秋7월에 왕이 도량道場을 개최하는데 당시의 무인집정武人執政이던 김준金俊의 공로가 크다고 하면서 그의 친시親侍 20인에게 '가착복두假著幞頭'(임시로 복두幞頭를 착용케 함)하게 하였다는 기사도[59] 눈에 띤다. 무신정권기의 혼란한 사회상이 복식면에 드러나 있는 한 모습이라 할 것이다.

5. 고려시기의 복두점幞頭店과 복두소幞頭所

복두에 관한 업무를 담당하는 기구로 고려 때는 복두점幞頭店이 설치되어 있었다. 이 관서는 제사도감각색諸司都監各色의 하나로 올라 있는데, 그에 대해서 다음과 같이 기술되어 있다.

> ㉳ 복두점幞頭店. 문종文宗 때 정하였는데, 녹사錄事가 2인으로 을과권무乙科權務였고, 이속吏屬은 기사記事 1인과, 기관記官 1인, 서자書者 2인이었다. 공양왕 3년에 혁파하였다(『고려사』 권77, 백관지百官志 2).

58) 동일한 내용의 기사가 『고려사』 권24, 世家 高宗 39年 9月條와 同書 권72, 輿服志 冠服 冠服通制 高宗 39年條에도 실려 있는데, 『고려사절요』의 '權勢家奴'가 후자에는 '權勢兩班家奴'로 표기되어 있다.

59) 『고려사』 권26, 世家.

복두점에 관한 조직이 다른 여러 관서와 마찬가지로 문종 때－아마 왕 30년(1076)일 것－에 이르러 정비되었음을 전하고 있지마는, 그러나 복두의 기사가 국초國初부터 자주 나오는 것으로 미루어 그의 처음 설치도 역시 이 즈음이었을 것이다. 그리하여 고려가 종언終焉을 고하기 직전인 공양왕 3년(1391)에 혁파되고 있는데, 따라서 그것은 복두의 제도와 함께 거의 고려 전기간에 걸쳐 설치되어 있었다고 보아도 좋을 듯하다.

여기에는 언급이 없지만 이 복두점은 복두의 제작과 보급 등을 관할하는 업무를 담당하였을 것이다. 그같은 정부의 일 기구이었으므로 이곳에는 간수군看守軍으로 잡직장교雜職將校 2인이 배치되어 있기도 하였다.[60]

이 복두점의 일을 담당하는 인원으로는 보다시피 실무자로서 기사記事와 기관記官·서자書者 등이 있었고, 책임자는 을과권무乙科權務인 녹사錄事였다. 이미 알려진 대로 권무관이란 임시적인 직무를 맡은 관원이란 뜻으로 고려에서는 수시로 발생하는 정직正職 소관 이외의 사무를 처리하기 위하여 이들을 따로이 두었는데, 그들 직위는 곧 고정직화하여 또 다른 하나의 직제로 발전하였다. 그리하여 거기에는 상층의 품관권무品官權務와 함께 하층에는 갑과甲科·을과乙科·병과권무丙科權務와 잡권무雜權務 등이 있었다. 이들은 대략 8·9품에 준하거나 그보다 약간 아래의 반차班次에 위치하였는데,[61] 복두점녹사幞頭店錄事는 그같

60)『고려사』권83, 兵志 3 看守軍 幞頭店.

61) 金光洙,「高麗時代의 權務職」『韓國史硏究』30, 1980.
李鎭漢,「高麗前期 權務職의 地位와 祿俸」『民族文化硏究』20, 1997 ;『고려시대 官職과 祿俸의 관계 연구』, 一志社, 1999.
崔貞煥,「權務官의 槪念에 대한 再檢討」『한국중세사연구』11, 2001;『고려 정치제도와 녹봉제 연구』, 신서원, 2002.

은 을과권무乙科權務였던 것이다. 따라서 그가 책임자로 있던 복두점은 말단에 위치한 관서의 하나였음도 대략 짐작할 수가 있다.

복두점이 고려의 전기간에 설치되었던 만큼 그 녹사錄事의 존재도 여기 저기서 찾아진다. 우선 문종 30년에 제정된 권무관록조權務官祿條에 복두점녹사幞頭店錄事가 10석石 10두斗를 받는 관원의 하나로 들어 있고, 이는 인종조仁宗朝 경정更定 때의 규정에도 나오고 있는 게[62] 그 하나다. 그리고 실제로 복두점녹사에 임명되거나 재임했던 인원으로 황위 처 최씨묘지명黃偉妻崔氏墓誌銘에 보이는 모某를[63] 비롯해 허공許珙과[64] 원귀수元龜壽[65]·원서元序[66]·이강李岡[67] 등의 이름이 눈에 들어오는 것이다.

이 복두점과 함께 고려 때는 복두소幞頭所가 있었음도 전해지고 있다. 즉 『고려도경高麗圖經』에서 여러 관부官府의 설치에 대해 설명하는 가운데 관현방管絃坊·궁전사弓箭司와 더불어 복두소幞頭所가 있었음을 언급하고 있으며,[68] 또 공기工技에 관해 설명하면서도 「고려의 공기工技는 지극히 정교한데, 그 뛰어난 재주를 가진 이는 모두 공公에 귀속하였으니 복두소幞頭所·장작감將作監 같은 게 그곳들이다」라고도[69] 보이는 것이다. 복두소에 관한 기록은 더 이상 찾아지지 않아 그의 정체가 좀 미심한 점이 없지 않으나 그것이 공공기관이라고 밝혀져 있을 뿐더러 관현방·장작감 등 정부 기구들과 함께 언급되어 있어 그 역시 유

62) 『고려사』 권80, 食貨志 3, 祿俸 權務官祿.
63) 『高麗墓誌銘集成』 209쪽, 黃偉 妻 崔氏墓誌銘.
64) 『高麗墓誌銘集成』 403쪽, 許珙墓誌銘.
65) 『拙藁千百』 권1·『고려묘지명집성』 470쪽, 元善之墓誌銘.
66) 『牧隱文藁』 권16·『고려묘지명집성』 514쪽, 權廉墓誌銘.
67) 『목은문고』 권18·『고려묘지명집성』 575쪽, 李岡墓誌銘.
68) 『高麗圖經』 권16, 官府 省監.
69) 『고려도경』 권19, 民庶 工技.

사한 성격의 관서로 보아 별 문제가 없을 듯싶거니와, 그렇다고 할 때에 업무도 복두점幞頭店과 다름이 없었을 것으로 짐작된다. 복두소는 혹 복두점의 이칭異稱이 아니었는지 모르겠다.

한편으로 어의御衣에 대한 업무를 관장한 상의국尙衣局에는[70] 복두장전직동정幞頭匠殿直同正과 복두장지유승지幞頭匠指諭承旨·복두장행수교위幞頭匠行首校尉·복두장행수부위幞頭匠行首副尉 등이 소속하여 있었다.[71] 이들은 국왕이 착용하는 복두의 제작 등을 담당한 기술자들임이 분명해 보이는데, 이같은 전통은 신라에서도 살필 수 있었다. 기사에 드러나 있듯이 그들 복두장들은 상의국에 소속한 것으로 나타나 있다. 하지만 복두점과도 관련성이 없지는 않았을 듯한데, 그러나 그 관계를 지금으로서는 역시 잘 알 수가 없다.

요컨대 고려 때는 복두에 대한 업무를 관할하는 기구로 복두점을 설치하고, 거기에 녹사 등의 관원을 두어 일을 보도록 하였는데, 그 기구를 복두소라고 일컫기도 했던 듯싶다는 사실을 확인하였다. 그런 가운데서도 국왕이 착용하는 복두만은 어의御衣를 관장한 상의국 내에 따로 복두장幞頭匠을 소속시켜 생산토록 하고 있었지마는, 이곳의 복두장과 복두점의 관계는 자료의 결핍으로 잘 알 수가 없었다.

6. 맺음말

이상에서 고려시기의 복두幞頭와 복두점幞頭店을 중심으로 살펴 왔

---

70) 『高麗史』 권77, 百官志 2 掌服署.

71) 『고려사』 권80, 食貨志 3 祿俸 諸衙門工匠別賜 尙衣局.

는데, 그 내용을 정리하는 것으로 맺음말을 삼고자 한다.

첫째로, 복두는 중국에서 기원한 관모로서, 처음 각대脚帶는 연질軟質로 하여 아래로 드리우는 수각垂脚의 형태를 띠고 있었다. 그것이 당唐에 이르러 황제에 한해 경각硬脚을 할 수 있도록 바뀌었고, 다시 5대 시기의 변모를 거쳐 송대宋代에는 군신君臣이 다함께 경각硬脚으로서 평각平脚 내지 평직각平直脚의 복두를 착용하는 제도로 바뀌는 과정을 밟았다.

둘째로, 그 제도가 신라 진덕왕眞德王 2년(648)을 전후하여 당唐으로부터 전래 수용되어 주로 지배신분층 사이에서 착용되기 시작하였다. 그후 흥덕왕興德王 9년(834)에 골품제骨品制에 따른 복식금제服飾禁制가 제정되지마는, 복두 역시 나羅·사紗·시絁와 견絹·포布 등 그것을 제작하는 의료衣料에 구분을 두어 착용할 수 있는 신분계층을 세분하고 있는 것으로 미루어 이미 일반화되어 있었음을 엿볼 수 있다. 당시의 복두는 주로 수각복두垂脚幞頭였다.

셋째로, 고려에서는 신라를 이어서 국초國初부터 복두를 널리 착용하여 말기까지 변함이 없었던 것으로 이해된다. 그리하여 구체적으로는 전각복두展脚幞頭니 또는 절각복두折脚幞頭·곡각복두曲脚幞頭 등의 명칭이 나오고 있는데, 복두의 제도는 송宋과 관련이 깊었던 듯 이들은 경각硬脚으로서 평각平脚 또는 평직각平直脚의 형태를 띠고 있지 않았나 생각된다. 그밖에 정각복두正角(脚)幞頭와 유각복두有角(脚)幞頭라는 칭호도 보이지만, 이들 역시 당시의 일반적인 복두를 경우에 따라 그같이 부르기도 하지 않았을까 싶다.

고려에서 복두 제작은 주로 사紗를 사용한 것으로 나타난다. 하지만 국왕이 착용하는 것은 그보다 품질이 나은 나羅나 금錦 등이 사용되었을 가능성은 많으며, 반대로 하위직자들의 것은 포布 등으로 제작되는 경우가 많지 않았을까 한다.

넷째로, 고려에서 복두의 착용은 국왕을 비롯한 왕족과 문무양반층文武兩班層이 그 중심이었다. 그리고 그 아래의 행정실무를 담당한 인리人吏·향리鄕吏들에게도 개방되어 있었으나 무반武班의 경우 정9품인 교위校尉와 품외品外의 대정隊正에게는 1170년의 무신정권 수립을 기준으로 그 이전에는 허용되어 있지 않다가 뒤에야 용인되었다. 하지만 국왕의 시위侍衛나 외국 사절의 호위 등 특별한 임무를 맡은 군인들은 처음부터 복두를 착용토록 하고 있었다.

그밖에 악관樂官들도 국가의 중요 행사에 참여하는 만큼 복두의 착용이 허용되었다. 아울러 '자문가착紫門假著'이라 해서, 비록 천인이기는 하여도 제왕諸王과 종실宗室·궁택宮宅의 창두蒼頭들에게는 예외를 인정하여 주었다. 하지만 공장工匠이나 노복奴僕 등 천시되거나 또는 천한 신분층에게는 착용이 엄격하게 금지되었는데, 이 조차도 무신정권기에 들어와 무인집정武人執政인 최항崔沆의 창두蒼頭와 김준金俊의 친시親侍 등에게 특별히 허용하는 조처를 취하면서 질서가 문란하여졌다.

다섯째로, 고려에서는 이 복두에 대한 업무를 관장하는 기구로 복두점幞頭店을 설치하고, 거기에 을과권무乙科權務인 녹사錄事 등을 두었다. 아울러 『고려도경高麗圖經』에 전하는 바 복두소幞頭所라는 칭호는 이 복두점의 이칭異稱이 아니었을까 짐작된다. 한편 기술이 좋은 복두장幞頭匠들이 어의御衣를 관장하는 상의국尙衣局에 소속하여 있기도 한데, 이들과 복두점과의 관계는 분명치가 않았다.

(이 글은 『한국사학보韓國史學報』제19호에다 2005년 3월에 공표하였고, 그

후 2010년 12월에 일지사에서 간행한 『고려시기 역사의 몇 가지 문제』에 다시 수록했던 것이다.)

〈부록 2〉 고려시기의 복식服飾 관련 기구들에 대한 검토
- 상의국尙衣局·도염서都染署·잡직서雜織署를 중심으로 -

1. 머리말

고려시기 사람들의 복식服飾은 어떠하였을까. 이 주제는 우리들의 일상생활을 이해할 수 있는 중요한 분야의 하나인데, 여기에서 먼저 눈길이 가는 대목은 우리의 고유한 복식상의 토풍土風이 신라의 진덕왕眞德王~문무왕文武王 대에 이르러 중국(당)의 것으로 바뀌어가기 시작했다는 기술이다. 이는 『삼국사기』 권33, 잡지雜志 제2 색복조色服條와 같은 책 권5·6, 신라본기 진덕왕 2년(648)·3년(649)조 및 문무왕 4년(663)조 등에 명시되어 있으며, 고려시기의 복식을 다룬 『고려사』 권72의 여복지輿服志 서문에서도 그대로 따르고 있다. 아울러 이 방면에 관심을 가진 작금의 논자들 역시 그에 동조하고 있는 것으로 보인다.1)

실제로 그 후 중국의 복식 풍습은 신라 왕실과 골품귀족들을 주 대상으로 깊숙한 부분까지 침투하여 들어간 것으로 짐작된다. 그리고 그것은 여러 방면에서 신라의 제도를 받아들인 고려조에서도 당과 그뒤에 건국된 송나라의 것을 중심으로 하는 저들의 문물에 커다란 영향을 받게 되는데, 하지만 한편으로 여기에는 반드시 짚고 넘어가야할 게 있

---

1) 박용운, 『고려사 여복지 역주』 서문, 경인문화사, 2013.

다. 그것은 신라 때도 마찬가지지마는, 고려에 미친 중국의 풍습은 왕실을 비롯한 고위 신분계층, 그나마도 주로 공식적인 의례·업무 때의 복식에 한정되고 있다는 점이다. 국민의 대부분인 일반인들은 말할 것도 없고 고위 신분계층이라 하더라도 일상생활에서는 여전히 고유한 우리의 복식 그대로였던 것이다. 그러므로 이때는 당·송 등의 외래 복식과 우리의 고유 복식이 함께 존속하는 2중 구조의 시기라 할 수 있다. 그후 이같은 체제는 조선조에서도 그대로 이어져가게 된다.

그러므로 복식에 대해 검토를 할 때는 역시 2중 구조에 따라 두 부분을 분리시켜 생각해야할 경우가 많게 마련이지마는, 관련 기구라 하면 그중 상층민과 연결된게 거의 전부였다. 왕조국가에서는 다른 분야도 유사했듯이 복식과 연결된 조직적인 생산과 그를 위한 행정은 왕실과 관료층들을 위한 것들이 대부분이었기 때문이다.

지금 우리들이 살피고자 하는 고려 때의 상의국尙衣局(장복서掌服署)과 도염서都染署(직염국織染局) 및 잡직서雜織署 역시 그에 해당하는 기구들이었다. 이들은 각각 『고려사』 권77, 백관지百官志 2에 실려 있는데, 거기에 보면 상의국은 「어의御衣의 공급」을, 그리고 도염서는 「색염色染 관장」, 잡직서는 「직임織紝 관장」이라고 간략하게 소개되어 있다. 그처럼 이들은 국왕의 옷을 비롯하여 왕실과 신료층臣僚層의 복식을 제작 공급·염색·직임하는 업무를 관장하는 기구였던 것이다.

종래 우리나라의 복식에 관한 고찰은 사료상의 제약도 한몫을 하여 그리 활발하지 못한 편이었다고 할 수 있을 듯 하다. 물론 그런 역경 가운데서도 주목할만한 연구성과는 이어졌으며[2] 근래에는 좀더 활발

---

2) 李如星, 『朝鮮服飾考』, 白楊堂, 1947; 범우사, 1998.
金東旭, 『李朝前期 服飾研究』, 韓國研究院, 1963.
유희경, 『한국복식사연구』, 이화여대출판부, 1975.

한 검토가 이루어지고 있음이 확인된다.[3] 한데 저들 성과는 여전히 상급 지배층과 관련된 부분이 주류인 듯 생각되거니와, 그런 속에서 상의국·도염서·잡직서 등에 대해서 언급한 내용도 눈에 띈다.[4] 그럼에도 먼저 이들 기구에 관해 다시 붓을 드는 것은 이들의 설치와 구성 및 그의 변천, 직임 등을 차례로 검토하여 연구의 한 기초에 해당하는 이 부분을 보완해둘 필요가 있다고 판단했기 때문이지마는, 복식과 관련된 여타 분야와, 특히 민인民人의 그것들은 차후의 과제로 삼고자 한다.

2. 상의국·도염서·잡직서의 설치

고려 때의 복식 관련 국가 기구인 이들 상의국·도염서·잡직서가 각기 처음으로 설치된 것은 언제일까. 이 부분부터 살피기로 하겠는데, 『고려사』 권77, 백관지 2에 실린 관련 내용을 보면 다음과 같다.

㉮-① 장복서(상의국)…목종조에 상의국과 봉어奉御·직장直長이 있

金東旭 ,『增補 韓國服飾史研究, 아세아문화사, 1979.

3) 白英子,『우리나라 鹵簿儀衛에 관한 연구』, 이화여대 박사학위논문, 1985.
임영미,『한국의 복식문화(Ⅰ)』, 경춘사, 1996.
박선희,『한국 고대 복식』, 지식산업사, 2002.
李京子,『우리 옷의 傳統樣式』, 이화여대출판부, 2003.
權兌遠,「高麗史 輿服志의 分析的 檢討」『國史館論叢』 13, 1990.
박용운,「고려시기의 幞頭와 幞頭店」『韓國史學報』19, 2005;『고려시기 역사의 몇 가지 문제』, 일지사, 2010.
金洛珍,「高麗時代 禁軍의 組織과 性格-高麗史 輿服志 儀衛條의 分析을 중심으로-」『國史館論叢』 106, 2005.

4) 趙孝淑,『韓國 絹織物 研究-高麗時代를 中心으로-』, 세종대 박사학위논문, 1993.

었다. 문종 때에 정하였는데 봉어는 1인으로 품질이 정6품이고, 직장도 1인으로 정7품이었다.

㉮-② 도염서…문종 때에 정하였는데 영令은 1인으로 품질이 정8품이고, 승丞은 2인으로 정9품이었다.

㉮-③ 잡직서…문종 때에 정하였는데 영令은 2인으로 품질이 정8품이고, 승丞도 2인으로 정9품이었다.

그 시기로 목종조와 문종 때를 들고 있지마는, 한데 이들 「목종조유穆宗朝有」와 「문종정文宗定」은 백관지에 실려있는 많은 관서들의 설치를 설명하는 자리에 거의 공통적으로 나오는 문구라는 점에 유의해야 할 것 같다. 그리하여 그간의 여러 연구자들은 이중 「문종정」이란 문종 30년(1076)에 이르러 「양반의 전시과田柴科를 경정更定하였으며, 또 관제官制를 고치고 백관百官의 반차班次 및 녹과祿科를 정하였다」는[5] 기록과 내용상 상통하는 것으로 짐작하여 왔는데, 타당한 견해라고 생각된다. 하지만 그렇다고 하여 이때에 도염서와 잡직서가 문종조에 처음으로 설치되었다고 이해하기는 물론 어렵다. 실제로 도염서의 경우 이미 문종 28년(1074) 9월의 기록에 도염서사都染署史의 존재가 찾아지며,[6] 또 잡직서의 경우 역시 꼭 들어맞는 기록은 아니지만 현종 3년(1012) 3월의 교서에 「여러 도의 금기·잡직·갑방의 장수諸道錦綺雜織甲坊匠手」라는 대목도[7] 보이는 것이다.

그렇다면 처음으로 목종조에 설치되었다는 상의국의 경우는 어떨까. 이 호칭이 『고려사』의 백관지가 아닌 편년 기록에서 처음 등장하는 것은 덕종德宗 3년(1034) 춘정월 「신미辛未에 교敎하여 이르기를, "검소함

5) 『고려사절요』 권5, 문종 30년 말미.
6) 『고려사』 권9, 세가·『고려사절요』 권5.
7) 『고려사』 권79, 식화지 2 농상農桑.

을 좇아 비용을 절감하는 것은 백성들을 넉넉하게 하는 길이다. 상의국은 어의御衣를 염색하는데 드는 홍지초紅芝草를 1년간 소요되는 분량만을 계정해 그 이상 더 많게는 거두지 말라"」고한[8] 기사에서이다. 『고려사절요』에는 여기에 이어서 「양반들이 등청登廳하여 일을 볼 때에 입는 상복常服으로 자의紫衣(자주색 옷)를 입는 것은 업무에 아무런 이익됨이 없은즉, (왕)을 호종하는 때가 아니면 모두 조삼皁衫(검은색 옷)을 착용토록 하라」는[9] 구절이 추가되어 있다. 이와 같이 그 시기는 목종조보다 훨씬 뒤인 덕종 3년(1034)에야 보이지만, 그런 한편으로 목종 원년(998) 12월에 제정된 개정전시과改定田柴科에 의하면 전지田地 55결과 시지柴地 30결을 지급받는 제10과에 제국봉어諸局奉御, 전지 50결·시지 25결을 지급받는 제11과에 산제봉어散諸奉御가, 그리고 전지 45결·시지 22결을 지급받는 제13과에 산직장散直長이 들어 있다.[10] 이곳의 제국諸局·6국六局은 국왕의 시봉侍奉 기구들로 상의국을 비롯한 상식국尙食局·상약국尙藥局·상사국尙舍局·상승국尙乘局 등을 말하고,[11] 산직散職은 직사職事가 없는 직위이거니와,[12] 이미 목종 원년(998)에는 상의국의 봉어와 직장 역시 그 이전에 정비된 관제상官制上의 일원으로서 관직에 복무하는 대가로 지급되는 전시과에 편입되어 있는 것이다.

이로써 보면 상의국의 처음 설치가 목종 원년의 이전이라는게 거의

---

8) 『고려사』 권5, 세가.
9) 『고려사절요』 권4.
10) 『고려사』 권78, 식화지 1, 전제田制 전시과田柴科.
11) 이정훈, 「高麗前期 各司의 설치와 운영방식의 변화」 『한국사연구』 128, 2005, 39쪽.
12) 金光洙, 「高麗時代의 同正職」 『역사교육』 11·12 합집, 1969.
朴龍雲, 「高麗時代의 文散階」 『진단학보』 52, 1981; 『高麗時代 官階·官職 硏究』, 고려대출판부, 1997.

확실하다는 이야기인데, 그럴 때에 흔히 논의되는 시기가 성종 2년(983)과 14년(995)이다. 고려가 중국의 제도를 수용하여 관제를 대대적으로 제정·정비하는 때가 바로 이 두 해이기 때문이다. 한데 다행스럽게도 이 논의에 해답을 시사하는 자료가 있어 주목된다. 성종 8년 2월에 왕이, 의료의 혜택이 여러 사람에게 돌아가기를 바란다면서 내외의 문관 5품 이상자와 무관 4품 이상자로 질병이 있는 사람들에게 태의감太醫監의 관원과 함께 상의국과 성격을 같이하는 상약국尙藥局 관원들인 시어의侍御醫·직장直長을 보내 치료해 주도록 조처하고 있는 교서가[13] 그것이다. 이를 통해 성종 8년에는 이미 상약국과 마찬가지로 상의국이 설치되어 있었다고 추단해도 별다른 지장이 없어 보이는 것이다. 그렇다면 성종 14년 보다는 2년일 가능성이 한층 커지게 된다.

고려조에 들어와 관원들이 입는 공복公服의 제도가 처음으로 제정되는 것은 광종 11년(960)의 4색공복제四色公服制에서 비롯한다.[14] 그러나 이것은 국가의 통치체제가 아직 제대로 잡히지 못한 상황에서 왕권의 강화를 위한 개혁정치의 일환으로 시행한 것이므로[15] 그것을 복식 기구의 설치와 곧바로 관련시켜 이해하기는 좀 어렵다. 뿐 아니라 그보다 20여년 뒤인 성종 원년(982)에 최승로崔承老가 올린 시무책時務策 9항에 의하면,

> ㉯ 신라 때에 공경公卿 백료百僚와 서인의 의복·신발·버선은 각기 품색品色이 있어서…공란公襴은 비록 토산土産이 아닐지라도 백료들은 스스로 넉넉히 쓸 수 있었습니다. (그런데) 우리 조정에서는 태

---

13) 『고려사』 권3, 세가.
14) 『고려사』 권2, 세가·『고려사절요』 권2.
15) 申虎澈, 「高麗 光宗代의 公服制定」 『고려광종연구』, 일조각, 1981.

> 조 이래로 귀·천을 논하지 아니하고 임의로 입어서 벼슬이 비교적 높더라도 집이 가난하면 공란을 갖추지 못했으나 비록 직위가 없더라도 집이 부유한즉 능·라·금·수 같은 비단을 사용했습니다. 우리나라의 토산은 좋은 물건이 적고 거친 물건이 많아서, 문채나는 물품은 모두 토산이 아닌데도 사람들마다 입게 되면 다른 나라 사신을 영접할 때에 백관의 예복이 법과 같지 않아 수치를 당할까 염려됩니다. 바라옵건대 백료들로 하여금 조회에는 하나같이 중국과 신라의 제도에 의거하여 공란과 가죽신·홀을 갖추도록 하고… 운운

하여 그때까지만 해도 상·하에 따른 복식의 구분이나 관원들의 공복제도가 그렇게 철저하게 시행되지 못한 듯한 인상을 받는다. 이런 몇 가지 상황을 고려할 때 상의국의 처음 설치는 역시 성종 2년으로 보는게 타당하다는 생각이 많이 든다.

다음 도염서와 잡직서의 경우 편년 기사에 드러난 것으로는 위에서 설명했듯이 전자는 문종 28년(1074), 후자는 꼭 들어맞지는 않지만 현종 3년(1012)의 기사를 통해 유추해볼 수 있다고 하였다. 그런데 한편으로 이들 역시도 상의국의 경우와 마찬가지로 목종 원년(998) 12월의 전시과에서 다른 자료를 찾아볼 수 있다. 즉, 그것에 의하면 전지 35결과 시지 15결을 지급받는 제14과에 정8품령正八品令이 들어 있지마는 도염령·잡직령은 그 실체의 일부를 이루는 직위들이며, 또 전지 27결을 지급받는 제16과의 9품승九品丞에[16] 도염승·잡직승이 포함되어 있었다고 생각되는 것이다. 실제로 문종 30년에 경정更定되는 전시과에는 상의국의 경우 6국봉어·6국직장이라 그전대로 적어놓고 있지만 도염서·잡직서의 경우는 도염령·잡직령 및 도염승·잡직승이라 표기하고[17] 있기도

16) 『고려사』 권78, 식화지 1 전제 전시과.

하다. 이같은 사례와 함께 상의국의 경우도 고려할 때 도염서와 잡직서도 역시 성종 2년에 처음 설치되었다고 보는게 옳지 않을까 싶다. 세 기구는 업무상 서로 밀접한 연관을 가지고 있다는 측면에서 생각하더라도 이와 같은 방향이 합리적일 것 같다.

3. 상의국·도염서·잡직서의 구성과 변천

복식 관련 세 기구에 대해 『고려사』 권77, 백관지 2의 해당 항목에는 위에서 살핀 설치뿐 아니라 그의 변천 과정도 비교적 자세하게 소개되어 있다. 한데 실은 이 자리에는 언급되지 않았거나 또는 달리 연결을 가지는 내용들이 『고려사』세가와 다른 지志들, 열전 및 『고려사절요』·묘지명(『고려묘지명집성』) 등에 상당한 분량이 더 실려 있다. 이제 그것들을 한 자리에 모아 연대별·왕대별로 보기쉽게 도표로 나타내고 설명을 이어가도록 하겠다.

〈표 1〉 상의국의 구성과 변천표

내용 시기	기구	관직과 그 역임자	별도직·이속吏屬	전거
(성종 2년?) (983?)	(상의국)			
목종 (998~1009)	상의국			사77 백관지2 장복서
목종 원년 (998) 12월		제국諸局봉어, 6국직장 산제散諸봉어, 산散직장		사78 식화지1 전제田制 전시과田柴科
덕종 3년	상의국			사5·요4

17) 위와 같음.

내용 / 시기	기구	관직과 그 역임자	별도직·이속吏屬	전거
(1034) 정월				
문종 (30년) (1076)	상의국	봉어1인, 정6품, 직장 1인 정7품	이속: 서령사 4인, 기관記官 2인, 주의注衣 1인	사77 백관지2 장복서
		6국봉어, 6국직장		사78 식화지1 전제 전시과
		6국봉어, 6국직장, 시試6국봉어		사80 식화지3 녹봉 문무반록
문종 30년 (1076)	상의국		수장 지유繡匠指諭 1, 복두장 전직동정幞頭匠殿直同正 1, 복두장 지유승지承旨 1, 화장 행수교위靴匠行首校尉 1, 대장帶匠 지유승지 1, 대장 행수교위 1, 복두장 행수교위 1, 복두장 행수부위副尉 1, 화장花匠 교위 1, 삽혜장靸鞋匠 교위 1, 홀대대장笏袋大匠 1	사80 식화지3 녹봉 제아문공장별사諸衙門工匠別賜
숙종조?		상의봉어 김약온金若溫(김의문)		사97 열전 김약온전
예종조?		시試상의직장 이숙신李淑晨		묘56 서균徐鈞묘지명
〃		상의봉어 이점李漸		묘202 이인영李仁榮 묘지명
인종 원년 (1123)		시상의봉어 김영석金永錫		묘203 김영석묘지명
인종 3년 (1125) 5월		상의봉어 김학란金學鸞		사15·요9
인종 9년 (1131) 11월		상의봉어 이중연李仲衍		사16·요9
인종 10년 (1132)		시상의봉어 원항元沆		묘109 원항묘지명
인종 17년 (1139) 11월		상의봉어 최시윤崔時允		사17·요10
인종조		상의봉어 이식李軾		묘149 이식묘지명
〃		6국봉어, 6국직장, 시봉어, 시6국직장		사80 식화지3 녹봉 문무반록

내용 시기	기구	관직과 그 역임자	별도직·이속吏屬	전거
인종조?		상의봉어동정同正 함덕후咸德侯 상의봉어 함덕후咸德侯		사99 열전 함유일咸有一전·묘249 함유일묘지명
〃		상의봉어동정 박종하朴宗夏		묘84 박종하묘지명
〃		상의봉어동정 양초재梁楚材		묘121 최재崔梓묘지명
〃		상의직장 서공徐恭		묘648 서공묘지명
〃		상의직장동정 배진裴晉		묘86 배경성裴景誠묘지명
〃		상의직장동정 윤자양尹子讓		묘114 윤언이尹彦頤묘지명
〃		상의직장동정 김득기金得器		묘162 김유규金惟珪묘지명
〃		상의직장동정 김성문金性文		묘155 김공칭金公偁묘지명
의종 원년 (1147)		상의봉어 정지원鄭知源		묘103 정지원묘지명
의종조		상의봉어		사72 여복지 관복 백관제복
의종조?		상의봉어 장찬張贊		묘356 유자량庾資諒묘지명
〃		상의봉어 염수장廉守藏		묘665 염수장묘지명
〃		상의봉어 원례元禮		묘471 원선지元善之묘지명
〃		상의직장동정 윤승해尹承解		묘197 윤유연尹裕延묘지명
〃		상의직장동정 조인성趙仁成		묘197 윤유연尹裕延묘지명
〃		상의직장동정 박대원朴大元		묘193 이문탁李文鐸묘지명
〃		상의직장동정 이덕린李德鄰		묘193 이문탁李文鐸묘지명
의종조 전후		상의봉어		사59 예지1 길례대사 원구圜丘 친사의親

내용 / 시기	기구	관직과 그 역임자	별도직·이속吏屬	전거
				祀儀 존옥백尊玉帛
의종조 전후		상의봉어		사59 예지1 길례대사 원구圜丘 친사의親祀儀 송신送神
〃		상의봉어		사60 예지2 길례대사 태묘太廟 체협친향의禘祫親享儀 신관晨祼
〃		상의봉어		사60 예지2 길례대사 태묘太廟 체협친향의禘祫親享儀 송신
〃		상의봉어		사61 예지3 길례대사 태묘 4맹월급납친향의四孟月及臘親享儀 신관
〃		상의봉어		사61 예지3 길례대사 태묘 4맹월급납친향의四孟月及臘親享儀 송신
〃			상의별감 尙衣別監	사61 예지3 길례대사 경령전景靈殿 정조正朝·단오·추석·중구重九 친전의親奠儀
〃		상의봉어		사62 예지4 길례중사 적전籍田 친향의궤향饋享
〃		상의봉어		사62 예지4 길례중사 경적耕籍 친향의
〃	상의국			사68 예지10 가례대관전연군신의大觀殿宴群臣儀 진설陳設
〃	상의국			사69 예지11 가례잡의雜儀 상원연등회의會儀 소회일좌전小會日坐殿
〃		상의봉어		사69 예지11 가례

시기＼내용	기구	관직과 그 역임자	별도직·이속吏屬	전거
				잡의雜儀 상원연등회의會儀 소회일좌전小會日坐殿 알조진의謁祖眞儀
의종조 전후	상의국			사69 예지11 가례잡의雜儀 상원연등회의會儀 소회일좌전小會日坐殿·중동팔관회의 소회전기小會前期
명종 2년 (1172)		상의봉어 최증崔証		묘289 최증묘지명
명종 15년 (1185)		상의직장동정 함화咸和		묘251 함유일咸有一묘지명
명종 20년 (1190)			지상의국사知尙衣局事	사72 여복지 노부鹵簿 백관의종百官儀從
명종조		상의봉어 유공권柳公權		묘281 유공권묘지명
〃		상의봉어 유자량庾資諒		묘356 유자량묘지명
명종조?		상의직장동정 고청高倩		묘296 고영중高瑩中묘지명
〃		상의직장동정 이득견李得堅		묘288 이제현李齊賢묘지명
고종 2년 (1215) 7월	상의국			사22·요14
고종조?		상의봉어 원례元禮		묘399 원부元傅묘지명
충선왕 2년 (1310)	장복서掌服署	봉어→령令 직장		사77 백관지2 장복서
충숙왕 4년 (1317)		장복령 홍의손洪義孫		묘456 박전지朴全之묘지명
충숙왕?		장복직장 김진金縝		묘540 김영돈金永暾묘지명
공민왕 5년 (1356)	상의국	봉어		사77 백관지2 장복서
공민왕 11년 (1362)	장복서	령		사77 백관지2 장복서

내용 시기	기구	관직과 그 역임자	별도직·이속吏屬	전거
공민왕 18년 (1369)	상의국	봉어		사77 백관지2 장복서
공민왕 21년 (1372)	장복서	령		사77 백관지2 장복서
우왕 14년 (1388) 3월	상의국		상의별감	사147·요33
공양왕 3년 (1391)	공조工曹에 합병			사77 백관지2 장복서

※『고려사』는 '사'로, 『고려사절요』는 '요'로, 『고려묘지명집성』은 '묘'로 표기함. '사'·'요'의 숫자는 권수, '묘'의 숫자는 쪽수를 나타냄

〈표 2〉 도염서의 구성과 변천표(* 전거 표시는 상의국과 같음)

내용 시기	기구	관직과 그 역임자	별도직·이속吏屬	전거
(성종 2년?) (983?)	(도염서)			
목종 원년 (998) 12월		8품령八品令, 9품승九品丞 (도염령?) (도염승?)		사78 식화지1 전제田制 전시과田柴科
문종 28년 (1074) 9월			도염서사都染署史 최선지崔善之	사9·요5
문종 (30년) (1076)	도염서	(도염)령令 1인 정8품, (도염)승丞 2인 정9품	이속: 사史 4인, 기관記官 2인	사77 백관지2 도염서
〃		도염령, 도염승		사78 식화지1 전제 전시과
〃		도염령, 도염승		사80 식화지3 녹봉 문무반록
문종 30년 (1076)	※ 액정국 掖庭局		금장錦匠 지유승지指諭承旨 1, 나장羅匠 행수교위行首校尉 1, 금장 행수대장大匠 1, 능장綾匠 행수부정副正 1	사80 식화지3 녹봉 제아문공장별사諸衙門工匠別賜
인종조		도염령, 도염승		사80 식화지3 녹봉 문무반록
의종 초년		도염서령 박황朴璜		묘130 박황묘지명 묘158 문공원文公元묘지명
의종조?			도염사都染史 전문장田文將	묘194 전기田起 처 고씨高氏묘지명

시기 \ 내용	기구	관직과 그 역임자	별도직·이속吏屬	전거
의종조?		증贈도염승 이순李純		묘238 이문탁李文鐸묘지명
원종 5·6년 (1164·5)경		도염서승 민종유閔宗儒		묘448 민종유묘지명
충렬왕 32년 (1306)		도염서령 정신화鄭信和		묘425 정인경鄭仁卿 묘지명
충렬34 충선왕(1308)	직염국織染局 (잡직서 병합) 선공사繕工司에 소속됨	사使 2인(1은 겸관) 종5품, 부사副使 1인 종6품, 직장 1인 종7품		사77 백관지2 도염서
충선왕			액정국의 내알자감內謁者監 2인, 내시백內侍伯 2인, 내알자 2인, 장원정직長源亭直 2인에게 그 일(색염色染)을 맡김	
충선왕 2년 (1309)	도염서	령 정8품, 승 정9품		

〈표 3〉 잡직서의 구성과 변천표(*전거 표시는 상의국과 같음)

시기 \ 내용	기구	관직과 그 역임자	별도직·이속吏屬	전거
(성종 2년?) (983?)	잡직서			
목종 원년 (998) 12월		8품령八品令, 9품승九品丞 (잡직령?) (잡직승?)		사78 식화지1 전제田制 전시과田柴科
현종 3년 (1012) 3월		※ 제도 잡직방 장수 諸道雜織坊匠手		사79 식화지2 농상農桑
문종 30년 (1076)	잡직서	(잡직)령 2인, (잡직)승 2인, 정8품 정9품	이속 : 사史 4인, 기관記官 2인	사77 백관지2 잡직서
〃		잡직령, 잡직승		사78 식화지1 전제 전시과
〃		잡직령, 잡직승		사80 식화지3 녹봉 문무반록
〃	잡직서		계장罽匠 지유승지동정指諭承旨同正 1, 계장 행수교위行首校尉 1, 수장繡匠 행수교위 1	사80 식화지3 녹봉 제아문공장별사諸衙門工匠別賜

내용 / 시기	기구	관직과 그 역임자	별도직·이속吏屬	전거
예종조?		잡직서승 김의원金義元		묘29 이정李頲묘지명
〃		잡직서승 정택鄭澤		묘36 정목鄭穆묘지명
인종 7년 (1129)경		잡직서령 임경화林景和		묘178 임경화묘지명
인종 13년 (1135) 정월		잡직서령 왕식王軾		요10·사98 열전 김부식전
인종조		잡직령, 잡직승		사80 식화지3 녹봉 문무반록
고종 17년 (1230)		잡직서령 금기琴祺		묘361 금의琴儀묘지명
고종 말년		잡직령 원부元傅		묘399 원부묘지명
충렬왕?		잡직서령 이영李榮		묘427 권단權㫜묘지명
충렬34 충선왕(1308)	직염국織染局 (이전의 도염서)에 합병			사77 백관지2 잡직서
후後(충선왕 2년, 1309)	잡직서	령, 승		사77 백관지2 잡직서

좀 장황한대로 상의국(장복서) 및 도염서·잡직서와 관련된 여러 기록들을 가지고 표를 만들면 위와 같거니와, 그 내용은 한마디로 말해서 『고려사』 백관지의 기술과 거의 일치한다고 할 수 있을 듯하다. 우선 상의국만 하더라도 대략 성종 2년(983)부터 충선왕 2년(1310)에 이르는 오랜 기간 동안 봉어·직장 등의 관원과 서령사 등 몇몇 이속(서리)으로 구성된 당해 기구가 존속한 사실이 실례로 드러나고 있으며, 그후 공민왕 5년(1356)까지 40여년간은 장복서로서, 관원들도 영슈·직장으로 바뀐 사실 역시 확인되는 것이다. 그로부터 공민왕조에서만 해도 이들 두 종류의 칭호가 상호간에 거듭 교체된 상황도 나타나 있지마는, 단지 백관지에는 그후 장복서가 곧장 공양왕 3년(1391)에 이르러 공조에 합병된 듯 설명되어 있으나 이 부분만은 우왕 14년(1388) 3월 기사에서 상

의국의 존재가 찾아지는 만큼 그대로 이해하기가 어렵다. 공민왕 21년(1372)의 장복서가 우왕 14년에 이르기 이전의 어느 때에 그 시기는 분명치 않지만 호칭이 상의국으로 바뀐 모양인데 그 내용이 생략된 듯하다. 백관지에서는 이같은 현상이 더러 눈에 띄는 것으로 미루어 그처럼 짐작해도 큰 무리가 없을 듯싶은 것이다.

고려전기의 관제는 원나라의 간섭에 의해 충렬왕 원년(1275)에 커다란 변화가 있었다. 그후 충렬왕 24년(1298)에 부왕父王을 밀어내고 즉위한 충선왕이 개혁정치를 시행하면서 바꾸었던 관제가 8개월 뒤에 복위한 충렬왕에 의해 이전 상태로 되돌리는 조처가 있었지마는, 충렬왕 33년(1307)에 실권을 장악한 충선이 이듬해(1308)에 자기의 의지대로 다시 관제를 고치며, 그같은 개정은 정식으로 즉위한 왕 2년(1309)에도 얼마간 단행된다. 외세의 간섭과 왕 부자간의 알력 속에서 관제가 자주 바뀌는 혼란이 야기된 것이다.

관제의 잦은 개편은 공민왕조에도 있게 되는데, 왕 5년(1356)의 개정은 대대적인 반원개혁정치反元改革政治의 단행과 더불어 그 동안 원의 간섭으로 인해 바뀌었던 제도를 문종 때의 구제舊制로 환원시킨다는 원칙에 따라 이루어진 것이었다. 그리고 왕 11년(1362)의 개정은 반원정책의 단행 이후 끊임없이 반발해온 원나라를 무마함과 동시에 홍건적에 의해 수도가 함락되었다가 수복하는 전란기에 즈음하여 흐트러진 기강을 바로잡으려는 의도에서였던 것 같으며, 왕 18년(1369)의 개정은 원을 대신하여 일어난 명나라와 새로운 외교관계를 수립하는 일과 관련이 있는 듯 하다. 그후 왕 21년(1372)에 또 한번의 개정이 있게 되거니와, 이번의 개정은 그간 정권을 맡겼던 신돈辛旽을 제거하고 친정親政을 펴면서 역시 정치기강을 쇄신하기 위한 조처였던 것으로 생

각된다.[18]

상의국(장복서)의 충선왕 2년 개정이나 공민왕조의 잦은 개편에 대한 배경은 대략 이와 같았지마는, 이 기구가 공양왕 3년(1391)에 이르러 그와 별반 관련이 없어 보이는 공조에 합병된 연유는 분명치가 않다. 공양왕 3년은 이성계파와 신진사류들이 권력을 잡고 역성혁명易姓革命을 본격적으로 추진해가던 시기로서, 이를 전후하여 관제에도 얼마간의 변화가 초래되는데, 그와 함께 생각해 보는게 어떨까 싶다.

다음 상의국(장복서)을 구성하는 관리들을 보면, 앞서도 언급했듯이 정6품의 봉어(영令) 1인과 정7품의 직장 1인에, 이속(서리)으로 서령사 4인, 기관記官 2인, 주의注衣 1인을 기본으로 하고 있다. 이들중 직명 앞에 '산散'자가 붙은 산직에 대해서는 앞서 설명한 바와 같고, '시試'자가 붙은 시직은 정식 직위인 진직眞職으로 진급하기에 앞서서 해당 직위에 '시'자를 덧붙여 얼마 동안 근무하게 하던 제도를 말한다.[19] 그리고 어느 관직 뒤에 '동정同正'을 덧붙인 동정직도 산직과 같은 것으로 관직에 취임할 수 있는 인원이 일정하게 정해져 있는데 따른 한계를 극복하고 보다 많은 인원을 관직세계에 수용할 필요성에서 마련된 직제의 하나이다.[20]

한데 상의국에는 기본적인 구성원이라고할 이들 이외에 상의별감尙衣別監과 지상의국사知尙衣局事 등도 존재한듯한 자료가 찾아져 주목된다. 그중 상의별감의 경우는 국가의 행사 때에 국왕에게 올리는 홀笏과

18) 『고려사』 권76, 백관지 1 서문·박용운, 『고려사 백관지 역주』, 신서원, 2009, 54·55쪽.

19) 朴龍雲, 「고려시대의 官職－試·攝·借·權職에 대한 검토」 『진단학보』 79, 1995; 『고려시대 官階·官職 硏究』, 고려대 출판부, 1997.

20) 주 12)와 같음.

관련하여 두 번 나오고,[21] 또 한번은 우왕이 납비納妃하는 과정에서 상의국이 옷을 올리는게 지연되었다 하여 그 별감을 참하였다는 기사에서[22] 찾아볼 수 있다. 아울러 지상의국사는 명종 20년(1190)에 정해지는 백관百官의 의종儀從에 상식국尙食局·상사국尙舍局·상승국尙乘局·상약국尙藥局의 지국사知局事와 함께 6인을 지급받는 직위로 들어져 있다.[23] 이로써 두 직위의 존재는 어느 정도 확실시되며, 특히 지상의국사는 의종儀從을 6인이나 지급받는 상당한 고위직이라는 점에 눈길이 가지마는, 그러나 이들이 애초부터 구성원에 포함되어 있었는지의 여부는 얼핏 판단이 가질 않는다.

위의 우왕 14년 기사를 소개하는 자리에서는 상의별감만을 언급했지만 실은 『고려사절요』의 경우 상의尙衣의 옷 진헌이 늦었다 하여 「별감 강의康義와 원윤해元允海를 참하였다」고 한데 비해 『고려사』에는 「별감·후덕부소윤 원윤해와 판사判事 강의를 참하였다」고 하여 전자에서는 두 사람을 모두 별감이라고 칭한데 대해 후자에서는 상의별감과 판상의국사로 각각 표기되어 있다. 이곳의 판사를 명종조의 지사와 함께 고려하면 그 역시 상의국의 일원이었을 가능성이 없지 않은데, 그것은 한번에 그치고 있을뿐 아니라 두 자료의 기사가 서로 달라 역시 판단에 어려움이 따른다.

그 외에 문종 30년의 기사로 상의국에는 수장지유니 복두장전직동정·화장행수교위 등등이 존재했다는 사실도 보이고 있다. 그러나 이들은 상의국의 행정을 담당하는 관리가 아니라 그 예하에 소속해 있으면

---

21) 『고려사』 권61, 예지禮志 3 길례대사, 경령전 정조正朝·단오·추석·중구重九 친전의親奠儀.

22) 『고려사』 권137, 열전 우왕 14년 3월·『고려사절요』 권33, 우왕 14년 3월.

23) 『고려사』 권72, 여복지, 백관의종 명종 20년 판判.

서 직접 물품을 생산하는 분야의 일반 공장工匠들을 지휘하고 공정을 관리하는 일종의 직역자들로서,[24] 그에 대해서는 이어지는 항목에서 살피는게 좋을 것 같다.

이상에서 설명한 상의국에 비하면 도염서·잡직서와 그의 구성 및 변천은 좀 단순하다. 상의국과 함께 대략 성종 2년(983)에 설치된 두 기구는 충렬왕 34년(1308)에 이르러 실권자인 충선이 유사한 기구들은 합병시킨다는 방침에 따라서[25] 도염서를 직염국織染局으로 바꿈과 동시에 그것에 잡직서까지 병합시키고는 그를 다시 토목土木과 영선營繕을 관장하는 선공사繕工司에[26] 잠시 소속시키는 변천을 제외하고는 줄곧 그대로 존속하였던 것이다. 병합되었던 두 기구는 이듬해인 충선왕 2년(1309)에 각각 도염서와 잡직서로 되돌아 간다. 이에 맞추어서 구성원들도 직염국 시기에 사使·부사副使·직장 등을 잠시 두었을뿐, 기본적으로 두 기구에는 정8품의 영令 1인(잡직서는 2인), 정9품의 승丞 2인에 이속이 각각 사史 4인, 기관記官 2인씩이 배치되어 일을 보았다.

한데 직염국 시기에는 충선왕이 염직染織의 업무가 제대로 이루어지지 않는다 하여 이곳 소속의 관원이 아닌 내알자감과 내시백·내알자·장원정직 등에게 당해 일을 맡도록한 때도 있었다. 전3자는 궁중에서 시봉侍奉이나 전선傳宣 등의 일을 보았던 액정국掖庭局의 관원들이고[27] 장원정직은 문종조에 연기설延基說을 따라 예성강변에 지은 장원정長源亭 관련의 한 담당자였는데, 이들에게 염직의 일을 맡긴 것은 얼핏 보기에 잘 납득이 가지 않는다. 하지만 당나라의 경우 액정국이 궁금宮禁

24) 徐聖鎬,「高麗前期 지배체제와 工匠」『韓國史論』27, 1992, 98·99쪽.
25) 박용운,『고려사 백관지 역주』, 신서원, 2009, 321쪽.
26)『고려사』권76, 백관지 1 선공시繕工寺.
27)『고려사』권77, 백관지 2.

내 여공女工의 일을 관장한 사실과[28] 함께 고려에서도 이 기구에 금장錦匠 지유승지동정·나장羅匠 행수교위·금장 행수대장大匠·능장綾匠 행수부정副正 등을 둔 것을 보면 본래부터 그가 복식과 관련이 없지 않았던 것 같다.[29]

다음 잡직서를 보면 여기에도 계장罽匠 지유승지동정·계장 행수교위·수장繡匠 행수교위 등이 소속해 있었던 사실이 확인된다. 이들 역시 행정을 담당하는 관리가 아니라 직접 물품을 생산하는 분야의 일반 공장工匠들을 관리·감독하는 일종의 직역자들로 생각된다.[30]

4. 상의국·도염서·잡직서의 직임

이 자리에서 살피고자 하는 상의국과 도염서·잡직서의 직임에 대한 백관지의 설명은 간단·명료하게 되어 있다. 즉, 장복서(상의국)는 「어의御衣의 공급을 관장掌供御衣」하고, 도염서는 「색염을 관장掌色染」하며, 잡직서는 「직임을 관장掌織紝」한다고 규정하고 있는 것이다. 대체적으로 세 기구가 각기 복식과 관련하여 어의의 공급·염색·직임의 세 부분을 분장分掌했음을 알 수가 있는데, 그렇다고 하여 이들의 각 업무가 엄격하게 분리·독립되어 있었던 것은 아닌 듯하다. 얼핏 생각하더라도 알 수 있듯이 최종적인 중요 목적이 어의 등의 공급에 있었던데 비해 염색과 직임織紝은 그것을 얻는데 필요한 재료를 마련하는 단계에 해당하는만큼 업무상 국왕을 상대하여 그의 복식을 공급하는 기구

28) 『구당서』 권44, 직관지 3·『신당서』 권47, 백관지 2 內侍省 掖庭局 .
29) 박용운, 『고려사 백관지 역주』, 신서원, 2009, 410쪽.
30) 徐聖鎬, 주 24) 논문.

가 우위에 있으면서 여러 일을 조정하지 않았을까 짐작되기 때문이다. 앞서 인용한바 어의御衣를 염색하는데 필요한 홍지초紅芝草를 거두어들이는 일에 대하여 국왕이 상의국에 지시를 내리고 있는 것은 이점을 이해하는데 많은 참고가 된다. 그리고 관원들의 품계가 상의국의 정·부책임자인 봉어가 정6품, 직장이 정7품인데 대해 도염서·잡직서의 정·부책임자인 영令이 정8품, 승丞이 정9품인 것 역시 그와 일정한 관련이 있지 않았을까 싶다.

이러한 상의국과 그 관원들의 위상은 국가의 여러 의례에서 일정한 역할을 담당하고 있는 것을 통해서도 찾아볼 수 있다. 즉, 길례대사吉禮大祀인 원구圜丘에 대한 친사의親祀儀에서 전옥백奠玉帛 때에 「태상경太常卿이 왕을 인도하여 안쪽 유壝의 문 밖에 이르면, 근시로서 재계한 자들이 모시고 따른다. 상의봉어가 항규恒圭를 전중감殿中監에게 주면, 전중감이 받아서 왕에게 올린다」고 하였고, 그 송신送神 때에도 「(왕이) 중간 유壝의 문밖으로 나서면 태상경은 "규를 풀어놓기를 청하나이다" 라고 아뢰고, 전중감은 꿇어앉아 규를 받아 상의봉어에게 준다」고 하여[31] 왕에게 복식의 하나라고할 규를 올리거나 다시 받을 때에 상의봉어가 참여하고 있는 것이다. 비슷한 내용은 태묘太廟에 대한 체협친사의禘祫親祀儀의 신관晨祼 때에 「태상경이 앞에서 인도하여 왕이 동문밖에 이르면, 상의봉어가 규를 전중감에게 준다. 무릇 전중감이 규를 올리거나 규를 받음에는 모두 상의봉어가 이에 따른다」 하였고, 송신에서 역시 「(왕이) 문을 나서면 음악을 중지한다. 전중감은 규를 받아 상의봉어에게 준다」고 보이며,[32] 이같은 의례에서 국왕에게 규를 올리

31) 『고려사』 권59, 예지禮志 1.
32) 『고려사』 권60, 예지禮志 2 길례대사吉禮大祀,

고 받을 때의 상의봉어 역할은 다른 곳에서도 찾아진다.[33]

다음으로 「국왕이 집희전集禧殿으로 나아가면 상의별감尙衣別監이 홀笏을 받들어 올리고 승선承宣이 전해받는다」라고 한 것과 「승선이 홋불을 잡고 앞에서 인도한 다음 승선이 홀을 받은 것을 상의별감이 전해받는다」고 한 것은 경령전景靈殿의 정조正朝·단오·추석·중구重九 때 친전의親奠儀에서 상의별감이 홀을 올리고 받는[34] 기사이다. 그리고 「섭시중攝侍中이 궁전 마당의 중앙으로 가서……준비가 완료되었다고 아뢰고……물러나면 국왕은 궁전을 내려가 초요련軺輅輦에 오르는데 이때 상의봉어가 수의手衣를 올린다」고 한 것은 상원연등회의上元燃燈會儀의 알조진의謁祖眞儀 때에 상의봉어가 국왕에게 수의, 곧 손장갑을 올리고 있음을[35] 전하는 기사이다. 그 이외에도 「상의국은 왕좌王座 앞 기둥 사이로 좌우에 화안花案을 설치한다」는 기록도 몇 곳 찾아지지마는,[36] 국가 의례 때 국왕 앞에 화안(꽃 탁자)을 설치하는 것 또한 상의국의 임무였음을 알 수 있다. 상의국과 그 관원들은 이처럼 국가의 중요 행사에서 여러 역할을 맡고 있는 반면에 도염서와 잡직서는 그렇지 못했다는 점에서 좋은 비교가 된다.

이러한 상황을 반영하여 양자간에 지급하는 경제적 대우 사이에도 격차가 난다. 전시田柴의 지급은 전자가 후자의 2배 가까운 대우를 받고 있으며,[37] 특히 녹봉은 4배를 상회한다.[38] 그에 따라서 각 기구에

---

33) 『고려사』 권61, 예지禮志 3 길례대사 태묘 四孟月及臘 親祀儀 신관과 궤식饋食 및 『고려사』 권62, 예지 4 길례중사吉禮中祀 적전籍田 친사의.

34) 『고려사』 권61, 예지 3 길례대사.

35) 『고려사』 권69, 예지 11 가례잡의嘉禮雜儀.

36) 『고려사』 권68, 예지 10 가례嘉禮 대관전연군신의大觀殿宴群臣儀·『고려사』 권69, 예지 11 가례잡의嘉禮雜儀 상원연등회의 및 중동팔관회의仲冬八關會儀.

37) 『고려사』 권78, 식화지 1 전제田制 전시과田柴科 목종 원년 및 문종 30년.

소속하는 상급 기술자들에 대한 대우에서도 차이를 보이고 있는데,[39] 이들 내용을 일괄하여 표를 만들면 아래와 같다.

〈표 4〉 상의국·도염서·잡직서 관원에 대한 대우 비교표

기구 / 내용	상의국	도염서	잡직서
품계·문종	봉어 정6품, 직장 정7품	영令 정8품, 승丞 정9품	영令 정8품, 승丞 정9품
전시 지급	※ 단위는 결		
목종 원년	봉어, 전55·시30 직장, 전45·시22	정8품령, 전35·시15 9품승, 전27	정8품령, 전35·시15 9품승, 전27
문종 30년	봉어, 전50·시15 직장, 전40·시10	도염령, 전30·시5 도염승, 전25	잡직령, 전30·시5 잡직승, 전25
녹봉			
문종 30년	봉어, 86석 10두 직장, 46석 10두	도염령, 20석 도염승, 10석	잡직령, 20석 잡직승, 10석
인종조	봉어, 76석 10두 직장, 46석 10두	도염령, 20석 도염승, 10석	잡직령, 20석 잡직승, 10석
아문의 공장별사 문종 30년	미米 10석, 수장繡匠 지유, 복두장幞頭匠 전직동정 미 8석, 복두장 지유승지 미 6석, 화장靴匠 행수교위, 대장帶匠 지유승지, 대장 행수교위 도稻 12석, 복두장 행수교위, 복두장 행수부위, 화장花匠 교위 도 10석, 삽혜장靸鞋匠 교위 도 7석, 홀대笏袋 대장大匠	※ 액정국掖庭局 미米 7석, 금장錦匠 지유승지 미 6석, 나장羅匠 행수교위 도稻 15석, 금장 행수대장大匠 도 10석, 능장綾匠 행수부정副正	미米 7석, 계장罽匠 지유승지동정 계장 행수교위 미 6석, 수장繡匠 행수교위

여기에서 한가지 더 눈길을 끄는 대목은 여러 아문衙門의 공장工匠 별사別賜에 드러나 있는바 각 기구의 예하에 소속되어 있는 기술자가

38) 『고려사』 권80, 식화지 3 녹봉 문무반록 문종 30년 및 인종조.
39) 『고려사』 권80, 식화지 3 녹봉 諸衙門工匠別賜.

다양하다는 점이다.[40] 이 부분에서 보면 앞서 상의국의 직무가 「어의의 공급을 관장」하는 것이라 규정하고 있지만 그 '어의'는 간략하게 함축하여 쓴 말일 뿐으로서 그것은 단순히 국왕의 옷 만을 뜻한게 아니라 국왕에 관계되는 복식 전반과 함께 더 넓게는 왕실과 그리고 국가에서 필요로 하는 물품 등도 어느 정도 포괄했던 듯 싶으며, 도염서와 잡직서 역시 단순히 염색이나 직임織紝하는 업무에 한정되어 있지 않았던 것 같다.

이제 구체적으로 살피면, 상의국 예하 물품 생산 부서의 경우 거기에는 수장繡匠과 더불어 복두장幞頭匠·화장靴匠·대장帶匠·화장花匠·삽혜장靸鞋匠·홀대장笏袋匠 등이 배치되어 있었음을 알 수 있다. 한데 이들 중 수장을 제외하면 한결같이 머리에 쓰는 복두와[41] 신발·띠·꽃·홀대笏袋 등 의상 이외의 복식을 담당하는 장인匠人들로 구성되었음이 주목된다. 반면에 의료 관계자로는 한때 직염織染의 일을 맡기도 했던 액정국의 예하 부서에 금장錦匠·나장羅匠·능장綾匠을,[42] 그리고 잡직서 예하 부서에는 수장과 함께 계장罽匠을[43] 두고 있다. 이같은 조직의 형태로 미루어 보더라도 세 기구가 각자의 주된 업무를 담당하되, 상의국이 한 단계 위의 기구로서 액정국 산하 부서의 도움도 받으면서 왕실과 국가의 필요에 따라 전체적인 복식 관계 업무를 지휘·조절하지 않았을까 짐작이 되나 잘라 말하기에는 어려움이 따른다.

저들 장인匠人에게 붙여진 지유指諭와 행수行首는 흔히 국왕의 시위

40) 위와 같음.
41) 박용운, 주 3) 논문.
42) 이곳의 금錦·나羅·능綾 등에 대해서는 趙孝淑, 「織物組織의 分析과 織物名稱의 設定」 『韓國絹織物 硏究－高麗時代를 中心으로－』, 세종대 박사학위논문, 1993 및 박선희, 「고대 한국의 사직물」 『한국 고대 복식』, 지식산업사, 2002 참조.
43) 이곳의 계罽에 대해서는 박선희, 「고대 한국의 가죽과 모직물」, 위의 책 참조.

군侍衛軍인 견룡牽龍·도지都知·중금中禁 등의 지휘관 호칭으로 대략 정6품~정8품의 무관들이 임용되던 직위인데[44] 이들에게도 주어지고 있다. 그리고 승지承旨는 조회朝會의 의례儀禮 등을 관장한 통례문通禮門(각문閣門)과[45] 내구內廐를 관장한 봉거서奉車署(상승국尙乘局)[46] 등의 이속吏屬(서리) 등에 대한 칭호이며, 교위校尉는 무관의 정9품직인데,[47] 역시 이들에게도 붙여지고 있다. 앞에서도 언급했듯이 최상급의 기술자로서 일반 공장工匠들을 지휘하고 공정을 관리하기도 했던 이들에게[48] 그에 상당하는 지위를 부여한다는 뜻에서 주어진 것이겠다.

5. 맺음말

지금까지 고려 때 주로 국왕을 비롯한 왕실과 국가에서 필요로 하는 복식服飾 관련의 물품을 담당했던 기구인 상의국과 도염서·잡직서에 대하여 살펴보았다. 이제 그 내용을 간략하게 정리하면 다음과 같이 될 것 같다.

첫째로, 『고려사』의 백관지에는 세 기구의 설치가 목종조와 문종조를 중심으로 서술되어 있다. 그러나 식화지와 편년 기사의 사례들에는 저들의 처음 설치가 이보다 앞선 시기라는 것을 직접 보여주거나 시사

44) 宋寅州, 「高麗時代의 牽龍軍」 『대구사학』 49, 1995.
金洛珍, 「高麗時代 禁軍의 組織과 性格 - 高麗史 輿服志 儀衛條의 分析을 중심으로 -」 『國史館論叢』 106, 2005.
45) 『고려사』 권76, 백관지 1.
46) 『고려사』 권77, 백관지 2.
47) 『고려사』 권77, 백관지 2 西班.
48) 徐聖鎬, 주 24) 논문.

하는 자료들이 찾아지며, 가장 가까이는 성종 8년까지로 거슬러 올라갈 수가 있다. 그렇다면 고려가 중국의 제도를 수용하여 관제를 대대적으로 제정·정비하는 것이 성종 2년(983)이므로 복식 관련 세 기구도 바로 이때에 처음 설치되었다고 이해하는게 옳은 방향이 되겠다는 결론을 내렸다.

둘째로, 세 기구의 구성과 변천에 대한 『고려사』세가와 다른 지志들, 열전 및 『고려사절요』·『고려묘지명집성』의 관련 기사들을 조사해 보면 『고려사』 백관지의 해당 항목에 실린 내용과 거의 일치했음이 확인된다. 먼저 상의국의 경우 해당 호칭이 줄곧 사용되다가 충선왕 2년(1310)에 이르러 장복서로 바뀌어 얼마간 이용되며, 공민왕조에 이르러 외세와 정치적 변동의 영향으로 다시 두 호칭이 교대로 네 차례에 걸쳐 변경되는 것이다. 그리고 여기에는 구성원으로 정6품 봉어와 정7품 직장 각 1인씩이 배치되었는데, 장복서 시기에는 봉어가 영令으로 개정되기도 하였다. 한편 이 백관지에는 실려있지 않은 상의별감과 지상의국사·판상의국사가 지志 등에서 더 찾아져 눈길을 끌기도 하지마는, 그러나 전2자前二者의 존재는 확실시되나 후자만은 단정짓기가 어렵다. 이밖에 상의국에는 이속吏屬으로 서령사·기관記官·주의注衣 등도 배당되어 있었다.

다음으로 도염서와 잡직서의 경우도 충렬왕 34년(1308)에 이르러 실권을 장악한 충선忠宣에 의해 잠시동안 도염서가 직염국으로 바뀌고 여기에 잡직서도 병합되는 변천이 있었지만 그 이외에는 줄곧 당해 명칭으로 존속하였다. 두 기구에는 각각 정8품의 영令 1인(잡직서는 2인)과 정9품의 승丞 2인 및 사史·기관記官 등이 배치되어 있었다.

이들 행정조직에는 물품을 직접 제작하는 예하 부서가 따로이 설치되어 있었다. 그리하여 여기에는 수장繡匠 지유指諭·금장錦匠 지유승지指諭承旨·나장羅匠 행수교위行首校尉 등등 국가로부터 별사別賜의 대우를 받는 상급의 장인匠人들이 소속하여 다시 그 아래의 기술자들을 지휘·감독한 듯 짐작되지마는, 직염국 시기에 액정국의 관원들로 하여금 색염色染에 관여토록한 것도 그 예하 부서에 장인들이 소속해 있었던 사실과 관련이 있는 것으로 짐작된다.

셋째로, 세 기구의 직임에 대해 『고려사』 백관지에는 상의국이 어의御衣의 공급을, 그리고 도염서는 색염色染, 잡직서는 직임織紝을 관장하였다고 간명하게 언급하고 있으나 실제 업무는 그보다 더 넓고 다양했던 것 같다. 이점은 상의국의 예하 부서에 수장繡匠·복두장幞頭匠·화장靴匠·대장帶匠·화장花匠·삽혜장靸鞋匠·홀대장笏袋匠 등이 소속하여 있었고, 잡직서의 예하 부서에는 계장罽匠·수장繡匠이, 그리고 한때 도염서의 업무를 맡기도 했던 액정국의 예하 부서에는 금장錦匠·나장羅匠·능장綾匠 등이 소속해 있었다는 데서 단적으로 드러난다. 이와 더불어 하나 더 주목되는 점은 상의국만이 국가의 여러 의례에서 국왕을 시봉侍奉하는 역할을 맡고 있지마는, 그의 정·부책임자인 봉어와 직장이 각각 정6품과 정7품인 반면에 도염서 잡직서의 정·부책임자인 영令과 승丞은 정8품과 정9품으로서 한 단계 아래의 직위라는 점, 또 국왕을 상대하여 그의 복식을 직접 공급하는 직임을 맡은 기구가 상의국이라는 점 등을 감안할 때, 다같은 관련 기구라 하지만 그들 사이에서는 상의국이 상급 기구로서 관련 업무를 조절·지휘하는 위치에 있지 않았을까 싶은 생각도 든다.

이상은 고려 때 복식의 상·하 이중구조에서 국왕을 비롯한 상층인과 국가의 필요에 따른 물품의 제작을 담당한 기구들에 관하여 대략 살핀 것일뿐, 다소의 관련성을 지니는 것들에 대해서조차 검토하지 못하였다. 아울러 민인民人들과 연결되는 여러 과제들은 더 말할 나위가 없겠는데, 이들 문제는 앞으로 기회가 닿는대로 살피고자 한다.

(이 글은『한국중세사연구』제38호, 2014. 4에 공표했던 것이다.)

찾아보기

ㅁ

ㅂ

ㅈ

ㅊ

ㅌ

ㅍ